BÉHÉMOTH

◦ ⬡ LÉVIATHAN II ⬡ ◦

L'auteur

Scott Westerfeld est né au Texas. Compositeur de musique électronique pour la scène, concepteur multimédia et critique littéraire, il vit entre New York et Sydney.

Il est l'auteur de cinq romans de S.F. pour adultes, dont L'*I.A. et son double*, déjà paru en France, et le space opera en deux parties paru aux éditions Pocket : *Les Légions immortelles* et *Le Secret de l'Empire*.

Scott Westerfeld écrit également pour les adolescents : les séries *Uglies* et *Midnighters*, ainsi que les romans *Code Cool*, *V-Virus* et *A-Apocalypse*.

Du même auteur :

La série *Uglies*

1. Uglies
2. Pretties
3. Specials
4. Extras
5. Secrets

La série *Midnighters*

1. L'heure secrète
2. L'étreinte des ténèbres
3. Le long jour bleu

La série *Léviathan*

1. Léviathan

Retrouvez l'auteur sur son site :
www.scottwesterfeld.com

BÉHÉMOTH

LÉVIATHAN II

Scott Westerfeld

Illustrations de Keith Thompson

Traduit de l'anglais (États-Unis)
par Guillaume Fournier

POCKET JEUNESSE

Titre original :
Behemoth

Publié pour la première fois en 2010 par Simon Pulse,
département de Simon & Schuster Children's
Publishing Division, New York

Couverture : design et illustration de Sammy Yuen Jr.
Photo de couverture : Evan Schwartz
Illustration : Keith Thompson
Copyright © 2010 Scott Westerfeld

Loi n° 49 956 du 16 juillet 1949 sur les publications
destinées à la jeunesse : septembre 2011

LEVIATHAN, Book 2, Copyright © 2010 by Scott Westerfeld
© 2011, éditions Pocket Jeunesse, département d'Univers Poche,
pour la traduction et la présente édition

ISBN : 978-2-266-19417-4

*À Justine : neuf ans, dix-sept romans,
et c'est loin d'être terminé.*

Alek leva son sabre.

— En garde, monsieur !

Deryn brandit son arme à son tour, et étudia la position d'Alek. Il avait les deux pieds à angle droit, le bras gauche recourbé dans le dos comme l'anse d'une théière. Son plastron d'escrime lui donnait l'allure d'un édredon ambulant. Même avec sa lame pointée sur elle, il avait l'air bougrement ridicule.

— Je dois vraiment me tenir comme *ça* ? demanda-t-elle.

— Si vous voulez ressembler à un escrimeur, oui.

— À un idiot, plutôt, marmonna Deryn, qui aurait bien aimé que la leçon se déroule dans un endroit plus discret.

Une douzaine d'hommes d'équipage les observaient, ainsi que deux renifleurs d'hydrogène intrigués. M. Rigby, le bosco, avait interdit la pratique de l'escrime à l'intérieur de l'aéronef.

Après un soupir, Deryn s'efforça d'imiter la posture d'Alek.

Au moins faisait-il un temps splendide sur le dos du

Léviathan. L'aéronef avait laissé la péninsule italienne derrière lui la nuit dernière, et une mer d'huile s'étalait jusqu'à l'horizon ; le soleil de l'après-midi la faisait scintiller comme un tapis de diamants. Des mouettes tournoyaient au-dessus d'eux, portées par une brise fraîche.

Surtout, il n'y avait aucun officier présent pour rappeler à Deryn qu'elle était en service. On avait signalé deux cuirassés allemands dans les parages, et cette dernière devait guetter les signaux de l'aspirant Newkirk, suspendu deux mille pieds plus haut à un ascensionniste Huxley.

On ne pouvait pas pour autant l'accuser de se dérober à ses devoirs. Deux jours plus tôt, Hobbes lui avait ordonné de garder un œil sur Alek et d'apprendre tout ce qu'elle pourrait à son sujet : elle était donc en mission secrète pour le commandant.

Elle trouvait dommage que ses supérieurs continuent à considérer Alek et ses hommes comme des ennemis, mais au moins, cela lui fournissait un prétexte pour passer du temps en compagnie du jeune homme.

— J'ai l'air d'un parfait nigaud, non ? demanda-t-elle à Alek.

— En effet, monsieur Sharp.

— Eh bien, vous aussi ! Quel que soit le mot que vous employiez pour ça dans votre langue.

— Le mot est *dummkopf*, répliqua-t-il. Mais je n'ai rien d'un *dummkopf*, car ma position est tout à fait correcte.

Il baissa son sabre et s'approcha, en rectifiant la posture de Deryn comme si elle était un mannequin dans une vitrine.

UNE LEÇON DE BRAVOURE À LA POINTE DE L'ÉPÉE.

— Appuyez-vous davantage sur votre jambe arrière, conseilla-t-il, en lui écartant un peu les pieds. De manière à pouvoir mettre plus de poids dans vos attaques.

Alek se tenait juste derrière elle, son corps collé au sien pour modifier la position de son bras. Elle n'avait pas réalisé qu'il serait amené à la toucher autant.

Il lui prit la taille, animant un frisson sur sa peau.

Si Alek remontait sa main un tout petit peu, il risquait de remarquer ce qu'elle dissimulait sous son habit ajusté.

— Placez-vous toujours de profil par rapport à votre adversaire, dit-il en la faisant pivoter doucement. Ainsi, votre poitrine présente la cible la plus plate possible.

— Eh oui, la plus plate possible, soupira Deryn.

À première vue, son secret ne risquait pas d'être éventé.

Alek s'écarta et se remit en garde face à elle. Leurs lames se touchaient presque. Deryn respira bien à fond, prête à engager le combat.

Mais le jeune homme n'esquissa pas un geste. De longues secondes s'écoulèrent ; les nouveaux moteurs de l'aéronef faisaient vibrer la membrane sous ses pieds, et les nuages défilaient lentement au-dessus de leurs têtes.

— Est-ce qu'on va se battre ? demanda Deryn. Ou seulement se foudroyer du regard jusqu'à ce que mort s'ensuive ?

— Avant de croiser le fer, un escrimeur se doit de maîtriser la posture de base. Mais ne vous inquiétez pas, dit Alek avec un sourire cruel, nous n'y consacrerons pas plus d'une heure. Ce n'est que votre première leçon, après tout.

— Quoi ? Une heure entière… sans bouger ?

Deryn commençait déjà à avoir des crampes, et elle voyait les hommes d'équipage se retenir de pouffer. L'un des renifleurs d'hydrogène s'approcha pour flairer sa botte.

— Ne vous plaignez pas, dit Alek. Lors de mes premières leçons avec le comte Volger, il ne voulait même pas me laisser tenir une épée !

— Drôle de façon d'apprendre à la manier.

— Il faut avant tout acquérir une bonne posture. Sans quoi vous risquez de prendre de mauvaises habitudes.

Deryn ricana.

— Je croyais qu'aborder un combat sans bouger faisait justement partie des mauvaises habitudes ! Et s'il s'agit de rester plantés là, pourquoi portez-vous une armure ?

Alek ne répondit pas ; il se contenta de plisser les paupières, son sabre parfaitement immobile. Deryn vit la pointe du sien commencer à trembler. Elle serra les dents.

Bien sûr, que ce satané prince Alek avait appris à se battre ! Sa vie entière devait pouvoir se résumer à une longue succession d'enseignements. Le comte Volger, son maître d'armes, et Otto Klopp, son maître de mécanique, étaient peut-être les seuls de ses professeurs à l'accompagner dans sa fuite ; mais dans son château des Habsbourg où il avait grandi, il avait dû en connaître des dizaines, qui lui farcissaient le crâne de toutes sortes de bêtises : langues mortes, bonnes manières, superstitions clankers. Pas étonnant qu'il considère que se dévisager en chiens de faïence pouvait être instructif.

Mais Deryn n'allait tout de même pas capituler devant un prince qui se donnait des airs.

Elle continua donc à le toiser d'un œil noir, sans bouger d'un pouce. Au fil des minutes, elle se raidit, ses muscles douloureux se mirent à palpiter ; et c'était pire dans sa tête, où l'ennui le disputait à la colère et à la frustration, au milieu du bourdonnement de l'aéronef propulsé grâce à des moteurs clankers.

Le plus difficile consistait à soutenir le regard d'Alek. Ses yeux verts restaient rivés aux siens, aussi inflexibles que la pointe de sa lame. Maintenant qu'elle connaissait les secrets d'Alek – l'assassinat de ses parents, la douleur d'avoir dû quitter son foyer, le poids des querelles familiales qui avaient déclenché cette guerre épouvantable – Deryn lisait de la tristesse dans son regard.

Par moments, elle voyait même des larmes briller dans les yeux du prince, retenues par une fierté indomptable. Et parfois, quand tous deux se livraient à des compétitions stupides, comme lequel arriverait le premier au sommet d'une corde, Deryn avait presque envie de le laisser gagner.

Mais elle ne pourrait jamais lui avouer tout cela à voix haute, pas dans la peau d'un garçon, et Alek ne la regarderait plus jamais de la même façon s'il apprenait qu'elle était une fille.

— Alek…, commença-t-elle.

— Besoin d'une pause ?

Son sourire narquois balaya aussitôt ses pensées.

— Allez au diable, dit-elle. Je me demandais simplement ce que vous ferez, vous autres clankers, à notre arrivée à Constantinople.

Le sabre d'Alek oscilla.

— Le comte Volger trouvera une solution. Nous quitterons la ville au plus vite, je suppose. Les Allemands n'iront jamais me chercher au fin fond de l'Empire ottoman.

Deryn fixa l'horizon vide. Le *Léviathan* devrait atteindre Constantinople demain à l'aube, et elle ne connaissait Alek que depuis six jours. Allait-il vraiment disparaître aussi vite ?

— Non pas que je me déplaise à bord, dit Alek. La guerre ne m'a jamais paru aussi loin, pas même en Suisse. Mais je ne peux pas rester en l'air indéfiniment.

— Non, j'imagine que non, admit Deryn, en focalisant son regard sur les pointes de leurs lames.

Le commandant ignorait peut-être l'identité d'Alek, mais les origines autrichiennes du jeune homme ne faisaient aucun doute. Tôt ou tard, l'Autriche-Hongrie serait officiellement en guerre avec la Grande-Bretagne et le commandant ne pourrait plus relâcher les clankers.

Cela paraissait injuste de considérer Alek comme un ennemi alors qu'il avait sauvé l'aéronef – à deux reprises : la première fois d'une mort glaciale, en leur apportant de la nourriture, et la deuxième fois des Allemands, en leur faisant cadeau des moteurs qui leur avaient permis de s'échapper.

Alek était déjà traqué par les Allemands, qui cherchaient à finir le travail commencé avec ses parents ; il fallait bien que *quelqu'un* se range de son côté.

Et, comme Deryn avait fini par se l'avouer au cours

de ces derniers jours, cela ne lui déplairait pas d'être le quelqu'un en question.

Un mouvement dans le ciel attira son attention, et Deryn laissa retomber son bras endolori.

— Ha, ha ! triompha Alek. On reconnaît sa défaite ?

— C'est Newkirk, dit-elle, curieuse de déchiffrer les signaux frénétiques de l'aspirant.

Les fanions de sémaphore reprirent leurs positions depuis le début et, peu à peu, le message devint clair dans son cerveau.

— Deux colonnes de fumée à quarante miles de distance, annonça-t-elle en saisissant son sifflet. Ce sont les cuirassés allemands !

Elle réprima un petit sourire et siffla l'alerte – Constantinople allait devoir attendre un peu.

◉   ◉   ◉

Le hurlement de l'alarme se propagea rapidement d'un renifleur d'hydrogène à l'autre. Leurs cris résonnèrent bientôt à travers l'aéronef entier.

Les hommes d'équipage se rassemblèrent sur le dos pour sortir les canons à air comprimé ou porter à manger aux chauves-souris à fléchettes. Les renifleurs détalaient le long des cordes, à la recherche de fuites dans la membrane du *Léviathan*.

Deryn et Alek se mirent à treuiller le Huxley afin de rapprocher Newkirk de l'aéronef.

— Nous le laisserons à mille pieds, dit Deryn, l'œil rivé aux marques d'altitude sur la corde. Le foutu veinard. Il sera aux premières loges pour voir la bataille !

— La bataille ? s'étonna Alek. Allons, quel mal voulez-vous qu'un aéronef puisse faire à deux cuirassés ?

— Eh bien, nous allons commencer par rester parfaitement immobiles pendant une heure. Il ne s'agirait pas de prendre de mauvaises habitudes.

Alek leva les yeux au ciel.

— Je suis sérieux, Dylan. Le *Léviathan* ne possède aucun armement lourd. Avec quoi allons-nous les combattre ?

— Un grand souffleur d'hydrogène est plein de ressources. Il nous reste quelques bombes, pour commencer, et des chauves-souris à fléchettes… Excusez-moi, vous avez bien dit « nous » ?

— Je vous demande pardon ?

— Vous venez de dire « Avec quoi allons-*nous* les combattre » ; comme si vous étiez des nôtres !

— C'est possible, reconnut Alek les yeux fixés sur ses bottes. Mes hommes et moi servons à bord de cet aéronef, après tout, même si vous n'êtes qu'une bande de mécréants darwinistes.

Deryn sourit de nouveau et attacha le câble du Huxley.

— Je n'oublierai pas de le mentionner au commandant, la prochaine fois qu'il me demandera si vous êtes un espion clanker.

— C'est très aimable à vous, rétorqua Alek, avant de lever la tête et de croiser son regard. Mais vous soulevez un point intéressant : vos officiers nous feront-ils confiance dans la bataille ?

— Pourquoi pas ? Vous avez sauvé l'aéronef, en nous donnant les moteurs de votre Sturmgänger !

— Certes, mais si je m'étais montré moins généreux,

nous serions toujours cloués sur ce glacier avec vous. Ou dans une prison allemande, plutôt. Je n'ai pas seulement agi par pure bonté d'âme.

Deryn se renfrogna. Les choses allaient peut-être se compliquer un peu, en effet, avec la bataille qui s'annonçait. Les hommes d'Alek et l'équipage du *Léviathan* s'étaient alliés par accident ou presque, et depuis quelques jours à peine.

— Après tout, vous avez promis de nous aider à gagner l'Empire ottoman, dit-elle d'une voix douce. Pas de combattre d'autres clankers.

Alek hocha la tête.

— C'est ce que vos officiers risquent de penser.

— Et vous, qu'est-ce que vous en dites ?

— Nous suivrons les ordres. Vous voyez, Klopp et Hoffman sont déjà à pied d'œuvre, fit-il remarquer indiquant l'avant de l'aéronef.

C'était vrai. Les moteurs installés de part et d'autre de la tête du gigantesque animal s'étaient mis à rugir en crachant deux grosses colonnes de fumée noire. Mais la vision de cette machinerie clanker à bord d'un aéronef darwiniste ne faisait que souligner l'alliance contre nature qu'avait nouée le *Léviathan*. En comparaison des minuscules moteurs de conception britannique dont il était doté d'ordinaire, ceux-là grondaient et fumaient comme des locomotives.

— C'est peut-être l'occasion de faire vos preuves, suggéra Deryn. Vous devriez aller donner un coup de main à vos hommes. Nous aurons besoin de toute notre vitesse si nous voulons rattraper ces cuirassés avant la nuit. Mais ne vous faites pas tuer, ajouta-t-elle en lui donnant une bourrade.

Alek sourit et lui adressa un salut.

— J'essaierai. Bonne chance, monsieur Sharp.

Il tourna les talons et partit vers l'avant au pas de course.

En le regardant s'éloigner, Deryn se demanda ce que pouvaient bien penser les officiers sur la passerelle. Voilà que le *Léviathan* se préparait à livrer bataille avec de nouveaux moteurs à peine testés, supervisés par des hommes qui, en toute logique, devraient combattre dans l'autre camp.

Le commandant n'avait guère le choix, cependant : s'il refusait de se fier aux clankers, il n'aurait plus qu'à se laisser dériver au gré du vent. Quant à Alek et à ses hommes, ils devaient prendre part à la bataille s'ils ne voulaient pas perdre leurs uniques alliés. Personne ne semblait vraiment avoir le choix, à bien y réfléchir.

Deryn soupira. Comment cette guerre avait-elle pu prendre une tournure aussi complexe ?

DEUX

Alors qu'il courait vers les moteurs, Alek se demanda s'il avait bien dit la vérité à Dylan.

Il se sentait mal à l'aise à l'idée de prendre part à cette attaque. Ses hommes et lui avaient déjà affronté des Allemands – et même des Autrichiens – à une douzaine de reprises en fuyant vers la Suisse. Mais là, c'était différent – ces cuirassés n'étaient pas à sa poursuite.

D'après une communication sans fil interceptée par le comte Volger, les deux navires s'étaient retrouvés piégés en Méditerranée au début de la guerre. Avec Gibraltar et le canal de Suez aux mains des Britanniques, ils n'avaient plus la possibilité de regagner l'Allemagne. Ils fuyaient depuis une semaine.

Alek savait ce qu'on éprouvait à être traqué, piégé dans un conflit initié par d'autres. Il se préparait pourtant à aider les darwinistes à envoyer par le fond deux navires avec tout leur équipage.

La bête immense roula sous ses pieds ; les cils qui recouvraient ses flancs ondulaient comme de l'herbe balayée par le vent, et la faisaient pivoter avec lenteur.

16

Des oiseaux fabriqués tournoyaient autour d'Alek, quelques-uns en harnais portaient des instruments de guerre. Il y avait une autre différence. Cette fois, il se battait côte à côte avec ces créatures. Alek avait grandi persuadé qu'il s'agissait d'abominations impies, mais après quatre jours à bord de l'aéronef, leurs piaillements et leurs cris commençaient à lui sembler naturels. Hormis ces horribles chauves-souris à fléchettes, les bêtes inventées pouvaient même recéler une certaine beauté.

Serait-il en train de devenir darwiniste ?

Parvenu à la hauteur des nacelles, Alek descendit le long des cordages. L'aéronef se cabrait, laissant la mer s'enfoncer sous lui. À cause des cordes glissantes dans l'air iodé, il dut se concentrer pour ne pas tomber et oublia ses préoccupations.

Quand il atteignit le moteur bâbord, il était trempé de sueur et regrettait amèrement de porter son plastron d'escrime.

Otto Klopp était aux commandes ; son uniforme de la garde des Habsbourg paraissait en triste état après six semaines loin de chez eux. Derrière lui se tenait M. Hirst, le chef mécanicien du *Léviathan*, en train d'étudier la bruyante machine avec un air légèrement dégoûté. Alek devait reconnaître que les pistons en mouvement et les bougies crépitantes donnaient une drôle d'impression contre la membrane souple de la bête volante, comme des rouages fixés aux ailes d'un papillon.

— Maître Klopp ! cria Alek pour couvrir le vacarme. Comment va le moteur ?

Le vieil homme leva les yeux du tableau de contrôle.

17

— Assez bien pour tenir cette vitesse. Savez-vous ce qui se passe ?

Otto Klopp parlait à peine quelques mots d'anglais, bien sûr. Même si un lézard messager leur avait apporté la nouvelle, il ne pouvait pas savoir pourquoi l'aéronef changeait de cap. Il n'avait vu que des codes de couleur transmis depuis la passerelle, des instructions auxquelles il fallait obéir.

— Nous avons repéré deux cuirassés allemands…

Alek marqua un temps d'hésitation. Ne venait-il pas de dire « nous » encore une fois ?

— L'aéronef leur donne la chasse.

Klopp fronça les sourcils, surpris par l'information, puis haussa les épaules.

— Eh bien, les Allemands et nous ne sommes pas dans les meilleurs termes ces temps-ci. Mais il est vrai aussi, jeune maître, que nous pourrions couler une bielle à tout moment.

Alek contempla la rotation des rouages et des pistons. Les moteurs installés à la hâte se montraient capricieux, et soulevaient sans cesse toutes sortes de difficultés. Ils pourraient facilement tomber en panne sans que l'équipage soupçonne une quelconque malveillance.

Mais le moment était mal choisi pour trahir leurs nouveaux alliés.

Car Dylan avait beau dire qu'Alek avait sauvé le *Léviathan*, ce dernier savait bien ce qu'il devait à l'aéronef. Le plan de son père prévoyait qu'il passe la totalité de la guerre à se cacher dans les Alpes suisses, attendant le moment de dévoiler son secret – qu'il était l'héritier du trône d'Autriche-Hongrie. L'atterrissage en catastrophe de l'aéronef lui avait à coup sûr épargné de longues années à ronger son frein dans la neige.

Les darwinistes l'avaient sauvé. Et ils faisaient confiance à ses hommes pour superviser ces moteurs.

— Espérons que cela n'arrivera pas, Otto.

— Comme vous dites, jeune maître.

— Un problème ? s'enquit Hirst.

Alek lui répondit en anglais.

— Pas du tout. Maître Klopp affirme que le moteur tourne comme une horloge. Je crois que le comte Volger est affecté à l'équipe du moteur tribord. Voulez-vous que je reste ici pour vous servir de traducteur à tous les deux ?

Le chef mécanicien lui tendit une paire de lunettes de protection contre le vent et les étincelles.

— S'il vous plaît. Mieux vaudrait éviter tout… malentendu dans le feu de l'action.

— Bien sûr.

Alek enfila ses lunettes. Il se demanda si Hirst avait remarqué l'hésitation de Klopp. En tant que chef mécanicien à bord, il était l'un des rares darwinistes à s'y connaître un tant soit peu en mécanique. Il observait toujours le travail de Klopp sur le moteur clanker avec une grande admiration, même si les deux ne parlaient pas la même langue. Il serait dommage d'éveiller ses soupçons maintenant.

Heureusement, cette bataille ne serait bientôt qu'un souvenir et ils reprendraient sans délai la route de Constantinople.

◉   ◉   ◉

À la tombée de la nuit, deux minces taches noires se profilèrent à l'horizon.

— Le petit est dans un triste état, commenta Klopp en baissant ses jumelles.

Alek lui prit l'instrument des mains et regarda à travers. Le plus petit des deux cuirassés avait souffert. L'une de ses tourelles était noircie par le feu, et il laissait dans son sillage une trace d'huile, qui renvoyait des reflets irisés sous le soleil couchant.

— Ils ont déjà livré bataille ? demanda-t-il à Hirst.

— Oui, la Navy leur a donné la chasse à travers toute la Méditerranée. Ils ont essuyé plusieurs tirs de loin, mais ont toujours réussi à nous glisser entre les pattes. Pas cette fois-ci, dit l'homme avec un sourire.

— Ils ne risquent pas de nous distancer, c'est certain, ajouta Alek.

En quelques heures, le *Léviathan* avait repris une soixantaine de kilomètres aux cuirassés.

— Et ils ne peuvent même pas rendre les coups, se félicita Hirst. Nous volons trop haut pour eux. De toute manière, il nous suffit de les ralentir. La Navy est déjà en route.

Un « boum » retentit au-dessus d'eux, et une nuée d'ailes noires se déploya sur l'avant de l'aéronef.

— Ils envoient d'abord les chauves-souris à flé-chettes, dit Alek à Klopp.

— De quel genre de créatures impies peut-il s'agir ?

— Elles mangent des pointes en métal, répondit Alek, laconique.

Il frissonna.

La nuée noire se fit plus dense dans le ciel. La nacelle alluma ses projecteurs et, à mesure que la lumière du soleil déclinait, les chauves-souris se rassemblèrent dans leurs faisceaux, pareilles à des papillons de nuit.

Le *Léviathan* avait perdu un grand nombre de ces bêtes au cours des batailles récentes, mais le stock se reconstituait peu à peu. Les naissances compensaient les pertes, comme dans une forêt à l'issue d'une longue saison de chasse. Les darwinistes appelaient leur aéronef un « écosystème ».

Vu de loin, il y avait quelque chose de fascinant dans la manière dont le nuage noir tournoyait à la lueur des projecteurs. Il se déplaça vers le petit cuirassé, prêt à lâcher sur lui une pluie de pointes métalliques. La plupart des membres d'équipage seraient protégés par le blindage, mais les servants des batteries de pont se feraient tailler en pièces.

— Pourquoi commencer par les chauves-souris ? demanda Alek à Hirst. Ce ne sont pas des fléchettes qui vont couler un cuirassé.

— Non, mais elles vont détruire ses fanions de signalisation et ses antennes de transmission. Si nous parvenons à empêcher toute communication entre les deux navires, il y a moins de risques qu'ils se séparent et tentent de fuir chacun de son côté.

Alek traduisit pour Klopp, qui indiqua une forme noire dans le lointain.

— Le grand est en train de virer de bord.

Alek releva ses jumelles. Il lui fallut un moment pour retrouver la silhouette du plus grand des deux cuirassés à l'horizon qui s'assombrissait. Il parvenait tout juste à lire son nom sur son flanc – le *Goeben* paraissait beaucoup plus redoutable que son compagnon. Il comportait trois tourelles hérissées de canons ainsi que deux catapultes pour gyroplanes, et la forme de son sillage trahissait la présence de deux bras anti-krakens sous sa ligne de flottaison.

Sur son pont arrière se dressait une construction étrange, une sorte de tour hérissée de bobines métalliques qui faisait penser à une douzaine d'émetteurs sans fil emboîtés les uns dans les autres.

— Qu'est-ce que c'est ? demanda Alek.

Klopp prit les jumelles et regarda. Il avait travaillé des années en coopération avec l'armée allemande, et il avait en général des idées très arrêtées sur tout ce qui touchait au domaine militaire. Mais cette fois, il avoua d'une voix hésitante :

— Je ne sais pas trop. Cela me rappelle un jouet que j'ai vu autrefois… Ils lancent un gyroplane !

Une silhouette gracile s'élançait dans les airs depuis l'une des catapultes. Elle effectua un virage serré et s'éleva en vrombissant à la rencontre des chauves-souris.

— Que nous mijote-t-il ? murmura Klopp.

Alek suivit la manœuvre les sourcils froncés. Les gyroplanes étaient des machines légères, tout juste capables d'emporter un pilote. Ils étaient conçus pour des missions de reconnaissance et non d'attaque. Pourtant, le petit appareil se dirigeait droit sur le nuage de chauves-souris en faisant tourner ses rotors à pleine puissance.

Près de l'essaim d'ailes noires, le gyroplane s'illumina d'un coup. Un trait de feu jaillit de son nez, comme une fusée de feu d'artifice dans la nuit.

Alek se souvint d'une chose que Dylan lui avait dite au sujet des chauves-souris – qu'elles avaient une peur terrible de la lumière rouge ; que cela leur faisait rendre aussitôt leurs fléchettes.

Le jet de flammes déchira le nuage, éparpillant les chauves-souris. Quelques secondes plus tard, le nuage explosait comme une aigrette de pissenlit dispersée par le vent.

Le gyroplane entama un virage mais fut pris au milieu des chiroptères. Alek vit des flé-chettes scintiller dans les projecteurs, et le gyroplane se mit à trembler ; ses rotors se frois-sèrent, s'arrachèrent et mirent en pièces sa fragile charpente.

Alek regarda la machine volante dégrin-goler en tournoyant et disparaître dans une petite tache blanche à la surface de la mer. Il se demanda si le malheureux

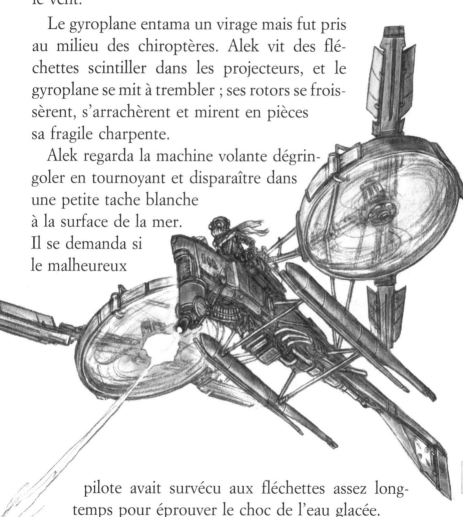

pilote avait survécu aux fléchettes assez long-temps pour éprouver le choc de l'eau glacée.

Les projecteurs du *Léviathan* fouillèrent le ciel, mais les chauves-souris étaient trop dispersées pour reprendre l'attaque. La plupart revenaient déjà vers l'aéronef.

Klopp abaissa ses jumelles.

— Les Allemands ont mis au point de nouvelles ruses, semble-t-il.

— Comme toujours, dit Alek, les yeux fixés sur les cercles concentriques dans l'eau à l'endroit où le gyroplane s'était écrasé.

— Des ordres de la passerelle, annonça M. Hirst en indiquant le tableau de contrôle.

Le signal avait viré au bleu, signe qu'il fallait ralentir. Klopp agit sur les commandes puis adressa un regard interrogatif à Alek.

— Abandonnons-nous l'attaque ? demanda Alek en anglais.

— Bien sûr que non, rétorqua M. Hirst. Simple changement de trajectoire. Je parie que nous allons ignorer le *Breslau* à partir de maintenant pour nous concentrer sur le grand. Histoire d'éviter que ce deuxième gyroplane ne nous fasse des misères.

Alek tendit l'oreille un moment. Le moteur tribord continuait à tourner à plein régime, et le *Léviathan* pivotait lentement en direction du *Goeben*. La bataille n'était pas terminée. D'autres hommes allaient mourir ce soir.

Il se tourna vers les organes du moteur. Klopp connaissait une dizaine de moyens de les neutraliser en douce. Un mot de sa part pouvait tout arrêter.

Mais il avait promis à Dylan de se battre loyalement. Et après avoir sacrifié sa cachette, son Sturmgänger et l'or de son père pour s'allier à ces darwinistes, il aurait été absurde de les trahir maintenant.

Il savait que le comte Volger l'aurait approuvé. En

tant qu'héritier du trône austro-hongrois, son premier devoir était de survivre. Et la survie au sein du camp ennemi ne pouvait pas reposer sur une mutinerie.

— Et ensuite ? demanda-t-il à Hirst.

Le chef mécanicien prit les jumelles des mains de Klopp.

— Nous n'allons pas continuer à perdre notre temps sur leurs fanions de signalisation, c'est sûr. Nous allons sans doute passer directement aux bombes. Ce n'est pas un gyroplane qui les dispersera.

— Nous allons les bombarder, traduisit Alek pour Klopp. Ils sont sans défense.

L'homme se contenta de hocher la tête, en pesant sur les commandes. Le tableau de contrôle virait de nouveau au rouge. Le *Léviathan* avait trouvé sa trajectoire.

TROIS

Ils mirent de longues minutes à rattraper le *Goeben*.

Les grands canons du cuirassé tonnèrent une fois, puis crachèrent des flammes et de la fumée dans le ciel nocturne. Mais M. Hirst avait raison – les obus passèrent largement en dessous du *Léviathan*, avant de soulever des colonnes d'écume à plusieurs kilomètres de distance.

Quand l'aéronef se rapprocha, Alek examina le navire allemand avec ses jumelles. Des hommes s'activaient sur le pont, couvrant les canons sous d'immenses bâches noires, qui luisaient sous les derniers rayons du crépuscule, comme du cuir ou du plastique. Alek se demanda si elles étaient assez solides pour arrêter les fléchettes.

Mais aucun plastique ne pouvait résister aux explosifs.

Les hommes du cuirassé ne donnaient pas l'impression de s'inquiéter, pourtant. Ils ne préparaient pas les canots, et le deuxième gyroplane restait sur sa catapulte, les rotors attachés pour ne pas offrir de prise au vent. Bientôt lui aussi disparut sous une bâche.

— Jeune maître, dit Klopp, que font-ils sur le pont arrière ?

Alek braqua ses jumelles dans la direction indiquée et vit des étincelles crépiter au sommet de l'étrange tour en métal.

Il plissa les yeux. Des hommes s'affairaient au pied de la tour, vêtus d'uniformes taillés dans le même matériau noir et luisant qui protégeait les canons. Ils se déplaçaient avec lenteur, comme englués dans du goudron.

Alek fronça les sourcils.

— Jetez donc un coup d'œil, maître Klopp. Vite, s'il vous plaît.

Tandis que le vieil homme s'emparait des jumelles, les crépitements redoublèrent – Alek les distinguait à l'œil nu maintenant. Ils filaient le long de la tour, comme des serpents de foudre…

— Du caoutchouc, murmura Alek. Ils ont tout recouvert de caoutchouc. Cette tour doit être chargée en électricité.

Klopp lâcha un juron.

— J'aurais dû m'en douter. Mais je n'en avais jamais vu à part sous forme de jouets, de maquettes de démonstration, jamais rien d'aussi gros !

— Des maquettes de quoi ?

Le vieil homme abaissa les jumelles.

— C'est un canon Tesla. Un vrai.

Alek secoua la tête.

— Tesla, l'homme qui a inventé la transmission sans fil ? Cette tour serait une sorte de transmetteur géant ?

— Celui-là même, jeune maître, mais il ne s'agit pas d'un transmetteur, dit Klopp, tout pâle. C'est une arme, un générateur de foudre.

Alek fixa la tour crépitante avec horreur. Comme Dylan le répétait souvent, la foudre était le plus grand ennemi de l'aéronef. Si un courant électrique passait sur la membrane du *Léviathan*, la moindre fuite d'hydrogène pouvait l'embraser comme une torche.

— Sommes-nous à sa portée ?

— Ceux que j'ai vus pouvaient à peine tirer au bout d'une pièce, répondit Klopp. Ils vous donnaient des picotements dans les doigts, ou faisaient se dresser les cheveux sur la tête. Mais celui-ci est énorme, et il a les chaudières d'un cuirassé pour l'alimenter !

Alek se tourna vers M. Hirst, qui suivait leur conversation d'un air blasé, et lui dit en anglais :

— Il faut virer de bord ! Cette tour sur le pont arrière est une sorte de… canon à foudre.

M. Hirst haussa les sourcils.

— Un canon à foudre ?

— Oui ! Klopp a travaillé en collaboration avec l'armée allemande. Il a déjà vu ce genre d'armement. Enfin, sous forme de maquette.

Le chef mécanicien scruta la silhouette du *Goeben*. Le flux électrique crépitait plus fort que jamais, en dévidant des filaments arachnéens le long des poutrelles de la tour.

— Vous ne voyez donc pas ? s'écria Alek.

— C'est assez curieux, dit M. Hirst avec un sourire. Mais, la foudre ? Allons, je doute que vos amis clankers aient acquis une telle maîtrise des forces de la nature.

— Il faut prévenir la passerelle !

— Je suis sûr que la passerelle le voit très bien elle-même.

Hirst sortit un sifflet de sa poche et souffla dedans.

— Mais je l'informerai de votre théorie, ajouta-t-il.

— Ma théorie ? cria Alek. Nous n'avons pas le temps d'en discuter ! Nous devons faire demi-tour.

— Nous allons plutôt attendre les ordres, déclara Hirst en rangeant le sifflet dans sa poche.

Alek poussa un grognement de frustration, puis se tourna vers Klopp.

— De combien de temps disposons-nous ? demanda-t-il en allemand.

— Je ne vois plus personne sur le pont, à l'exception des hommes en combinaison. Ce qui veut dire qu'ils peuvent tirer à tout moment. En faisant machine arrière toute, nous devrions pivoter plus vite.

— De machine avant toute à machine arrière toute ? Personne ne croira à une fausse manœuvre, se lamenta Alek.

— Non, mais je peux faire comme si l'idée venait de moi, dit Klopp.

Il attrapa Alek par le col et le jeta au sol sans ménagement. Le garçon se cogna le crâne contre le pont métallique de l'habitacle et vit trente-six chandelles.

— Klopp ! Au nom du ciel, qu'est-ce qui vous… ?

Un grincement terrible noya la suite de ses paroles, tandis que le moteur entier se mettait à trembler autour de lui. L'air s'apaisa d'un coup quand l'hélice s'arrêta de tourner.

— Que signifie ce cirque ? s'écria Hirst.

Alek retrouva ses esprits, et il put voir Klopp qui brandissait une clé à molette sous le nez du chef mécanicien. De sa main libre, le vieil homme enclencha habilement la marche arrière, avant d'écraser la pédale de l'accélérateur.

L'hélice repartit avec quelques crachotements, soufflant un vent contraire sur l'habitacle.

— Klopp, attendez ! commença Alek.

Il voulut se lever, mais la tête lui tourna et il retomba sur un genou.

Par tous les diables ! L'autre lui avait fait rudement mal !

Hirst soufflait de nouveau dans son sifflet – une longue note aiguë, cette fois – et Alek entendit un renifleur d'hydrogène hurler en réponse. Une meute de ces affreuses créatures allait bientôt accourir ventre à terre.

Alek se hissa sur ses jambes et tendit la main vers la clé à molette.

— Klopp, mais qu'est-ce que vous faites ?

Son maître de mécanique pivota vers lui et hurla :

— Il faut bien que ce soit convaincant !

La clé passa en sifflant au ras du crâne d'Alek. Celui-ci se baissa, retomba sur son genou et lâcha un juron. Klopp aurait-il perdu la tête ?

M. Hirst avait plongé la main dans l'une de ses poches. Il en sortit un pistolet à air comprimé.

— Non ! cria Alek en bondissant sur l'arme.

À l'instant où ses doigts se refermaient sur le poignet de Hirst, le coup partit, avec une détonation terrible. La balle rata Klopp, mais ricocha sur l'habitacle du moteur en tintant comme une cloche.

Alek reçut un choc dans les côtes, brutal, tandis qu'une douleur déchirante se répandait en lui.

Il bascula en arrière et lâcha le poignet de Hirst, mais l'autre ne tentait plus de viser qui que ce soit. Klopp et lui fixaient le flanc du *Léviathan* avec une expression ébahie.

Alek cligna des paupières pour chasser la douleur et suivit leur regard. Les cils frémissaient furieusement, comme un feuillage dans la tempête. La gigantesque bête se pliait en deux et virait, plus rapide que jamais. Son harnais grinçait et se tendait autour d'eux jusqu'au point de rupture, et on entendit plusieurs cordages se rompre avec un claquement sec.

— La bête sent le danger, dit Klopp.

Alek regarda avec émerveillement l'aéronef qui donnait l'impression de se replier. Les étoiles tournoyaient au-dessus d'eux et, bientôt, l'animal eut achevé un demi-tour complet.

— En avant, tou…, commença Alek.

Mais parler était trop douloureux. Chaque mot lui faisait l'effet d'un nouveau choc dans les côtes. Il baissa les yeux sur sa main plaquée contre son flanc et vit couler du sang entre ses doigts.

Klopp ne l'avait pas attendu, cependant, et avait déjà réenclenché la marche avant. M. Hirst, la main crispée sur son pistolet, ne parvenait toujours pas à détacher son regard du flanc de la bête volante.

— Sortez de l'habitacle, jeune maître, cria Klopp alors que l'hélice se remettait à tourner. Il est en métal. La foudre va se propager jusqu'ici.

— Je ne crois pas pouvoir y arriver.

Klopp se retourna vers lui.

— Qu'est-ce que… ?

— J'ai reçu la balle.

Le vieil homme lâcha les commandes et se pencha sur lui, les yeux écarquillés.

— Je vais vous porter.

— Occupez-vous de votre moteur ! fit Alek entre ses
dents serrées.

— Jeune maître…, commença Klopp, mais la suite
de ses paroles fut noyée par un craquement de tonnerre.

Au prix d'un violent effort, Alek se redressa pour
regarder derrière lui. L'écart se creusait avec le *Goeben*,
mais le canon Tesla se nimbait d'une lumière aveuglante.
Son éclat vacilla comme celui d'une lampe à souder
jetant des ombres fugaces sur la mer.

À côté de lui, les cils de l'aéronef n'avaient cessé
d'onduler et de tournoyer, de brasser l'air comme un
million de minuscules rames.

« Plus vite », pria Alek.

Une énorme boule de feu se forma à la base de la
tour, puis se propagea rapidement, dansante et crépitante. Quand elle parvint au sommet, une formidable
explosion retentit.

Des éclairs de foudre jaillirent du canon Tesla. Ils
commencèrent par zébrer le ciel – une arborescence de
feu blanc –, puis filèrent en direction du *Léviathan*,
comme attirés par son odeur. La foudre enveloppa la
bête volante, en tissant des filaments qui crépitaient sur
toute sa longueur. En un clin d'œil, l'électricité parcourut trois cents mètres de la queue à la tête et s'engouffra
dans les poutrelles qui soutenaient les moteurs.

L'habitacle tout entier se mit à grésiller ; les rouages
et les pistons crachaient des étincelles. Alek s'arc-bouta,
mû par une force invisible. Tous les muscles de son
corps étaient tendus. Un long moment, la foudre l'empê-
cha de respirer ; puis, elle se dissipa, et le garçon
retomba lourdement sur le pont métallique.

Le moteur crachota et s'arrêta une nouvelle fois.

Alek sentit une odeur de fumée. Il avait l'impression qu'on lui martelait la poitrine de l'intérieur. Ses côtes le torturaient à chaque battement de cœur.

— Jeune maître ? M'entendez-vous ?

Alek s'obligea à ouvrir les yeux.

— Je vais bien, Klopp.

— Oh non, répliqua l'autre. Je vous ramène dans la nacelle.

Le vieil homme passa un bras noueux autour d'Alek et le hissa sur ses pieds.

— Sang du Christ, Klopp ! Vous me faites mal !

Il chancela, étourdi par la douleur. M. Hirst ne fit pas un geste pour l'aider ; il continuait à couver d'un regard inquiet le flanc frémissant du *Léviathan*.

Par miracle, l'aéronef n'avait pas pris feu.

— Le moteur ? demanda Alek à Klopp.

Son maître de mécanique huma l'air et secoua la tête.

— Tous les circuits électriques sont cuits, et je n'entends rien non plus à tribord.

Alek se tourna vers Hirst et lui dit :

— Nous avons perdu nos deux moteurs. Vous pourriez peut-être ranger cela.

Le chef mécanicien contempla le pistolet à air comprimé qu'il tenait à la main, le remit dans sa poche et sortit son sifflet.

— Je vous appelle le médecin du bord. Dites à votre ami mutin de vous reposer.

— Mon ami mutin vient de vous sauver la…, commença Alek, avant d'être interrompu par un nouveau vertige. Reposez-moi, murmura-t-il à Klopp. Il dit qu'il va faire venir un médecin jusqu'ici.

— Mais c'est lui qui vous a tiré dessus !

— C'est vous qu'il visait. Aidez-moi, s'il vous plaît.

Avec un regard mauvais en direction de Hirst, Klopp reposa doucement Alek contre les commandes. Tout en économisant son souffle, Alek leva les yeux vers le flanc de l'aéronef. Les cils continuaient d'osciller comme une plaine herbeuse balayée par le vent. Même sans moteurs, la bête continuait à fuir les cuirassés.

Le jeune homme regarda à l'arrière, à travers l'hélice désormais immobile. Les navires allemands s'éloignaient à l'horizon.

— Curieux, s'étonna-t-il. Ils semblent renoncer à nous achever.

Klopp hocha la tête.

— Ils ont remis le cap au nord, nord-est. On doit les attendre quelque part.

— Au nord, nord-est, répéta Alek.

Il sentait que c'était important. Il sentait qu'il aurait dû s'inquiéter à l'idée que le *Léviathan* fasse désormais route au sud, tournant le dos à Constantinople.

Mais dans l'immédiat, une seule chose le préoccupait : continuer à respirer.

QUATRE

Deryn se releva lentement, des taches floues devant les yeux, et cligna des paupières.

Une saleté d'éclair ! Voilà ce qui avait jailli du navire clanker et déchiré le ciel pour électrifier chaque bout de métal sur le dos du *Léviathan*. Le treuil du Huxley avait vomi un flot aveuglant d'étincelles blanches, et elle avait basculé à la renverse.

La jeune fille regarda dans toutes les directions, terrifiée à l'idée de voir des incendies se déclarer un peu partout sur la membrane. Mais tout était sombre, à l'exception des points lumineux imprimés sur sa rétine. Les renifleurs avaient dû faire du beau travail avant la bataille. Pas une seule fuite d'hydrogène sur toute la longueur de l'aéronef.

Puis la mémoire lui revint – le *Léviathan* avait pivoté juste à temps, en se contorsionnant comme un chien qui court après sa queue.

L'hydrogène…

Elle leva les yeux vers le ciel nocturne et en resta bouche bée.

Elle vit Newkirk, qui agitait les bras comme un fou.

Au-dessus de lui, le Huxley flambait à la manière d'un pudding de Noël imbibé de brandy.

Deryn se sentit prise de nausées, comme chaque fois qu'elle revivait dans ses cauchemars l'accident de son père, si proche de cette effroyable vision. Le Huxley tirait sur son câble, porté par la chaleur des flammes, faisant tourner la manivelle du treuil.

Mais un moment plus tard, à court d'hydrogène, la bête volante commença à perdre de l'altitude.

Newkirk se débattait dans son harnais, toujours vivant. Deryn aperçut alors à la lueur des étoiles une sorte de brume autour du Huxley : Newkirk avait vidé le ballast d'eau sur lui pour éviter d'être brûlé. Plutôt malin de sa part.

L'enveloppe de la bête volante morte se gonflait comme la voile d'un parachute, mais cela ne l'empêchait pas de dégringoler.

Le Huxley se trouvait à mille pieds de hauteur, et s'il ne s'écrasait pas contre le flanc du *Léviathan*, il tomberait de mille pieds supplémentaires avant que le câble ne le retienne. Autant limiter cette chute le plus possible. Deryn tendit la main vers le treuil – puis se figea.

Et s'il était encore chargé en électricité ?

— *Dummkopf !* se reprocha-t-elle, et elle empoigna la manivelle.

Aucune étincelle n'en jaillit, et elle se mit à mouliner avec vigueur. Mais le Huxley descendait trop vite. Le câble s'amoncelait sur le dos de l'aéronef, boucle après boucle, dans les pieds des hommes d'équipage et des renifleurs qui passaient en courant.

Sans cesser de tourner la manivelle avec frénésie, Deryn leva la tête. Newkirk pendait comme une chiffe molle sous l'enveloppe noircie qui s'écartait peu à peu du *Léviathan*.

Les moteurs étaient coupés et les projecteurs éteints. Les hommes d'équipage se servaient de torches électriques pour rappeler les chauves-souris et les faucons bombardiers – la machine à foudre des clankers avait provoqué une panne générale.

Mais si l'aéronef n'était plus propulsé, pourquoi le vent emportait-il Newkirk ? Le *Léviathan* n'était-il pas soumis à la même poussée ?

Deryn baissa les yeux sur la membrane, et ouvrit de grands yeux.

Les cils continuaient à s'agiter, à entraîner la bête volante loin du danger.

— Alors ça, c'est bizarre ! marmonna-t-elle.

D'ordinaire, un souffleur d'hydrogène sans moteurs se laissait flotter au vent. Il est vrai que l'aéronef se comportait d'une manière étrange depuis son atterrissage forcé dans les Alpes. Les vieux soldats disaient que l'accident – à moins que ce ne soit les moteurs clankers – lui avait fait perdre les pédales.

Ce n'était pas le moment de s'interroger, cependant. Newkirk passa à une centaine de pieds à peine, suffisamment près pour que Deryn puisse détailler son visage noirci et son uniforme trempé. Il semblait avoir perdu connaissance.

— Newkirk ! cria-t-elle, la main à vif sur la manivelle.

Mais il disparut sans lui répondre.

Les boucles de câbles commencèrent à se dérouler en sifflant, comme un nid de vipères. Le Huxley tirait son câble derrière lui et s'enfonçait sous l'aéronef.

— Attention à la corde ! cria Deryn.

Elle faisait signe de s'éloigner à un homme debout au milieu des boucles qui s'écarta en sautillant ; la corde lui cingla les chevilles et manqua de peu de l'entraîner.

Deryn se remit au treuil, jusqu'à ce que la corde se tende avec une violente secousse. Elle serra le frein et vérifia la marque sur le câble – tout juste au-dessus de cinq cents pieds.

Le *Léviathan* mesurait deux cents pieds de haut, si bien que Newkirk devait pendouiller moins de trois cents pieds en contrebas. Sanglé dans son harnais de pilote, il était plus ou moins en sécurité. Sauf, bien sûr, s'il avait été brûlé ou s'il s'était rompu le cou à l'arrêt brutal de sa chute.

Deryn prit une grande inspiration et s'efforça de calmer le tremblement de ses mains.

Pas question de le remonter à la manivelle. Le treuil était conçu pour retenir un Huxley gonflé à l'hydrogène, et non pour hisser un poids mort.

Deryn s'accrocha à une corde et se laissa descendre le long de l'aéronef, parallèlement au câble tendu à se rompre ; parvenue à mi-hauteur, elle aperçut la forme sombre du Huxley qui se découpait sur la crête blanche des vagues.

— Bon sang de bois ! jura-t-elle.

La mer était beaucoup plus proche qu'elle ne s'y attendait.

Le *Léviathan* perdait de l'altitude.

Bien sûr – la bête volante recherchait un vent plus vigoureux pour l'entraîner loin des cuirassés allemands. Et peu lui importait que le pauvre Newkirk soit traîné au ras des vagues.

Mais les officiers pouvaient lâcher du lest, et obliger l'aéronef à remonter contre sa volonté. Elle sortit son sifflet, souffla dedans pour appeler un lézard messager puis se pencha de nouveau sur le Huxley.

Elle ne vit pas le moindre mouvement humain. New-kirk était certainement évanoui, ou pire. Et il ne disposait pas de l'équipement approprié pour escalader le câble. Et celui-ci n'était pas conçu pour *remonter* à bord d'un aéronef.

Où traînaient donc ces satanés lézards ? Elle en vit un qui détalait le long de la membrane, et l'appela d'un coup de sifflet ; mais l'animal se contenta de la dévisager en marmonnant quelque chose à propos d'un dysfonctionnement électrique.

— Génial, grommela-t-elle.

De tout évidence l'éclair des clankers avait tourneboulé la créature ! Et l'eau en contrebas qui se rapprochait de seconde en seconde.

Elle allait devoir se débrouiller seule pour tirer Newkirk de ce mauvais pas.

Deryn fouilla dans les poches de sa combinaison de vol. Pendant ses classes, M. Rigby leur avait appris le rappel, autrement dit l'art de descendre une corde sans se rompre le cou. Elle trouva quelques mousquetons et une longueur de corde suffisante pour confectionner une paire de nœuds autobloquants.

Après avoir fixé son mousqueton de sécurité au câble du Huxley, Deryn le serra bien à fond. Elle ne pouvait pas enrouler la corde autour de ses hanches, car le poids du Huxley mort l'aurait sciée en deux. Mais à l'issue de quelques tâtonnements, elle attacha les mousquetons supplémentaires à son harnais et fit passer le câble à travers.

« M. Rigby n'approuverait pas cette méthode », songea-t-elle en repoussant la membrane de ses deux pieds.

Elle se laissa glisser par saccades, la friction des mousquetons l'empêchant de descendre trop vite. Mais la corde brûlait sous ses gants et s'effilochait à chaque fois qu'elle s'arrêtait. Deryn doutait qu'elle soit conçue pour résister au poids d'un Huxley mort et de deux aspirants.

La mer grondait et le vent fraîchissait maintenant que le soleil était couché. La crête d'une grosse vague claqua aussi fort qu'une détonation contre la membrane flasque du Huxley.

— Newkirk ! cria Deryn, qui vit le garçon remuer dans ses sangles.

Un frisson de soulagement la parcourut – il s'en était sorti. Contrairement à son père.

Elle se laissa glisser d'une traite sur les vingt derniers yards. La corde siffla sous ses doigts ; elle dégageait une odeur de brûlé dans l'air iodé. Mais ses bottes atterrirent en douceur sur la membrane gluante de la bête volante morte, d'où montaient des relents de fumée et de sel, la puanteur d'une méduse cuite sur les braises.

— Où suis-je, par tous les saints ? murmura Newkirk, presque inaudible à cause des vagues qui rugissaient.

Il avait les cheveux grillés, le visage et les mains noirs de suie.

— Pratiquement dans la mer, si vous tenez à le savoir ! Vous pouvez bouger ?

Le garçon fixa ses mains salies, agita les doigts, puis décrocha son harnais. Il se dressa tant bien que mal sur son siège de pilote.

— Oui. Je me suis fait roussir la couenne, ma parole.

Il passa les doigts dans ses cheveux, ou dans ce qui en restait.

— Vous allez pouvoir grimper ? s'inquiéta Deryn.

Newkirk leva la tête vers le ventre sombre du *Lévia-than*.

— Quoi, tout là-haut ? Vous auriez pu me treuiller un peu plus vite !

— Vous auriez pu tomber un peu plus lentement ! répliqua Deryn.

Elle décrocha deux mousquetons et les lui fourra dans la main, avec un bout de corde :

— Tenez, fabriquez-vous un nœud autobloquant. À moins que vous n'ayez oublié les cours de M. Rigby ?

Newkirk regarda les mousquetons, puis l'aéronef.

— Non, je m'en souviens. Mais j'étais loin de me douter qu'on me demanderait un jour d'ascensionner une telle hauteur.

« Ascensionner », bien sûr, désignait dans le jargon du service le fait de grimper à une corde sans se rompre le cou. Deryn s'employa à nouer son propre nœud d'un geste vif. Un nœud autobloquant coulissait librement vers le haut de la corde mais se bloquait dès qu'un poids s'exerçait dessus. Ainsi, Newkirk et elle pourraient se reposer quelques instants au cours de leur ascension sans risquer de redescendre.

— Passez devant, ordonna-t-elle.

Si Newkirk glissait, elle pourrait plus facilement le retenir.

Il se hissa sur quelques pieds, puis testa son nœud en se laissant pendre au bout de la corde.

— Ça marche !

— Eh oui. La prochaine fois, vous vous attaquerez à l'Everest !

À l'instant où elle termina sa phrase, une vague se brisa contre le Huxley et les éclaboussa tous les deux. Deryn perdit l'équilibre, mais son nœud autobloquant la retint.

Elle recracha de l'eau salée et cria :

— Ne vous arrêtez pas, *dummkopf* ! L'aéronef perd de l'altitude !

Newkirk se remit à grimper, et tira sur ses bras et poussa sur ses jambes. Il fut bientôt assez haut pour que Deryn puisse grimper à son tour.

Une autre vague frappa le Huxley mort, tendant le câble, et Newkirk glissa pratiquement jusqu'à elle. Si le *Léviathan* descendait encore, la carcasse de la bête volante traînerait dans l'eau ; et si la membrane se remplissait, elle tirerait sur la corde avec le poids d'un tonneau plein de pierres.

De quoi briser n'importe quel câble... Elle devait détacher le Huxley.

— Plus haut ! cria-t-elle, en se mettant à grimper avec frénésie.

À une vingtaine de pieds du Huxley, Deryn s'arrêta juste au-dessus d'une portion de câble sérieusement effilochée. Elle sortit son couteau de gabier, se pencha, et entreprit de cisailler le câble. Celui-ci était très épais, mais à la vague suivante, les torons se rompirent.

Libérés du poids de la bête volante, ils se balancèrent soudain au ras de la mer noire, emportés par le vent. Newkirk poussa un cri de surprise.

— Désolée ! lui cria Deryn. J'aurais dû vous prévenir.

Sans le fardeau du Huxley, le câble devrait tenir le coup... en principe.

Elle reprit son escalade et regretta pour la centième

fois de ne pas avoir autant de vigueur dans les bras qu'un garçon. Les vagues cessèrent bientôt de menacer ses bottes.

Parvenue à mi-chemin, Deryn s'offrit une longue pause. Elle scruta la nuit à la recherche des deux cuirassés allemands. Elle ne les vit nulle part.

Peut-être la proximité de la Royal Navy avait-elle incité les navires à ne pas s'attarder. En tout cas, Deryn n'aperçut pas le moindre feu. La seule chose visible sur la mer était la carcasse du Huxley, masse sombre solitaire au milieu des vagues.

— Pauvre bête, dit-elle en frissonnant.

L'aéronef et tout son équipage avaient failli finir de cette façon – calcinés, ballottés par la mer comme de vulgaires bouts de bois flotté. Si les renifleurs d'hydrogène avaient raté une fuite, ou si la bête volante n'avait pas fait demi-tour juste à temps, ils y seraient restés jusqu'au dernier.

— Saleté de clankers, murmura Deryn. Voilà qu'ils font leur propre foudre, maintenant !

Elle ferma les yeux pour chasser les mauvais souvenirs, le grondement, la chaleur qui hérisse le poil et l'odeur de la chair brûlée. Cette fois-ci, elle avait gagné. Le feu ne lui avait pris personne.

Deryn frissonna une fois de plus, puis se remit à grimper.

CINQ

— C'est tout à fait inacceptable ! s'écria le Dr Barlow.

— Je... je regrette, m'dame, bredouilla le planton. Mais le commandant a interdit les visites au jeune clanker.

Deryn secoua la tête – la résistance de l'homme faiblissait déjà. Il avait le dos contre la porte de la cabine d'Alek, le front couvert de sueur.

— Je ne viens pas en visite, imbécile, gronda le Dr Barlow. Je suis un médecin qui se rend auprès d'un blessé !

Le ton acerbe de la savante fit dresser les oreilles à Tazza, qui émit un grondement sourd. Deryn resserra sa prise sur sa laisse.

— Chut, Tazza. On ne mord pas.

— Le chirurgien est déjà passé, protesta le planton, en ouvrant de grands yeux devant le thylacine. Il a dit que le gamin n'avait qu'une côte fêlée.

— En plus de l'état de choc, j'imagine, ajouta le Dr Barlow. Car je ne sais pas si vous l'avez remarqué, mais nous avons récemment rencontré une prodigieuse quantité d'électricité.

— Bien sûr, m'dame.

Le planton hésita, sans cesser de surveiller Tazza d'un air inquiet.

— Mais le commandant a laissé des ordres précis…

— A-t-il formellement interdit aux médecins de voir le patient ?

— Eh bien, non.

« N'insiste pas », songea Deryn. Peu importait que Nora Darwin Barlow soit une savante, une créatrice d'animaux fabriqués, et non le genre de docteur qui vous demande de tirer la langue. D'une manière ou d'une autre, elle finirait par voir ce patient.

Deryn espérait de tout cœur qu'Alek n'avait rien de grave. La foudre des clankers avait balayé tout l'aéronef, mais ç'avait dû être pire au niveau des moteurs, avec tout ce métal autour d'eux… Enfin, d'autres avaient eu encore moins de chance. Newkirk était à moitié chauve maintenant, et il affichait sur le crâne une bosse de la taille d'une balle de cricket.

Mais comment Alek avait-il pu se fêler une côte ? Cela ne ressemblait pas au genre de blessure qu'on reçoit en cas de choc électrique.

Pour finir, le planton abandonna son poste pour aller demander l'avis de l'officier de quart, en faisant promettre au Dr Barlow de l'attendre jusqu'à son retour. Elle n'en fit rien, bien sûr, et se contenta de pousser la porte dès qu'il eut disparu.

Alek était couché, le torse enveloppé dans un bandage. Il avait le teint blême et ses yeux verts brillaient dans la lumière de l'aube qui se déversait par le hublot.

— Nom d'une pipe en bois ! s'exclama Deryn. Vous êtes pâle comme un ver de farine.

Un mince sourire joua sur les lèvres du jeune homme.

— Moi aussi je suis content de vous revoir, Dylan. Ainsi que vous, docteur Barlow.

— Bonjour, Alek, dit la scientifique. Il est vrai que vous êtes bien pâle, dites-moi. Comme si vous aviez perdu beaucoup de sang. Curieux symptôme pour une électrocution.

Alek s'assit avec une grimace.

— J'ai bien peur que vous ayez raison, m'dame. M. Hirst m'a tiré dessus.

— Quoi ? s'exclama Deryn.

Alek hocha la tête.

— Avec l'un de vos pistolets à air comprimé, heureusement. Le Dr Busk dit que la balle a ricoché sur une côte sans rien casser, en partie grâce à l'armure que je portais. Je devrais bientôt pouvoir me lever.

Deryn fixa le bandage.

— Mais bon sang, pourquoi vous a-t-il tiré dessus ?

— En fait, il visait Klopp. Ils avaient un… désaccord. Klopp avait réalisé ce qui était sur le point de se passer – il avait reconnu le canon Tesla – et il avait décidé de faire demi-tour.

— Un canon Tesla ? répéta le Dr Barlow. En référence à cet affreux M. Tesla ?

— C'est ce que Klopp a dit, confirma Alek.

— Mais ce n'est pas vous autres clankers qui nous avez fait pivoter, protesta Deryn. Tout le monde a vu que la bête s'est retournée toute seule, parce qu'elle avait eu peur.

Alek secoua la tête.

— Klopp avait mis le moteur bâbord en marche arrière ; la bête n'a fait qu'accompagner le mouvement. Apparemment, le *Léviathan* a plus de bon sens que ses propres officiers.

— Vous dites qu'ils avaient un désaccord, releva le

Dr Barlow. Faut-il comprendre que vous avez inversé la poussée du moteur sans en avoir reçu l'ordre ?

— Nous n'avions pas le temps d'attendre les ordres.

Deryn émit un grognement. Pas étonnant qu'Alek soit aux arrêts.

— C'est une foutue mutinerie, déclara-t-elle d'une voix contenue.

— Nous avons sauvé l'aéronef.

— Oui, mais vous ne pouvez pas désobéir aux ordres uniquement parce que vous les trouvez stupides. Surtout en pleine bataille – c'est un acte passible de la pendaison !

Alek écarquilla les yeux, et un silence s'installa dans la pièce.

Le Dr Barlow s'éclaircit la gorge.

— Évitez de tenir des propos aussi alarmants à mon patient, monsieur Sharp. Il n'appartient pas plus que moi à votre équipage, et par conséquent, ne relève pas de votre autorité militaire brutale.

Deryn ravala la réponse qui lui venait aux lèvres. Elle doutait fort que le commandant Hobbes envisage les choses de cette façon. C'était probablement sa plus grande crainte depuis qu'il avait accueilli les clankers à son bord : les voir ignorer la passerelle et diriger l'aéronef comme bon leur semblait.

Une modification de trajectoire, ce n'était pas comme tirer au flanc ou prendre une leçon d'escrime au lieu de surveiller le ciel. C'était de la mutinerie pure et simple.

La savante s'assit d'un air guindé sur la seule chaise de la cabine et appela Tazza d'un claquement de doigts.

— Et maintenant, Alek, dit-elle, la main sur le flanc rayé du thylacine. Vous m'avez dit que c'était Klopp qui contrôlait le moteur. Cette « mutinerie » n'était-elle donc pas votre idée ?

Le jeune homme réfléchit un instant.

— Eh bien, non.

— Alors dites-moi, s'il vous plaît, pour quel motif vous vous retrouvez aux arrêts ?

— Quand M. Hirst a sorti son pistolet, j'ai tenté de le lui arracher des mains.

Deryn ferma les yeux. Porter atteinte à un officier – encore un crime passible de la pendaison.

— Excellente initiative de votre part, le complimenta le Dr Barlow. Cet aéronef n'irait pas très loin sans son maître de mécanique, n'est-ce pas ?

— Où est Klopp en ce moment ? s'inquiéta Alek.

— En cellule, je suppose, répondit Deryn.

— Au lieu de travailler sur ses moteurs, ce qui retarde d'autant ma mission, grommela le Dr Barlow en lissant

sa jupe. Ne vous faites pas de souci pour maître Klopp, Alek. Maintenant que j'ai tous les éléments en main, je suis sûre de faire entendre raison au commandant.

Elle tendit la laisse à Deryn.

— Allez donc promener Tazza et jetez un coup d'œil aux œufs, monsieur Sharp. Je n'ai guère confiance en ce M. Newkirk, surtout avec sa tête enflée comme une courge.

Elle se retourna vers Alek.

— En fait, je préférerais de beaucoup vous les confier, jeune homme. Rétablissez-vous au plus vite, s'il vous plaît.

— Je ferai de mon mieux, promit le jeune homme. Mais si cela ne vous dérange pas, voulez-vous autoriser Dylan à rester un moment ?

La savante les dévisagea tous les deux, puis sourit.

— Bien sûr. Peut-être pourriez-vous lui raconter ce que vous savez de ce… canon Tesla ? Je connais un peu

l'inventeur, et cela m'a l'air d'une découverte tout à fait étonnante.

— J'ai bien peur de ne pas savoir grand-chose…, commença Alek.

Mais le Dr Barlow était déjà sortie et avait claqué la porte derrière elle.

Deryn demeura silencieuse un moment. Elle se demanda par où commencer. Par la machine à foudre des clankers ? Par l'épisode de Newkirk, qui avait failli griller comme une saucisse ? Par la possibilité qu'Alek soit traduit en cour martiale et pendu ?

Puis son regard tomba sur le bandage, et une sensation horrible l'envahit. Si le pistolet avait été pointé quelques pouces plus bas, Alek aurait pu mourir.

— Est-ce très douloureux de se faire tirer dessus ? demanda-t-elle.

— Comme un coup de pied de mule.

— Hum. C'est une expérience que j'ai toujours pris soin d'éviter.

— Moi aussi, dit Alek avec un faible sourire. Mais c'est l'impression que cela me donne.

Ils se turent tous les deux, pendant que Deryn s'interrogeait sur la tournure des événements. Avant que Newkirk ne repère les cuirassés, elle espérait qu'Alek serait contraint de rester à bord du *Léviathan* ; mais elle ne l'imaginait pas cloué dans son lit par une blessure, ni aux arrêts pour mutinerie, et encore moins les deux.

— C'est la deuxième fois que j'essuie des coups de feu, finit par dire Alek. Vous vous rappelez ces tireurs à bord du zeppelin ?

Deryn hocha la tête. Dans les Alpes, cet imbécile de prince s'était avancé à découvert en pleine bataille, sous le feu d'une mitrailleuse. Il ne devait la vie qu'à une fuite d'hydrogène, grâce à laquelle les mitrailleurs allemands avaient mis le feu à leur propre aéronef.

— Peut-être que je n'étais pas destiné à mourir ce jour-là, ajouta-t-il. Pas plus qu'hier soir.

— Oui, ou alors vous avez tout simplement eu de la chance.

— Sans doute, reconnut Alek. Croyez-vous vraiment qu'on va nous pendre ?

Deryn réfléchit à la question, puis haussa les épaules.

— Il n'y a pas vraiment de règles pour une situation de ce genre, à mon avis. C'est la première fois que nous avons des clankers à bord. Mais le commandant écoutera la savante, ne serait-ce que par respect pour son grand-père.

Alek fit la grimace. Deryn se demanda si c'était en raison de sa blessure, ou parce qu'il avait oublié que le Dr Barlow était apparentée à Charles Darwin en personne. Même après tout le temps passé à bord d'une bête volante, les clankers conservaient une crainte superstitieuse des fils de la vie et de la fabrication.

— Nous aurions dû nous mutiner pour de bon, regretta Alek. Et court-circuiter cette bataille stupide avant qu'elle ne s'engage. Klopp et moi avions envisagé de stopper les moteurs en faisant croire à une panne.

— Bah, envisager n'est pas agir, dit Deryn en se laissant tomber lourdement sur la chaise.

Elle-même avait déjà ruminé des idées beaucoup plus folles que la mutinerie. Avouer à Alek qu'elle était une fille par exemple, ou gifler le Dr Barlow – et ce plus d'une fois. Le principal, c'était d'éviter à tout prix que ces idées empiètent sur le monde réel.

— De toute façon, continua-t-elle, personne ne m'a parlé de cette histoire de mutinerie, alors peut-être que les officiers ont décidé de la garder pour eux. Afin de permettre au commandant de fermer les yeux sans passer pour un faible. Tout le monde a l'air de croire que la bête a tourné d'elle-même, par peur de ce canon clanker.

— Oh, elle a tourné, en effet. Elle a dû sentir la foudre – elle savait que nous allions tous brûler.

Deryn frémit de nouveau, comme chaque fois qu'elle songeait à quel point ils étaient passés près de la catastrophe. Elle revoyait encore le Huxley flamber dans la nuit, comme le ballon de son père.

— Au moins Newkirk s'en est tiré, murmura-t-elle.

— Je vous demande pardon ?

Deryn se racla la gorge. Elle ne tenait pas à reprendre sa voix de fille.

— Je disais que les moteurs se sont arrêtés. Et que la bête est devenue cinglée ; elle se croit encore en train de fuir ce machin Tesla. Nous sommes à mi-chemin de l'Afrique !

Alek jura.

— Je suppose que les cuirassés sont déjà arrivés.

— Où ça, en Afrique ?

— Non, *dummkopf* ! à Constantinople. Vous trouverez une carte dans ce tiroir, dit-il en indiquant le bureau. Soyez assez aimable pour me l'apporter.

— À vos ordres, mon prince.

Deryn se leva pour aller chercher la carte. C'était bien d'Alek de se préoccuper de cartes et de stratégie alors qu'il gisait là, blessé, coupable d'un crime passible de la pendaison.

Elle s'assit au bord du lit et déroula la carte entre eux. Elle était rédigée en clanker, mais Deryn reconnut la Méditerranée.

— Les cuirassés se dirigeaient au nord, vers la mer Égée, dit Alek. Vous voyez ?

Deryn suivit du doigt le parcours du *Léviathan* depuis le sud de l'Italie jusqu'à l'endroit de leur rencontre avec le *Goeben* et le *Breslau* – presque plein sud par rapport à Constantinople.

— Oui, c'est bien par là qu'ils allaient, reconnut-elle en indiquant le détroit des Dardanelles. Mais s'ils font route au nord, ils vont se retrouver coincés dans le détroit comme une mouche au fond d'une bouteille.

— Et s'ils avaient l'intention d'y rester ?

Deryn secoua la tête.

— L'Empire ottoman est encore neutre, et les navires d'une nation en guerre ne peuvent pas séjourner dans un port neutre. Le Dr Barlow pense que nous ne serons pas autorisés à rester plus de vingt-quatre heures à Constantinople. C'est sûrement la même chose pour les Allemands.

— N'a-t-elle pas dit aussi que les Ottomans étaient fâchés contre les Britanniques ? À propos du vol de leur navire, je crois ?

— Eh bien, oui, admit Deryn. Même s'il s'agit plutôt d'un emprunt, en fait.

En réalité, l'affaire ressemblait bel et bien à un vol. La Grande-Bretagne venait d'achever la fabrication d'un nouveau navire de guerre pour la marine ottomane, accompagné d'une créature gigantesque, un genre de kraken complètement inédit. Le navire et la créature avaient été réglés en totalité, mais quand la guerre avait éclaté, le Premier lord de l'Amirauté avait décidé de les conserver l'un et l'autre, au moins jusqu'à la fin du conflit.

Emprunt ou vol, c'était en tout cas un incident

diplomatique que le Dr Barlow et le *Léviathan* avaient pour mission de régler ; et les mystérieux œufs qu'ils transportaient dans la salle des machines étaient censés les y aider.

— Les Ottomans pourraient tout à fait décider d'accueillir les cuirassés, dit Alek. Pour rendre la monnaie de sa pièce à votre lord Churchill.

— Il est vrai que ça compliquerait un peu la situation.

Alek hocha la tête.

— Cela voudrait dire encore plus d'Allemands à Constantinople. Cela pourrait même convaincre les Ottomans de se ranger au côté des clankers ! Le canon Tesla du *Goeben* est plutôt convaincant.

— Oh, pour ça, il m'a convaincu, confirma Deryn.

Elle n'était pas impatiente de se retrouver dans la même ville que cette invention.

— Qu'arriverait-il si les Ottomans décidaient de fermer les Dardanelles aux navires britanniques ?

Deryn fit la grimace. Les ours d'assaut de l'armée russe consommaient d'énormes quantités de nourriture, la plupart acheminées par bateau. S'ils se voyaient coupés de leurs alliés darwinistes, les Russes pouvaient s'attendre à un hiver particulièrement long et pénible.

— Êtes-vous certain que les cuirassés se dirigeaient dans cette direction ?

— Non. Pas encore, dit-il, levant ses yeux sombres de la carte. Dylan, puis-je vous demander une faveur ? Et de me promettre de n'en parler à personne ?

Elle avala sa salive.

— Ça dépend quoi.

— Je voudrais que vous transmettiez un message pour moi.

— Saleté de prince à la noix, bougonna Deryn, en tirant
Tazza dans les coursives de l'aéronef.

Elle avait à peine fermé l'œil la nuit dernière, avec
Newkirk dont il avait fallu s'occuper et le thylacine à
promener. Sans oublier les précieux œufs du Dr Barlow
qu'elle devait encore inspecter. Mais au lieu d'accomplir
ses devoirs, voilà qu'elle transmettait des messages
secrets pour les clankers.

Intelligence avec l'ennemi en tant de guerre. Encore
plus fort que la mutinerie !

Devant sa cabine, Deryn commença à formuler dans
sa tête des excuses et des explications – « Je passais juste
vérifier que notre ami le comte n'avait besoin de rien. »
« J'étais en mission secrète pour le commandant. » « Il
fallait bien que quelqu'un garde un œil sur ces fichus
mutins, et ça m'a paru la meilleure façon ! » – toutes
plus minables les unes que les autres.

Elle savait bien pourquoi elle avait dit oui à Alek. Il
avait l'air si impuissant allongé dans son lit, avec son
teint pâle et son bandage, ne sachant pas si on allait le
pendre le lendemain à l'aube. Deryn avait d'autant plus
de difficulté à ignorer ce qu'elle ressentait.

Elle prit une profonde inspiration, et frappa doucement à la porte.

Au bout d'un long moment, celle-ci s'ouvrit sur un homme de grande taille en uniforme impeccable. Il les dévisagea du haut de son nez busqué, elle et Tazza, sans dire un mot. Deryn se demanda si elle était censée courber la tête, vu qu'il était comte et tout ça. Mais Alek était prince, après tout, et personne ne s'inclinait jamais devant lui.

— Qu'y a-t-il ? finit par demander l'homme.

— Enchanté de vous rencontrer, monsieur…, enfin, comte Volger. Je suis l'aspirant Dylan Sharp.

— Je sais qui vous êtes.

— Ah oui. Parce que Alek et moi, nous nous entraînons ensemble. Nous sommes amis.

— Vous êtes cet imbécile qui a mis son couteau sous la gorge d'Alek.

Deryn se racla la gorge, en priant pour que sa langue se dénoue. Elle faisait semblant, quand elle avait pris Alek en otage dans les Alpes ; il s'agissait d'obliger les clankers à négocier au lieu de faire sauter l'aéronef.

Mais sous le regard sévère de l'homme, l'explication refusa de sortir.

— Oui, c'était moi, bredouilla-t-elle. Je voulais seulement attirer votre attention.

— Vous y êtes parvenu.

— Et je me suis servi du dos de la lame, pour ne courir aucun risque !

Elle jeta un regard de part et d'autre dans la coursive.

— Vous ne voudriez pas me laisser entrer ?

— Pourquoi donc ?

— J'apporte un message de la part d'Alek. Un message secret.

À ces mots, Volger se détendit quelque peu. Il haussa le sourcil gauche, puis finit par s'écarter. Un instant plus tard Deryn et Tazza se retrouvaient dans la cabine, et le thylacine reniflait les bottes du comte.

— Quelle est cette créature ? demanda-t-il, en reculant d'un pas.

— Oh, ce n'est que Tazza. Il n'est pas dangereux, lui assura Deryn, avant de se rappeler les ravages qu'il avait occasionnés dans la cabine de la savante. Enfin, il ne s'attaque qu'aux rideaux, vous n'avez donc rien à craindre.

Elle s'éclaircit la gorge, avec le sentiment de jacasser comme une idiote. Les manières froides et hautaines de l'homme lui faisaient perdre tous ses moyens.

— Va-t-il répéter tout ce que nous dirons ?

Deryn réprima un rire.

— Quoi, Tazza, parler ? Ce n'est pas un lézard messager. C'est un thylacine naturel de Tasmanie. L'animal de compagnie du Dr Barlow, même si, comme vous le voyez, c'est surtout moi qui m'en occupe. Bref, j'ai donc un message de la part de...

Volger l'interrompit d'un geste de la main, avant de se tourner vers les tubes de messages qui aboutissaient à sa cabine. Un lézard venait de sortir la tête de l'un d'entre eux, et le comte tapa dans ses mains pour le faire fuir.

— Ces bêtes impies sont partout, marmonna-t-il. Toujours à tendre l'oreille.

Deryn leva les yeux au ciel. Les autres clankers se montraient encore plus nerveux qu'Alek vis-à-vis des fabrications. Ils semblaient se figurer que toutes les créatures à bord de l'aéronef en avaient après eux.

— Non, monsieur. Les lézards ne font que transmettre des messages. Ils n'espionnent pas les conversations.

— Comment pouvez-vous en être sûr ?

En voilà une question. Il arrivait aux lézards messagers de répéter par accident des bribes de discussion entendues ici et là, surtout après avoir été secoués par la décharge d'un canon Tesla. Mais ce n'était pas la même chose qu'espionner une conversation, si ?

Puis elle se rappela que le comte Volger avait d'abord prétendu ne pas comprendre l'anglais quand il était venu à bord, dans l'espoir de surprendre leurs secrets ; et que le Dr Barlow avait joué le même tour aux clankers, en affirmant ne pas parler un mot d'allemand. Rien d'étonnant à ce que ces deux-là soupçonnent tout le monde – eux-mêmes étaient des menteurs patentés.

— Ces lézards ont un cerveau de la taille d'une noisette, dit-elle. Je ne crois pas qu'ils fassent de très bons espions.

— Peut-être pas, concéda le comte.

Il s'assit à son bureau, recouvert de cartes et de notes griffonnées, avec un sabre dans son fourreau en guise de presse-papiers.

— Et qu'en est-il de votre cerveau, monsieur Sharp ? Vous êtes suffisamment intelligent pour faire un bon espion, n'est-ce pas ?

— Quoi, moi ? Puisque je vous dis que c'est Alek qui m'envoie !

— Et comment puis-je en être sûr ? Hier soir on m'a informé qu'Alek avait été blessé au combat, mais je n'ai pas été autorisé à le voir, pas plus que maître Klopp. Et maintenant je devrais recevoir un message de sa part, transmis par le garçon qui l'avait pris en otage ?

— Mais il…, commença Deryn, avant de pousser un cri de protestation ; voilà ce qu'elle récoltait à rendre service aux clankers. C'est mon ami. Il a confiance en moi, même si ce n'est pas votre cas.

— Prouvez-le.

— Enfin, c'est évident ! Il m'a quand même confié son petit secret, non ?

Le comte Volger plissa les yeux, puis son regard descendit vers le sabre sur son bureau.

— Son secret ?

— Oui, il m'a dit qui...

Deryn hésita. Et si Alek n'avait jamais avoué à Volger qu'il lui avait vendu la mèche ? Le comte risquait de ne pas apprécier.

— Enfin, vous savez, son grand secret.

Volger tournoya sur lui-même, il y eut un sifflement d'air, un reflet de soleil sur de l'acier et la chaise vola à travers la cabine, faisant bondir Tazza sur ses pattes ; et soudain, le sabre prolongeait la main de Volger et sa lame froide appuyait contre la gorge de Deryn.

— Dites-moi quel secret, ordonna le comte. Maintenant !

— À... à propos de ses parents ! bredouilla-t-elle. Que son père et sa mère se sont fait assassiner, ce qui a déclenché cette fichue guerre. Et qu'il est prince ou je ne sais quoi !

— Qui d'autre est au courant ?

— Il n'y a que moi ! glapit-elle, mais la pression de la lame s'accentua. Hum, et le Dr Barlow. Mais personne d'autre, je le jure !

Il la dévisagea longuement, comme s'il lisait dans ses pensées les plus intimes. Tazza poussa un grondement sourd.

Enfin, le comte écarta son sabre.

— Pourquoi n'avoir rien dit à votre commandant ?

— Parce que Alek nous l'a fait promettre, martela

Deryn sans cesser de fixer la pointe de la lame. Je croyais qu'il vous en aurait parlé !

Le comte Volger abaissa son arme.

— De toute évidence, ce n'est pas le cas.

— Oui, eh bien, ce n'est pas ma faute ! s'écria Deryn. Peut-être que c'est vous qui ne lui inspirez pas confiance !

L'homme baissa les yeux.

— Peut-être.

— Vous avez failli me décapiter !

Volger lui adressa un mince sourire en redressant la chaise.

— Je voulais seulement attirer votre attention. Et je me suis servi d'une lame émoussée. Vous n'avez jamais vu un sabre d'entraînement ?

Deryn allongea le bras et referma la main sur la lame. Elle jura : c'était le sabre avec lequel elle s'était entraînée la veille, pas plus tranchant qu'un couteau à beurre.

Le comte Volger s'assit sur son bureau en secouant la tête. Il essuya sa lame avec un mouchoir avant de la remettre au fourreau.

— Ce garçon finira par avoir ma peau.

— Au moins, il a confiance en quelqu'un ! protesta Deryn. Vous et les autres *dummkopfs*, vous êtes aussi francs qu'un âne qui recule. Toujours à mentir, à ruser... à vous méfier d'un lézard messager ! Avec toutes vos manigances et vos doubles discours, pas étonnant que le monde se retrouve en guerre !

Tazza gronda de nouveau, puis poussa ce drôle de petit jappement, dressé sur ses pattes arrière. Deryn s'agenouilla pour le calmer, et pour dissimuler ses yeux humides au comte Volger.

UNE ALTERCATION.

— Est-il vrai qu'Alek est blessé ? demanda le comte.

— Oui. Mais il n'a qu'une côte froissée.

— Pourquoi m'interdit-on de les voir, Klopp et lui ?

— À cause de ce qu'a fait maître Klopp pendant la bataille, expliqua Deryn en caressant Tazza. Il a fait pivoter l'aéronef juste avant le tir du canon Tesla. Sans en avoir reçu l'ordre.

Volger renifla.

— C'est donc pour cela que votre commandant m'a convoqué ? Pour clarifier les questions de hiérarchie ?

Elle le fusilla du regard.

— Il pourrait considérer ça comme une mutinerie – un acte passible de la pendaison !

— Idée ridicule, à moins qu'il ne tienne à laisser dériver l'aéronef jusqu'au jugement dernier.

Deryn respira lentement, bien à fond, et se remit à caresser Tazza. L'homme avait raison – le *Léviathan* avait besoin des clankers et de leurs moteurs. Surtout maintenant que la bête volante n'en faisait qu'à sa tête.

— Je suppose que le commandant tient surtout à affirmer son autorité, dit-elle. Mais ce n'est pas pour ça que je suis là.

— Ah, oui. Votre message secret.

Deryn lui jeta un regard noir.

— Eh bien, peut-être que ça vous est égal. Mais Alek pense que ces deux cuirassés se dirigeaient vers Constantinople, comme nous !

Volger haussa les sourcils, puis lui indiqua la chaise.

— Asseyez-vous, mon garçon, et racontez-moi tout.

SEPT

— Vous entendez ça ? demanda le caporal Bauer.

Alek s'essuya les mains dans un chiffon graisseux et tendit l'oreille. L'air vibrait : un moteur en train de démarrer crachota avant de produire un grondement sourd et régulier.

Il contempla le fouillis d'engrenages devant lui et dit à ses hommes :

— Trois contre un, et Klopp est quand même le premier à redémarrer son moteur !

— C'est malheureux, monsieur, dit Bauer en écartant ses mains tachées de cambouis, mais il faut bien reconnaître que vous et moi ne servons pas à grand-chose.

Maître Hoffman donna une bourrade à l'artilleur et s'esclaffa.

— On finira par faire de toi un vrai mécanicien, Bauer. Par contre, pour celui-là, c'est sans espoir.

Il jeta un coup d'œil à M. Hirst, qui les observait d'un air maussade depuis la poutrelle de soutien de l'habitacle, les mains parfaitement propres.

— Que dites-vous ? demanda l'homme.

Alek lui répondit en anglais.

— Rien, monsieur Hirst. Il semble que Klopp nous ait battus.

— J'en ai bien l'impression, reconnut l'homme, avant de retomber dans le mutisme.

C'était en fin d'après-midi, moins de quarante-huit heures après leur malheureuse rencontre avec le *Breslau* et le *Goeben*. Alek, ses hommes Hoffman et Bauer, et M. Hirst avaient été assignés au moteur tribord tandis que maître Klopp se chargeait du moteur bâbord, sous bonne garde, avec le comte Volger en guise de traducteur.

Depuis l'incident du pistolet à air comprimé, on avait jugé préférable de ne pas remettre Klopp et Hirst sur le même moteur. Alek n'était pas surveillé, mais il soupçonnait que c'était surtout en raison du gros bandage qui enveloppait sa côte blessée. Chaque fois qu'il devait soulever une clé il grimaçait de douleur.

Au moins, personne n'était plus aux arrêts. Fidèle à sa parole, le Dr Barlow avait convaincu le commandant d'accepter la réalité – à savoir que, sans l'aide de Klopp, l'aéronef serait condamné à dériver au gré du vent. Ou pire, que la bête volante les entraînerait vers une destination de son choix.

La bonne volonté du commandant était cependant assortie de certaines conditions. Les cinq Autrichiens allaient devoir rester à bord du *Léviathan* jusqu'à ce que leurs moteurs n'aient plus de secret pour les darwinistes, quel que soit le temps que cela prendrait.

Alek doutait fort qu'on leur permette de débarquer à Constantinople.

◎　◎　◎

Une demi-heure plus tard, l'engin tribord démarrait enfin. Alors qu'une épaisse fumée noire sortait du tuyau d'échappement, maître Hoffman enclencha une vitesse et l'hélice se mit à tourner.

Alek ferma les yeux, savourant le grondement régulier des pistons. Sa liberté était loin d'être acquise, mais au moins l'aéronef avait retrouvé son intégrité.

— Ça va, monsieur ? s'inquiéta Bauer.

Alek inspira une profonde bouffée d'air marin.

— Oui. Je suis simplement soulagé que nous puissions repartir.

— C'est agréable de sentir un moteur vibrer de nouveau sous nos pieds, pas vrai ?

Hoffman indiqua M. Hirst d'un coup de menton.

— Et peut-être que notre ami grognon ici présent aura appris deux ou trois choses.

— Espérons-le, dit Alek avec un sourire.

Depuis la bataille, Bauer et Hoffman avaient pris en grippe le chef mécanicien du *Léviathan*. Après tout, ils se trouvaient auprès d'Alek depuis cette nuit épouvantable où il avait appris la mort de ses parents, et ils avaient sacrifié leur carrière pour le protéger. Mutinerie ou non, ils n'avaient pas apprécié de voir M. Hirst ouvrir le feu sur lui et maître Klopp.

Les deux moteurs tournèrent bientôt à l'unisson, et le *Léviathan* remit le cap au nord. La mer défilait sous eux, de plus en plus vite, jusqu'à ce que l'aéronef finisse par distancer son escorte de mouettes affamées et de dauphins curieux.

L'air en mouvement avait meilleur goût, jugea Alek. La bête volante s'était laissée dériver presque toute la journée, au gré du vent, en donnant l'impression de flotter dans un calme mortel. Mais maintenant qu'ils avaient récupéré leur capacité motrice, Alek pouvait de nouveau sentir un air frais et piquant sur son visage, chassant toute sensation d'emprisonnement.

— Encore une de ces bestioles parlantes, grommela Bauer, les sourcils froncés.

Alek se retourna et vit un lézard messager s'approcher sur le flanc de l'aéronef. Il poussa un soupir. Sans doute le Dr Barlow qui voulait le remettre de corvée de surveillance des œufs.

Quand le lézard ouvrit la bouche, pourtant, il s'exprima avec la voix du bosco :

— Le commandant souhaiterait avoir le plaisir de votre compagnie sur la passerelle, dès que possible.

Bauer et Hoffman, qui avaient reconnu le mot anglais « commandant », se tournèrent vers Alek.

— Il désire me voir au plus vite, traduisit-il.

Bauer fit la grimace. Descendre jusqu'à la nacelle avec une côte fêlée n'aurait rien d'une promenade d'agrément.

Mais Alek ne put s'empêcher de sourire en essuyant le cambouis qu'il avait sur les mains. C'était la première fois que l'un d'eux se voyait invité sur la passerelle. Depuis son embarquement, il se demandait comment les officiers contrôlaient cet équilibre délicat d'hommes d'équipage, d'animaux fabriqués et de machines. Comme à bord d'un dreadnought terrestre allemand, où la passerelle commandait directement les moteurs et les canons ? Ou plutôt comme à bord d'un navire, en envoyant des ordres à la salle des machines et aux différents postes de combat ?

Alek se tourna vers Hirst.

— Je vais devoir vous abandonner, monsieur.

L'homme hocha la tête avec raideur. Il ne s'était pas excusé d'avoir tiré sur Alek, et aucun officier n'avait jamais reconnu que Klopp avait sauvé l'aéronef. Mais quand ils s'étaient mis au travail ce matin, Hirst avait retourné le fond de ses poches sans dire un mot, pour leur montrer qu'il n'avait plus son pistolet.

C'était déjà ça.

◉   ◉   ◉

Alek trouva Volger en train de l'attendre devant l'escalier qui menait à la passerelle.

C'était étrange de revoir le comte en vêtements de voyage maculés de cambouis, les cheveux ébouriffés par le souffle de l'hélice. En fait, Alek ne l'avait pas revu depuis la bataille. Depuis que le prince avait de nouveau l'autorisation de sortir, ils avaient tous les deux travaillé sans relâche sur les moteurs.

— Ah, Votre Altesse, dit le comte, en s'inclinant sans enthousiasme. Je me demandais si on vous avait convoqué vous aussi.

— Je vais où les lézards m'appellent.

Volger ne sourit pas ; il se contenta de se tourner et de s'engager dans l'escalier.

— Satanées bestioles. Le commandant doit avoir des nouvelles importantes pour nous admettre enfin sur la passerelle.

— Peut-être veut-il simplement nous remercier.

— Je pencherais pour quelque chose de moins agréable, dit Volger. Une information qu'il ne voulait pas nous donner avant que nous ayons remis ses moteurs en marche.

Alek se renfrogna. Le comte avait probablement raison, comme d'habitude, même si sa méfiance trahissait une certaine aigreur. Vivre parmi les créatures impies du *Léviathan* n'améliorait en rien son état d'esprit.

— Vous continuez à vous méfier des darwinistes, n'est-ce pas ? dit Alek.

— Vous seriez bien inspiré d'en faire autant.

Volger s'arrêta, attendit que deux gabiers soient passés, puis entraîna Alek dans l'escalier. Quelques instants plus tard, ils parvenaient sur le pont inférieur de la nacelle, dans un couloir étroit uniquement éclairé aux vers luisants.

— Les réserves de l'aéronef sont quasiment vides, murmura Volger. Ils ne les font même plus garder.

Alek sourit.

— Vous n'avez pas pu vous empêcher de fouiner à droite et à gauche.

— Quand je ne suis pas en train de régler des engrenages comme un vulgaire mécanicien. Mais parlons vite. On m'a déjà surpris une fois ici.

— Alors, qu'avez-vous pensé de mon message ? demanda Alek. Ces cuirassés se rendent à Constantinople, n'est-ce pas ?

— Vous leur avez dit qui vous étiez, l'accusa le comte Volger.

Alek se figea. Puis il se détourna pour cacher les larmes de honte et de frustration qui lui brûlaient les yeux. Il se sentait comme un enfant, comme quand Volger le ridiculisait avec son sabre d'entraînement.

Il s'éclaircit la gorge, conscient que le comte n'était plus son professeur.

— C'est le Dr Barlow qui vous l'a dit, n'est-ce pas ? Pour vous faire savoir qu'elle avait un moyen de pression sur nous.

— Elle aurait pu. Mais c'est plus simple que cela – c'est Dylan qui a vendu la mèche.

— Dylan ?

Alek secoua la tête.

— Il ne se doutait pas que vous me cachiez certaines choses.

— Je ne vous cache rien…, commença Alek, mais il ne servait à rien de nier.

— Avez-vous perdu la tête ? chuchota Volger. Vous êtes l'héritier du trône austro-hongrois. Fallait-il vraiment le révéler à nos ennemis ?

— Dylan et le Dr Barlow ne sont pas nos ennemis, affirma Alek, en regardant le comte Volger droit dans les yeux. Et ils ignorent que je suis l'héritier du trône. Personne ne connaît l'existence de la lettre du pape, excepté vous et moi.

— Enfin une bonne nouvelle.

— D'ailleurs, je n'ai pas eu besoin de leur dire. Le Dr Barlow avait deviné toute seule qui étaient mes parents. Mais je suis désolé. J'aurais dû vous prévenir qu'ils étaient au courant, reconnut Alek en détournant les yeux.

— Non. Vous n'auriez jamais dû admettre quoi que ce soit, et peu importe ce qu'ils avaient deviné ! Ce Dylan est un grand naïf – incapable de garder un secret. Il vous plaît peut-être de le considérer comme un proche, mais au fond, ce n'est qu'un roturier. Et vous avez remis votre vie entre ses mains !

Alek secoua la tête. Dylan n'était pas noble, mais c'était son ami. Il avait déjà risqué sa vie pour garder secrète l'identité d'Alek.

— Réfléchissez un moment, Volger. C'est à vous que Dylan a parlé, et non à l'un des officiers du bord. Nous pouvons lui faire confiance.

L'homme se rapprocha dans l'obscurité ; sa voix n'était plus qu'un murmure.

— J'espère que vous avez raison, Alek. Sinon, le commandant va certainement nous annoncer que ses nouveaux moteurs vont nous ramener en Grande-Bretagne, où on aura préparé une cage à votre intention. Croyez-vous que vous apprécierez d'être le petit monarque apprivoisé des darwinistes ?

Alek ne répondit pas tout de suite. Il prit le temps de se remémorer les promesses sincères de Dylan. Puis il se détourna et remonta l'escalier.

— Il ne nous a pas trahis. Vous verrez.

◉ ◉ ◉

La passerelle était beaucoup plus grande qu'Alek ne l'avait imaginé.

Elle occupait toute la largeur de la nacelle, en s'incurvant en demi-cercle à la proue. Le soleil de l'après-midi se déversait par des fenêtres qui montaient quasiment jusqu'au plafond. Alek s'approcha de l'une d'elles – la vitre était légèrement penchée vers l'extérieur et donnait sur la mer scintillante en contrebas.

Dans la vitre on voyait le reflet d'une douzaine de tubes à lézards messagers qui couraient sur le plafond ; d'autres sortaient du plancher avant de s'évaser comme de gros champignons de bronze. Commandes et instruments de contrôle étaient alignés le long du mur, et des oiseaux apprivoisés voletaient dans des cages. Alek ferma les yeux un instant pour mieux écouter le bavardage des hommes et des animaux.

Volger le tira doucement par le bras.

— Nous sommes ici pour parlementer, pas pour gober les mouches.

Alek lui emboîta le pas et se composa une expression résolue. Mais il continua à regarder et à écouter tout ce qui se passait autour de lui. Quoi que le commandant ait à leur annoncer, il voulait mémoriser le moindre détail de cet endroit.

À l'avant de la passerelle on voyait une roue de gouvernail, semblable à celle d'un navire, sculptée dans le style sinueux des darwinistes. Le commandant Hobbes s'en détourna pour les accueillir, le sourire aux lèvres.

— Ah, messieurs. Merci d'être venus.

Alek suivit l'exemple de Volger et le salua d'une petite courbette, de celles qu'on réservait aux gens de petite noblesse à l'influence incertaine.

— Que nous vaut ce plaisir ? demanda Volger.

— Nous avons pu reprendre notre route, expliqua le commandant Hobbes. Je tenais à vous en remercier personnellement.

— Nous sommes heureux de vous aider, dit Alek, espérant que pour une fois les soupçons du comte Volger se révéleraient infondés.

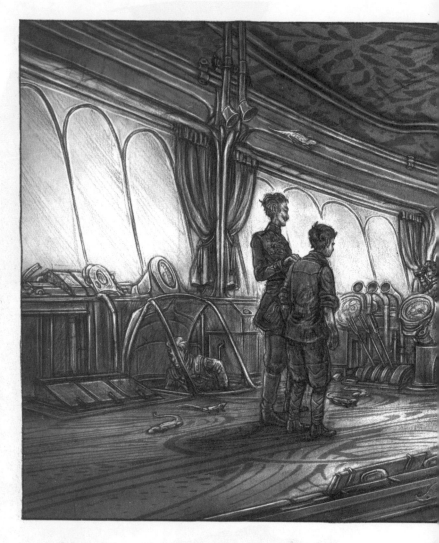

— Mais j'ai aussi une mauvaise nouvelle, hélas, continua le commandant, en se raclant la gorge. On vient de
m'informer que la Grande-Bretagne et l'Autriche-
Hongrie sont officiellement en guerre. C'est tout à fait
regrettable.

Alek inspira longuement. Depuis combien de temps

le commandant était-il au courant ? Avait-il attendu que les moteurs soient réparés pour les prévenir ? Il réalisa que Volger et lui étaient couverts de cambouis, vêtus comme des marchands, alors que le commandant Hobbes paradait dans son bel uniforme immaculé. Il se prit soudain à détester cet homme.

— Cela ne change rien, déclara Volger. Nous ne sommes pas des soldats, après tout.

— Vraiment ? Pourtant, à en juger par leurs uniformes, vos hommes sont membres de la garde des Habsbourg, n'est-ce pas ?

— Plus depuis que nous avons quitté l'Autriche, répliqua Alek. Comme je vous l'ai dit, nous avons fui pour des raisons politiques.

Le commandant haussa les épaules.

— Les déserteurs restent des soldats.

Alek se hérissa.

— Mes hommes ne sont pas des…

— Seriez-vous en train d'insinuer que nous sommes des prisonniers de guerre ? l'interrompit Volger. Dans ce cas, nous allons de ce pas retirer nos hommes des moteurs et nous considérer comme aux arrêts.

— Ne nous emballons pas, messieurs, s'écria le commandant Hobbes en levant les mains. Je tenais simplement à vous apprendre la nouvelle, et à solliciter votre indulgence. Vous devez comprendre que ce nouveau développement me place dans une situation très inconfortable.

— Elle est tout aussi inconfortable pour nous.

— Bien sûr, reconnut le commandant sans paraître remarquer le ton d'Alek. Je préférerais que nous parvenions à un arrangement. Mais mettez-vous à ma place. Vous ne m'avez jamais dit qui vous étiez au juste. Maintenant que nos deux pays sont en guerre, cela complique quelque peu votre statut.

L'homme attendit, dans l'expectative ; Alek se tourna vers Volger.

— Je veux bien vous croire, compatit le comte. Nous préférons néanmoins garder notre identité pour nous.

Hobbes soupira.

— Dans ce cas, je vais devoir en référer à l'Amirauté.

— Tenez-nous au courant de sa décision.

— Naturellement. Bonne journée, messieurs.

Le commandant toucha sa casquette et reprit le gouvernail.

Alors que Volger s'inclinait de nouveau, Alek partit à grands pas, furieux. Mais en se dirigeant vers l'escalier il ne put s'empêcher de ralentir l'allure afin de prêter l'oreille quelques secondes de plus au bourdonnement du cœur de l'aéronef.

Il y avait pire prison que celle-ci.

— Vous savez quels seront les ordres de l'Amirauté ? lui glissa Volger quand ils se retrouvèrent seuls dans le couloir.

— De nous enfermer à double tour, dit Alek. Dès qu'ils pourront se passer de notre aide.

— Exactement. Il est temps de réfléchir à un plan d'évasion.

Cette nuit-là, dans la salle des machines, Alek laissa vagabonder son imagination en surveillant les œufs.

Ces derniers paraissaient tellement insignifiants, et pourtant cet aéronef géant, cette construction merveilleuse, avait traversé toute l'Europe pour les acheminer jusqu'ici. Que pouvaient-ils bien contenir ? Quel genre de créature impie saurait persuader les Ottomans de rester à l'écart de la guerre ?

Les radiateurs placés autour des œufs luisaient et, dans le calme de l'aéronef, Alek se sentit gagné par le sommeil. Il se leva et fit quelques mouvements pour éviter de s'endormir.

Il était tout juste 3 heures du matin, et donc grand temps de se mettre au travail.

En retirant ses bottes, il sentit un frisson lui chatouiller le flanc. Mais il ignora sa côte douloureuse. Rien ne le détournerait de son but.

Alek avait mis une heure pour convaincre le comte Volger de la logique de son plan. Klopp restait sous surveillance, Bauer et Hoffman étaient occupés aux moteurs et Volger avait déjà été surpris en train de fouiner à bord. C'était donc à lui qu'il revenait de découvrir un moyen d'évasion.

Il colla une oreille contre la porte de la salle des machines et retint son souffle.

Rien.

Il tourna la poignée et repoussa le battant avec prudence. Les lampes électriques étaient éteintes. Seuls les vers luisants éclairaient la coursive, baignée d'une lueur verte aussi douce que la clarté des étoiles. Alek sortit en chaussettes, sans faire le moindre bruit, et referma la porte derrière lui.

Il attendit un moment que ses yeux s'habituent à l'obscurité, puis se dirigea vers l'escalier. Il y avait forcément une trappe d'évacuation quelque part, un moyen pour l'équipage d'abandonner l'aéronef au moyen d'une corde ou d'un parachute. Le pont inférieur de la nacelle semblait l'endroit le plus indiqué pour la chercher.

Quoique Alek n'ait aucune idée de la manière de mettre la main sur cinq parachutes – ou quelques centaines de mètres de corde. Ils allaient devoir s'échapper quand l'aéronef se trouverait au sol, à Constantinople, puis se payer un chemin vers la sécurité grâce au dernier lingot d'or de son père.

L'escalier n'émit aucun grincement sous ses pas. Le bois darwiniste, issu d'arbres fabriqués, était à la fois plus léger que le bois naturel et plus solide que l'acier. Loin de grincer et de craquer comme un bateau, l'aéronef se montrait plus silencieux qu'un château en pierre. Alek ne percevait du ronronnement des moteurs qu'un léger tremblement sous ses pieds.

À pas de loup, Alek franchit le pont central de la nacelle. Durant la nuit, on trouvait d'habitude un homme de garde devant la porte de la passerelle, deux autres devant l'armurerie, et les cuisiniers se mettaient toujours au travail avant l'aube. Mais après les cinq jours passés sur le glacier, les soutes de l'aéronef étaient vides et personne ne les gardait.

Au milieu du dernier escalier, Alek entendit un bruit. Il se figea sur place.

S'agissait-il d'un homme d'équipage qui passait sur le pont supérieur ? Ou de quelqu'un qui descendait derrière lui ?

Il se retourna et scruta l'escalier. Rien.

Alek se demanda s'il y avait des rats dans un aéronef. On en trouvait bien à bord des dreadnoughts terrestres, après tout. À moins que les renifleurs à six pattes ne les traquent aussi bien que les fuites d'hydrogène ?

Il frémit et se remit en marche.

En bas de l'escalier, le plancher était glacé. L'air nocturne passait juste dessous, raréfié et proche du zéro à cette altitude.

Les coursives étaient plus larges sur ce pont-là, avec deux rails fixés au sol pour y faire circuler les chariots de marchandises. Les soutes s'ouvraient en face de lui. Elles étaient plongées dans la pénombre, tout juste éclairées par quelques vers luisants qui se tortillaient sur les murs.

Il entendit de nouveau ce bruit – un frottement de semelles sur du bois. Il y avait bien quelqu'un !

Le cœur battant, Alek pressa le pas. Il aperçut quelques sacs de nourriture à moitié vides dans un recoin, mais pas de quoi constituer une bonne cachette.

Le couloir se terminait par une porte close. Alek se retourna et vit une silhouette. Une fraction de seconde,

il songea à se manifester en faisant comme s'il s'était perdu. Mais Volger s'était déjà fait surprendre par ici...
Alek franchit la porte et la referma derrière lui.

Il se retrouva dans une pièce noire comme la poix, où flottait une odeur forte qui évoquait le foin moisi. Il resta là à respirer fort. L'endroit lui paraissait aussi exigu qu'encombré, et pourtant, le déclic de la porte en train de se refermer lui parut résonner un long moment.
Alek crut entendre marmonner. Aurait-il mis le pied dans un dortoir rempli d'aviateurs assoupis ?

Il attendit que ses yeux s'habituent à l'obscurité, et s'efforça de ralentir son pouls qui lui martelait les oreilles...
Quelqu'un, ou quelque chose, respirait là-dedans.

Pendant un moment horrible, Alek se demanda s'il n'y aurait pas à bord du *Léviathan* des créatures dont Dylan ne lui aurait encore rien dit. Des monstres, qui sait ? Il se souvint de ses figurines militaires, et des créatures de combat darwinistes fabriquées à partir des fils de la vie d'espèces éteintes et de reptiles géants.

— Heu, il y a quelqu'un ? chuchota-t-il.
— Il y a quelqu'un ? lui répondit-on sur le même ton.
Alek se racla la gorge.
— Oh, j'ai l'impression que je me suis trompé de cabine. Je suis désolé.
— Trompé de cabine ? répéta la voix, hésitante et curieusement familière.
— Oui. Je ne vais pas vous déranger plus longtemps.
Alek pivota vers la porte et chercha la poignée à tâtons. Le métal crissa un peu quand il la tourna, et il se figea comme une statue.

La pièce s'emplit soudain d'une multitude de murmures et de protestations.

— Je suis désolé, fit une voix.

Une autre chuchota :

— Il y a quelqu'un ?

Les murmures s'amplifièrent. La pièce, à peine plus vaste qu'un placard, lui donnait l'impression qu'une dizaine d'hommes étaient en train de se réveiller autour de lui. Ils grommelaient des mots presque incompréhensibles, dans un brouhaha nerveux et agité.

Aurait-il découvert *l'asile d'aliénés* de l'aéronef ?

Alek se donna un grand coup sur le pied et ouvrit la porte d'un geste brusque. Il laissa échapper un glapissement de douleur, auquel répondit une symphonie de voix en colère. D'autres cris s'élevèrent dans l'obscurité, à croire qu'une bagarre était en train d'éclater !

Sur le seuil, un visage verdâtre le fixait.

— Nom d'une pipe en bois ! Mais qu'est-ce que vous faites ? chuchota le nouvel arrivant.

— En bois ! Nom d'une pipe en bois ! répétèrent une dizaine de voix de toutes parts.

Alek ouvrit la bouche pour parler, mais un sifflement sourd fusa dans la pièce. La cacophonie se tut instantanément.

On éleva une lanterne à vers luisants sous le nez d'Alek. Dans sa lumière verte, il vit Dylan qui le dévisageait en plissant les paupières, un sifflet de commandement à la main.

— Il m'avait bien semblé que c'était vous, chuchota le garçon.

— Mais… qui sont ces… ?

MESSES BASSES DANS LA SALLE DES MESSAGERS.

— Silence, espèce d'idiot. Ne recommencez pas à les agiter.

Dylan le repoussa dans la pièce et se glissa à l'intérieur, en refermant la porte derrière eux.

— Avec un peu de chance, les navigateurs n'auront rien entendu.

Alek cligna des yeux, et à la lueur de la lanterne il put enfin distinguer les cages qui s'empilaient jusqu'au plafond. Elles étaient pleines de lézards messagers, serrés les uns contre les autres comme des chiots chez un marchand d'animaux.

— Où sommes-nous ? souffla-t-il.

— Dans la salle des lézards, voyons ! chuchota Dylan. Là où le Dr Erasmus prend soin de ces bestioles.

Alek se racla la gorge. Son regard tomba sur une table où l'on avait épinglé un lézard disséqué. Puis il vit que le plafond était couvert d'embouchures de tubes à messages, entremêlés comme les voies d'une gare de triage.

— C'est une sorte de jonction, c'est cela ?

— Oui. Tenue par le Dr Erasmus. Il note l'origine et la destination des messages, relaie les alertes, règle les problèmes de circulation.

Alek contempla les dizaines d'yeux minuscules qui le fixaient à la lumière des vers luisants.

— Je n'avais pas idée que c'était aussi… compliqué.

— Comment pensiez-vous que faisaient les bestioles pour vous retrouver à tout moment ? Par magie ? le provoqua Dylan en reniflant. C'est un boulot difficile, même pour un savant, surtout que la moitié des lézards sont encore sous le choc de la foudre des clankers. Regardez-les, les pauvres. Et vous qui venez les déranger en pleine nuit !

Quelques lézards se remirent à répéter les paroles de Dylan dans un murmure. Mais ce dernier n'eut qu'à souffler dans son sifflet et ils se calmèrent de nouveau. Alek regarda Dylan.

— Vous n'êtes pas ici par hasard, n'est-ce pas ?

— Non. Je n'arrivais pas à dormir. Vous savez que le Dr Barlow insiste pour que je vous laisse tranquille quand vous êtes de corvée d'œufs ; eh bien, je me suis dit que si je vous voyais à cette heure-ci, elle n'en saurait rien.

— Mais vous ne m'avez pas trouvé, comprit Alek.

Dylan hocha la tête.

— Et ça, c'était plutôt bizarre. Alors j'ai décidé de fureter un peu pour voir ce que vous fabriquiez.

— Il ne vous aura pas fallu longtemps pour me repérer, dites-moi ?

— Le vacarme des bestioles m'a facilité la tâche, mais j'étais sûr que vous seriez en bas. Vous êtes à la recherche d'un moyen d'évasion, pas vrai ?

Alek grinça des dents.

— Suis-je donc si transparent ?

— Non. C'est moi qui suis malin comme un singe, rétorqua le garçon. Vous n'aviez pas remarqué ?

Alek prit le temps de réfléchir à la question, puis sourit.

— Si.

— Bien.

Dylan passa devant lui et ouvrit une trappe au fond de la pièce.

— Dans ce cas, venez par ici avant que les bestioles ne se remettent à jacasser.

NEUF

Dylan se glissa le premier par la trappe puis descendit quelques barreaux fixés sur la cloison inclinée.

Alek lui passa la lanterne, dont la lumière illumina une petite pièce sphérique. Il l'avait déjà remarquée depuis l'extérieur de l'aéronef : un renflement arrondi sous le ventre de la nacelle. Presque tout l'espace disponible était occupé par une paire de télescopes à l'aspect curieux, braqués sur la mer.

— Est-ce une arme ? demanda Alek.

— Non. Le plus gros est un appareil photo pour la reconnaissance, expliqua Dylan. Et le petit une lunette de visée pour les bombardements et la navigation. Mais comme ils sont inutilisables de nuit, on ne devrait pas venir nous déranger ici.

— Il n'y a pas beaucoup de place, dit Alek.

Il descendit à son tour et se posa dans un coin, à moitié accroupi sur une grosse boîte fixée à l'appareil photo.

— Nous sommes juste en dessous de la passerelle, n'est-ce pas ?

Dylan jeta un coup d'œil vers le plafond.

— Non, de la salle de navigation. La passerelle se trouve au-dessus. Mais nous courons moins de risques ici que dans la salle des lézards. Vous avez eu de la chance de ne pas déclencher une alerte générale !

— Cela m'aurait sans doute valu quelques ennuis, reconnut Alek, imaginant déjà une armée de lézards en train de s'éparpiller dans tous les tubes à messages de l'aéronef et de réveiller l'équipage en criant avec sa voix. Je ne vaux pas grand-chose comme espion, j'en ai peur.

— Au moins, vous avez eu la bonne idée de vous faire surprendre par moi, le réconforta Dylan. Quelqu'un d'autre aurait pu s'alarmer de vous voir fouiner partout.

— Je n'appellerais pas cela fouiner, dit Alek. Plutôt me cogner partout au petit bonheur. En tout cas, merci de ne pas m'avoir dénoncé.

Le garçon haussa les épaules.

— Je considère qu'il est du devoir d'un prisonnier de chercher à s'enfuir. Après tout, vous autres clankers avez sauvé l'aéronef – ça fait trois fois, maintenant –, et le commandant vous traite comme des ennemis ! Tout ça parce que la Grande-Bretagne a déclaré la guerre à votre grand-oncle. Je trouve ça un peu fort de café.

Alek ne put s'empêcher de sourire. En ce qui concernait la loyauté de Dylan, au moins, les soupçons de Volger paraissaient infondés.

— C'est donc pour cela que vous me cherchiez ? Pour discuter avec moi d'un moyen de nous échapper ?

— Eh bien, je n'irai quand même pas jusqu'à vous aider. Ça ressemblerait un peu trop à une trahison, même pour moi. Seulement…

La voix de Dylan mourut.

— Oui ?

— Nous arriverons à Constantinople demain à midi, alors j'ai pensé que vous ne tarderiez plus à nous fausser compagnie, et que ce serait peut-être notre dernière occasion de discuter. Je n'arrivais pas à dormir de toute façon.

Alek plissa les yeux dans la pénombre. Les traits délicats de Dylan semblaient crispés, même dans la lumière tamisée des vers luisants. Il n'avait plus son sourire habituel.

— Qu'y a-t-il ?

— C'est l'accident de Newkirk. Ça m'a salement secoué.

— Secoué ?

Alek fronça les sourcils. Dylan employait parfois certaines expressions qui le laissaient perplexe.

— Newkirk, c'est l'aspirant dont le Huxley a brûlé, c'est bien cela ?

— Oui, ça m'a fait repenser à… la mort de mon père. J'en ai fait des cauchemars.

Alek hocha la tête. Le garçon n'était jamais entré dans les détails concernant cet événement dramatique. Il lui avait simplement raconté qu'il avait perdu son père dans un accident, et qu'après cela, il n'avait plus prononcé un seul mot pendant un mois entier.

— Vous n'en avez jamais parlé à personne, n'est-ce pas ?

Le garçon secoua la tête, sans ajouter un mot.

Alek attendit. Il se souvint de ses propres difficultés à raconter à Dylan la mort de ses parents. On entendait le vent siffler autour de la proue de l'aéronef, en faisant grincer ses articulations et ses coutures. Un courant d'air froid tourbillonnait autour de leurs pieds, issu du trou ménagé pour l'appareil photo.

— J'ai pensé que, puisque vous alliez partir de toute manière, dit Dylan, ça ne vous coûterait pas grand-chose de m'écouter.

— Bien sûr que vous pouvez vous confier à moi, Dylan. Vous connaissez presque tous mes secrets, après tout.

Le garçon hocha la tête mais replongea dans le mutisme, les bras serrés contre ses flancs. Alek prit une longue respiration. C'était la première fois qu'il voyait Dylan aussi frileux. Ce garçon ne semblait jamais avoir peur de rien, et surtout pas d'un souvenir.

Peut-être ne tenait-il pas à ce qu'on le voie comme cela, vulnérable et… secoué.

Alek ôta sa veste et la posa sur la lanterne. L'obscurité les enveloppa tous les deux.

— Allez, l'encouragea-t-il avec douceur.

Un instant plus tard, Dylan se mit à raconter.

— Mon père volait sur des ballons à air chaud, voyez-vous, même après la fabrication des grands souffleurs d'hydrogène. J'avais l'habitude de l'accompagner, et j'étais là quand c'est arrivé. Nous étions encore au sol, le brûleur chauffait l'air pour gonfler l'enveloppe, et tout à coup, j'ai senti une énorme bouffée de chaleur, comme quand on ouvre la trappe d'une chaudière. L'un des réservoirs de kérosène…

La voix de Dylan s'était peu à peu radoucie, au point de ressembler à celle d'une fille ; elle finit par s'éteindre tout à fait. Alek se rapprocha et posa une main sur l'épaule de son compagnon.

— C'était comme avec Newkirk, reprit le garçon.

Le ballon s'est embrasé d'un seul coup et nous a propulsés vers le haut. Les amarres ont tenu, même si elles brûlaient aussi. Et puis, mon père m'a poussé hors de la nacelle.

— Il vous a donc sauvé la vie.

— Oui, mais c'est ça qui l'a tué ! Sans mon poids les amarres se sont rompues ; et mon père s'est envolé dans son ballon en flammes.

Alek retint son souffle. Il se souvint du zeppelin allemand dans les Alpes, qui s'était écrasé devant lui, son hydrogène enflammé par les tirs de mitrailleuses. Il entendait encore le grésillement de la neige qui se changeait en vapeur sous la carcasse, et les cris étouffés à l'intérieur de la nacelle.

— Tout le monde a vu comment il m'avait sauvé, continua Dylan, en plongeant la main dans sa poche. On lui a donné une médaille pour ça.

Il sortit une petite décoration, une croix d'argent arrondie suspendue à un ruban bleu. Dans la pénombre, Alek put tout juste distinguer le visage de Charles Darwin gravé au centre.

— C'est la croix de la Bravoure aérienne, la plus haute distinction qu'on puisse attribuer à un civil pour acte de courage en plein ciel.

— Vous devez être fier, dit Alek.

— La première année, quand je n'arrivais pas à dormir, il m'arrivait de la fixer toute la nuit. Mais je croyais en avoir terminé avec mes cauchemars, jusqu'à l'accident de Newkirk, avoua Dylan en se tournant vers Alek. Vous devez pouvoir comprendre ça, je crois ? À cause de ce qui est arrivé à vos parents ?

Alek hocha la tête, sans cesser de regarder la médaille.
Que dire ? Il avait encore un sommeil agité, bien sûr,
mais la mort de ses parents s'était produite dans la lointaine Sarajevo, et non sous ses yeux. Et ses cauchemars
n'étaient rien en comparaison de ce que Dylan venait
de lui décrire.

Puis il se souvint de ce qu'il avait ressenti au moment
où le canon Tesla avait ouvert le feu, son horreur absolue à l'idée de voir le *Léviathan* disparaître dans les
flammes.

— Je crois que vous êtes très courageux de servir à
bord d'un aéronef.

— Oui, ou complètement toqué.

Les yeux du garçon brillèrent dans le peu de lumière
qui s'échappait de sous la veste d'Alek.

— Vous ne trouvez pas ça un peu cinglé ? Comme

si je voulais marcher sur ses traces pour connaître le même sort ?

— Ne dites pas de bêtises, s'insurgea Alek. Vous honorez la mémoire de votre père. Il me paraît naturel que vous teniez à servir sur cet aéronef. Si seulement je... Si les choses étaient différentes, je crois que j'aimerais rester, moi aussi.

— Vraiment ?

— Vous allez me trouver ridicule. Mais ces derniers jours, j'ai eu l'impression de changer. Toutes mes convictions sont chamboulées. J'ai parfois l'impression d'éprouver... un sentiment...

Alek sentit Dylan se raidir à côté de lui.

— Je sais bien que c'est absurde, s'empressa-t-il d'ajouter. C'est complètement insensé.

— Êtes-vous en train d'insinuer que... ? Et si les choses étaient bel et bien différentes de ce que vous pensez ? Si j'étais... À moins que vous n'ayez déjà deviné ? Que voulez-vous dire exactement ?

Alek secoua la tête.

— Peut-être que je m'exprime mal. Mais je crains de m'être pris d'affection pour... votre aéronef.

— Vous vous êtes pris d'affection, répéta lentement Dylan, pour le *Léviathan* ?

— Je me sens bien, ici. Comme si le destin m'y avait conduit.

Dylan eut un petit rire étranglé avant de glisser la médaille dans sa poche.

— Vous autres clankers, murmura-t-il, vous êtes vraiment des gens bizarres.

Alek ôta sa main de l'épaule de son compagnon, surpris. Dylan n'arrêtait pas de lui expliquer que les différentes espèces à bord de l'aéronef se soutenaient les unes les autres, que chaque animal faisait partie d'un tout. Il pouvait sûrement comprendre.

— Dylan, vous savez que j'ai toujours vécu seul. Je n'ai jamais eu de camarades de classe, rien que des précepteurs.

— Oui, parce que vous êtes un foutu prince.

— Même pas, en raison des origines de ma mère. Je ne me mêlais pas aux gens ordinaires, et le reste de ma famille ne rêvait que de me voir disparaître. Mais ici, à bord de cet aéronef...

Alek se tordit les doigts à la recherche de la bonne formulation.

— Vous vous sentez à votre place, acheva Dylan d'une voix sèche. Vous avez l'impression de vivre pour de bon.

Alek sourit.

— Oui. Je savais que vous comprendriez.

— Bien sûr, lâcha Dylan en haussant les épaules. Je croyais que vous parliez d'autre chose, c'est tout. Je ressens la même chose que vous... à propos de l'aéronef.

— Mais vous n'êtes pas un ennemi, à bord, vous n'avez pas besoin de dissimuler ce que vous êtes, dit Alek avec un soupir. La situation est beaucoup plus simple pour vous.

Le garçon eut un rire amer.

— Pas aussi simple que vous le croyez.

— Je n'ai pas dit que vous étiez simple, Dylan. Seulement que vous n'avez pas de secret sur les épaules. Personne ne rêve de vous débarquer pour vous enfermer quelque part à double tour !

93

Dylan secoua la tête.

— Vous ne connaissez pas ma mère.

Alek se souvint que la mère de Dylan était opposée à son engagement dans l'armée.

— Oh, c'est vrai. Les femmes peuvent parfois se montrer déraisonnables.

Dylan ôta la veste d'Alek de la lanterne.

— Dans ma famille, elles sont souvent complètement folles. La tête farcie d'idées bizarres. Vous ne pouvez même pas vous imaginer.

Dans la lumière verte qui emplit subitement l'habitacle, le visage de Dylan ne paraissait plus triste. Ses yeux pétillaient comme d'habitude, mais on y lisait aussi de la colère. Il jeta sa veste à Alek.

— Nous savons vous et moi que vous ne pouvez pas rester à bord, déclara-t-il à voix basse.

Alek soutint son regard un moment, puis hocha la tête. On ne lui permettrait jamais de servir à bord du *Léviathan*, pas quand les darwinistes auraient appris à maîtriser leurs nouveaux moteurs. On le ramènerait en Grande-Bretagne avec ses compagnons pour les y garder en sécurité, que son identité soit dévoilée ou non.

Il lui fallait à tout prix s'échapper.

— Je devrais me remettre à fureter, je suppose.

— Oui, vous devriez, dit Dylan. Je vais remonter surveiller les œufs à votre place. Revenez quand même avant qu'il fasse jour, ou la savante nous fera passer un mauvais quart d'heure à tous les deux.

— Merci, dit Alek.

— Nous ne pourrons rester que vingt-quatre heures à Constantinople. Ce qui ne vous laisse que cette nuit pour trouver ce que vous cherchez.

Alek acquiesça de la tête, le cœur battant. Il tendit la main.

— Au cas où nous n'aurions plus l'occasion de nous reparler, j'espère que nous resterons amis, quoi qu'il arrive. Les guerres ne durent pas éternellement.

Dylan contempla la main qu'on lui offrait, puis hocha la tête.

— Mais oui, amis. Gardez la lampe. Je trouverai mon chemin dans le noir.

Il se leva et gravit l'échelle sans ajouter un mot.

Alek baissa les yeux sur sa main en se demandant pourquoi Dylan se montrait aussi froid tout à coup. Peut-être s'était-il davantage confié qu'il n'en avait eu l'intention ? À moins qu'Alek n'ait commis une maladresse sans s'en apercevoir.

Il soupira. Ce n'était pas le moment d'y réfléchir – avec le furetage qui l'attendait. Quand le *Léviathan* reprendrait le chemin de la Grande-Bretagne, il n'aurait plus d'autre chance de s'évader. Il devait descendre de l'aéronef dans moins de deux jours.

Alek ramassa la lanterne à vers luisants et grimpa vers la trappe.

DIX

C'était la première fois que Deryn découvrait une ville de clankers.

Constantinople défilait sous l'aéronef, avec ses collines grouillantes de vie humaine. Palais de pierre blanche et mosquées coiffées de dômes alternaient avec des bâtiments modernes, dont certains se dressaient sur six étages. Deux bras d'eau scintillante découpaient la ville en trois parties, tandis qu'une mer placide s'étalait au sud, mouchetée d'innombrables navires marchands à voile ou à vapeur sous une dizaine de pavillons différents.

Un voile de fumée recouvrait la ville, craché par les moteurs et les cheminées des usines, si bien qu'on avait du mal à distinguer les mécanopodes qui arpentaient les rues étroites. On n'apercevait aucun oiseau messager dans le ciel embrumé ; seulement quelques biplans et gyroplanes volant au ras des toits, entre les minarets de pierre et les antennes de transmission sans fil.

C'était bizarre d'imaginer qu'Alek venait d'une ville semblable à celle-ci, pleine de machines et de métal, à peine vivante à l'exception des hommes et des punaises.

Bien sûr, le seul fait de songer à lui avait quelque chose de bizarre maintenant. Elle s'était comportée en vraie *dummkopf* la veille au soir, d'abord en pleurnichant sur la mort de son père, puis en prêtant aux confidences d'Alek plus de signification qu'elles n'en avaient.

Quelle idiote elle avait été, de se figurer un seul instant qu'un prince pourrait éprouver le moindre sentiment pour elle. Alek ne connaissait même pas son vrai prénom. Et s'il apprenait qu'elle était une fille en habits d'homme ? Il prendrait ses jambes à son cou.

Grâce au ciel, c'était justement ce qu'il avait l'intention de faire. Cette nuit, ses amis clankers et lui se faufileraient dans cette ville fumante et tentaculaire et disparaîtraient dans la nature. Elle n'aurait plus à jouer l'éplorée, qui se tord les poings dans ses jupons chaque fois qu'elle voit passer un certain jeune homme.

Un autre destin attendait Deryn Sharp – moins pathétique, et autrement plus martial.

Le *Léviathan* descendit bas sur l'eau, et Newkirk, les yeux écarquillés, se pencha contre la grande baie vitrée du mess. Il devait sans doute chercher le redoutable canon Tesla du *Goeben* parmi cette forêt de mâts et de cheminées.

— Vous apercevez des navires allemands ? demanda-t-il d'une voix tendue.

Deryn secoua la tête.

— Rien que quelques marchands et un charbonnier. Je vous avais dit que ces cuirassés seraient repartis depuis longtemps.

Mais Newkirk, sa casquette de grand uniforme rabattue au plus bas sur ses cheveux brûlés, ne semblait pas tout à fait rassuré. La mer qu'ils contemplaient se prolongeait jusqu'aux Dardanelles, avec toutes sortes d'anses et de rades où dissimuler un cuirassé. Le *Léviathan* s'était rendu à Constantinople par la terre, après tout, ne voulant pas courir le risque d'une deuxième rencontre avec la foudre des clankers.

— Aspirants Sharp et Newkirk ! fit une voix depuis le seuil. Je dois reconnaître que vous êtes très élégants tous les deux.

Deryn se retourna et adressa une courbette guindée à la savante. Elle se sentait à l'étroit dans son grand uniforme, qu'elle n'avait porté qu'une seule fois, à la cérémonie de sa prise de serment. Le tailleur qui l'avait coupé pour elle à Paris s'était probablement demandé pourquoi cette idiote se donnait autant de mal pour un simple bal costumé.

À présent, un mois plus tard, son habit la serrait aux épaules, de plus en plus musclées, et sa chemise lui paraissait aussi raide que le col d'un vicaire.

— Franchement, m'dame, j'ai l'impression d'être un pingouin, avoua Newkirk en ajustant sa cravate en soie.

— C'est possible, reconnut le Dr Barlow, mais nous devons faire honneur à l'ambassadeur Mallet.

Deryn se retourna vers la baie vitrée avec un soupir. Les réserves de l'aéronef étaient vides, et ils ne disposeraient que de vingt-quatre heures pour les remplir. Cela semblait absurde d'emmener des diplomates au Grand Bazar, en particulier si cela supposait de s'habiller. Le Dr Barlow avait revêtu de beaux vêtements d'équitation qui lui donnaient l'allure d'une duchesse dans une chasse à courre.

— Croyez-vous que nous trouverons du corned-beef à Constantinople ? demanda Newkirk avec espoir.

— Is-tan-bul, dit le Dr Barlow, en ponctuant chaque syllabe d'un petit coup de cravache contre sa botte. C'est ainsi qu'il faut appeler cette ville, ne l'oubliez pas ; sans quoi, nous risquons de fâcher les autochtones.

— Istanbul ? C'est pourtant marqué Constantinople sur toutes les cartes.

— Sur *nos* cartes, rectifia le Dr Barlow. Nous lui donnons ce nom en hommage à Constantin, l'empereur chrétien qui a fondé la ville. Mais ses habitants l'appellent Istanbul depuis 1453.

— Ils ont changé le nom de leur ville il y a plus de *quatre siècles* ? s'exclama Deryn. Il serait peut-être temps de modifier nos foutues cartes.

— Sages paroles, monsieur Sharp, approuva le Dr Barlow, avant d'ajouter à voix basse : Je me demande si les Allemands ont déjà rectifié les leurs.

⊙　⊙　⊙

Le *Léviathan* se posa sur un terrain poussiéreux large d'un mile dans les faubourgs ouest de la ville.

Un mât d'amarrage se dressait au centre du terrain comme un phare au milieu d'une mer herbue. Il ressemblait en tout point à celui de Wormwood Scrubs. Deryn supposa que les aéronefs, qu'ils soient clankers ou darwinistes, avaient tous le même besoin de s'attacher pour éviter d'être soumis aux caprices du vent. En tout cas, les membres du personnel au sol affichaient une belle compétence en recevant les amarres, avec leurs fez rouge vif qui se détachait sur le pré.

— M. Rigby prétend qu'ils ont souvent l'occasion de s'entraîner avec les aéronefs allemands, expliqua Newkirk. Il dit que nous devrions étudier leur technique.

— Avec joie, si nous étions plus près, rétorqua Deryn.

Elle aurait bien voulu être en bas pour leur prêter main-forte, ou sur le dos du *Léviathan*, à aider les gabiers. Mais le Dr Barlow avait interdit aux deux aspirants de se salir.

Les moteurs vrombirent au-dessus de leurs têtes, pour amener l'aéronef face au vent. Même Alek et ses amis clankers pouvaient participer à la manœuvre.

Dix minutes plus tard, le *Léviathan* était tracté par une douzaine de cordes retenue chacune par dix hommes, et la bête pressait le nez contre le mât d'amarrage, les yeux masqués par des œillères.

Deryn fronça les sourcils.

— Ils nous ont amarrés trop haut. Nous sommes encore à une cinquantaine de pieds du sol.

— C'était prévu, monsieur Sharp, dit le Dr Barlow en pointant sa cravache vers le bout du terrain.

Deryn suivit la direction qu'elle indiquait et vit quelque chose émerger des arbres – elle en resta bouche bée.

— J'ignorais que les clankers avaient aussi des éléphantins, s'étonna Newkirk.

— Ce ne sont pas des bestioles, lui dit Deryn. Ce sont de foutus mécanopodes !

La machine s'avança tant bien que mal sur ses membres gigantesques, en balançant ses défenses d'avant en arrière à chaque foulée. Quatre pilotes en uniforme bleu étaient installés sur des sièges au niveau des hanches, et chacun contrôlait sa propre jambe. Une trompe mécanique, divisée en une douzaine de segments de métal, allait et venait lentement comme la queue d'un chat assoupi.

— Il doit bien mesurer cinquante pieds de haut, dit Newkirk. Il est encore plus grand qu'un vrai éléphantin !

Le soleil illumina le mécanopode à sa sortie des arbres, et sa carapace en acier poli se mit à miroiter. Son palanquin était recouvert d'un dais en forme de capuchon de faucon bombardier. Une poignée d'hommes en uniforme d'apparat se tenaient dedans, tandis qu'un cinquième pilote, juché à l'avant, commandait la trompe. Les grandes oreilles en métal frémissaient, soulevant les tapisseries somptueuses qui pendaient le long de ses flancs.

— Comme vous le voyez, constata le Dr Barlow, l'ambassadeur se déplace avec élégance.

— Je sais que nous ne pouvons pas utiliser d'animaux fabriqués ici, en plein pays clanker, dit Deryn, mais pourquoi donner à un mécanopode l'aspect d'un animal ?

— La diplomatie est une affaire de symboles, expliqua le Dr Barlow. L'éléphant incarne la royauté et le pouvoir ; d'après la légende, c'est un éléphant qui aurait prédit la naissance du prophète Mahomet. Les machines de guerre du sultan s'inspirent de ce modèle.

— Est-ce que tous les mécanopodes ont une forme animale par ici ? demanda Newkirk.

— La plupart, oui, répondit la savante. Nos amis ottomans ont beau être des clankers, ils n'ont pas oublié les fils de la vie qui nous environnent. C'est pourquoi j'ai de l'espoir pour eux.

Deryn songea aux mystérieux œufs qu'ils transportaient dans la salle des machines. Que pouvaient donc incarner les animaux qu'ils contenaient ?

Mais le temps manquait pour ce genre d'interrogations. L'éléphant de métal vint bientôt se ranger le long de la nacelle, et on tendit une échelle de coupée entre les deux.

— Du nerf, jeunes gens ! dit le Dr Barlow. Nous avons un éléphant à prendre.

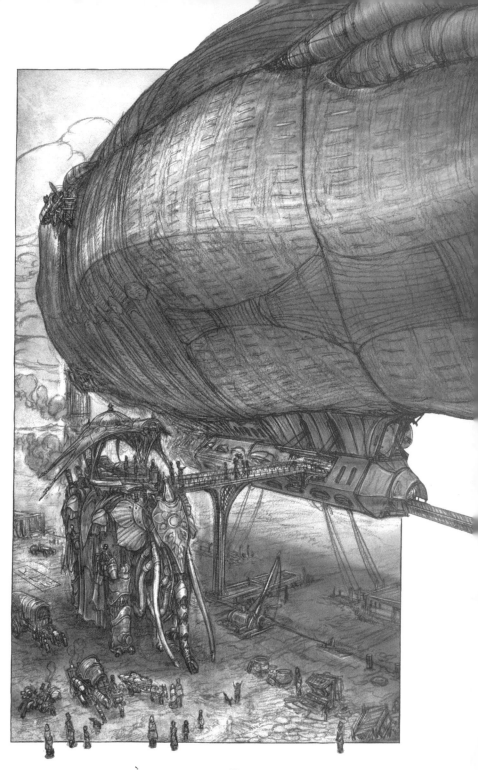

À QUAI AVEC LE *DAUNTLESS*.

ONZE

Le *howdah*, ainsi que l'ambassadeur avait appelé le palanquin du *Dauntless*, évoquait une embarcation secouée par la houle. Il se balançait de gauche à droite à chaque foulée du mécanopode, mais sur un rythme régulier et prévisible. Pas de quoi donner le mal de mer à Deryn.

Pour Newkirk, en revanche, c'était une autre affaire.

— Je ne vois pas pourquoi on nous oblige à circuler dans cette machine, geignit-il, de plus en plus livide. Nous nous sommes engagés dans l'Air Service, que je sache, pas dans l'Elephant Service !

— Ni dans le corps diplomatique, marmonna Deryn.

Une fois les présentations faites, l'ambassadeur et ses assistants avaient ignoré les deux aspirants. Ils bavardaient avec le Dr Barlow, en français, chose parfaitement ridicule puisqu'ils étaient tous anglais, mais telles étaient les exigences de la diplomatie. Et autant que Deryn put en juger, personne n'avait encore abordé la question de leur ravitaillement.

Elle se demanda comment le *Dauntless* pourrait transporter l'ensemble des provisions dont l'aéronef avait besoin. Il n'y avait pas beaucoup de place dans le palanquin, tout en soieries et glands dorés, bien trop délicat pour y empiler des caisses. La machine pouvait sans doute tracter un traîneau ou un chariot, comme un véritable éléphantin, mais Deryn n'en voyait aucun nulle part. Peut-être qu'en arrivant au Grand Bazar...

— Ça ne vous ennuie pas si je vous pose quelques questions, les gars ?

Deryn se retourna. L'homme qui venait d'interrompre ses ruminations ne ressemblait pas aux autres diplomates. Ses vêtements froissés ne payaient vraiment pas de mine. Sa veste était rapiécée aux coudes, et son chapeau avait l'air d'une masse informe sur son crâne. Il portait autour du cou un appareil photo plutôt encombrant et une sorte de crapaud sur son épaule.

L'ambassadeur l'avait présenté comme un reporter envoyé par un grand quotidien de New York. Son drôle d'accent devait être américain.

— Vous feriez mieux de vous adresser à la savante, monsieur, lui répondit Newkirk. Les aspirants ne sont pas autorisés à avoir une opinion.

105

L'homme s'esclaffa, puis se pencha en avant et leur glissa à voix basse :

— Ça restera entre nous. Savez-vous ce qui amène votre aéronef ici, à Istanbul ?

Deryn indiqua l'ambassadeur du menton.

— Simple visite amicale. Question de diplomatie et tout ça.

— Oh, fit l'homme, déçu. Et moi qui pensais que ça avait peut-être un rapport avec la présence croissante des Allemands.

Deryn arrondit les sourcils, puis jeta un coup d'œil à la bestiole sur l'épaule du reporter. Il avait la grosse tête d'un crapaud enregistreur, le genre d'animal capable de mémoriser aussi bien les minutes d'un procès qu'une séance du parlement. Elle décida de peser chacun de ses mots.

— Des ingénieurs, pour la plupart, continua le journaliste. Ils construisent toute sorte de choses. Ils viennent de terminer un nouveau palais pour le sultan.

— Oui, notre savante a rendez-vous là-bas demain, dit Newkirk.

Deryn le fit taire d'un coup de coude dans les côtes, avant de se tourner vers le reporter.

— Rappelez-moi votre nom, monsieur… ?

Il leur tendit la main en souriant.

— Eddie Malone, du *New York World*. Et, s'il vous plaît, ne m'appelez pas « monsieur ». Je ne vous demanderai pas vos noms, bien sûr, puisque cette discussion n'est pas officielle.

Deryn lui serra la main. Cet homme se moquait-il d'eux ? Quand l'ambassadeur avait fait les présentations, elle avait vu le reporter griffonner leurs noms dans son calepin crasseux. Il avait même pris des photos, avec son vieux flash fonctionnant au moyen d'une luciole fabriquée.

Les Américains étaient de drôles de gens – ni clankers ni darwinistes. Ils adoptaient indifféremment les deux approches et utilisaient les technologies à leur convenance. Tout le monde s'accordait à penser qu'ils resteraient à l'écart de la guerre, à moins que quelqu'un soit assez bête pour les y entraîner.

— Il y a aussi des officiers allemands ici.

Malone indiqua les soldats au garde-à-vous de part et d'autre des portes de l'aérodrome. Au lieu de fez rouges, ils portaient des casques à pointe assez similaires au casque de pilote d'Alek.

— Ce sont des Allemands ? s'inquiéta Newkirk.

— Non, des soldats ottomans, répondit le reporter. Mais regardez-les. Ils portaient des uniformes plus colorés avant, jusqu'à ce que le général les habille tout en gris, comme de vrais clankers.

— Qui ça ? demanda Newkirk.

— Le général Liman von Sanders. Un Allemand – excellent ami du kaiser. Les Ottomans l'avaient nommé à la tête de leur armée ici, à Istanbul. Vos diplomates ont fait un tel foin qu'il a fini par tirer sa révérence. Mais pas avant de leur avoir appris à marcher comme des Allemands ! dit Malone après avoir traversé le *howdah* au pas de l'oie.

Deryn et Newkirk échangèrent un regard. L'homme devait être un peu fêlé.

— Les Ottomans auraient placé un Allemand à la tête de leur foutue armée ?

Malone haussa les épaules.

— Peut-être qu'ils en avaient assez de se faire marcher sur les pieds. Les Français et les Britanniques avaient l'habitude de tirer les ficelles par ici, mais ce n'est plus le cas maintenant. Je suppose que vous avez entendu parler de l'*Osman* ?

Deryn hocha la tête.

— Oui, le navire que lord Churchill a emprunté.

— Emprunté ? Malone ne put s'empêcher de glousser et nota quelques mots dans son calepin. Ça, je m'en servirai dans mon article.

Deryn grommela, en se traitant intérieurement de *dummkopf.*

— J'imagine que ça doit faire causer par ici.

— Causer ? On ne parle que de ça dans tout Istanbul ! Il faut dire que les caisses du sultan sont vides, et que le dreadnought a été acheté avec l'argent d'un grand emprunt populaire. Les grands-mères ont vendu leurs bijoux. Les gosses ont cassé leur tirelire pour acheter des poupées à l'effigie de sa créature sœur. Tout le monde dans l'empire possède une pièce de ce navire ! Enfin, possédait, avant que votre lord Churchill décide de se le garder sous le coude.

L'homme affichait un sourire exalté ; le crapaud sur son épaule se tenait prêt à mémoriser les moindres paroles des Britanniques.

Deryn s'éclaircit la voix.

— Je suppose qu'ils sont un peu fâchés ?

Malone hocha la tête en direction des portes du terrain, en train de s'ouvrir, puis lécha la pointe de son crayon.

— Vous allez pouvoir vous en rendre compte très vite.

⊚   ⊚   ⊚

De l'autre côté des portes, une grande avenue s'enfonçait dans la ville. À mesure que le mécanopode s'y avançait de sa démarche pataude, les rues se firent plus
animées tandis que les bâtiments atteignaient peu à peu
la hauteur du palanquin. Les gens et les charrettes à
bras se bousculaient devant les vitrines remplies de tapis
et de vaisselle, au milieu d'un fouillis de motifs à damier
à vous donner le tournis. Les trottoirs étaient encombrés
d'échoppes d'où s'échappaient des senteurs de noix et
de fruits séchés, ou de viandes rôties à la broche. Des
épices formaient des cônes rouille, jaune safran et vert
olive, ou débordaient d'énormes sacs en grosse toile.
Des odeurs riches et peu familières masquaient la puanteur des moteurs, si fortes que Deryn pouvait sentir leur
goût sur sa langue.

Deryn put constater de visu à quoi servait la trompe
du mécanopode. Alors que la machine s'enfonçait dans
la foule, le membre articulé se balançait avec élégance
de part et d'autre et repoussait les passants avec délica-
tesse. Le pilote à bord du *howdah* manipulait les commandes d'une main légère ; il écartait les charrettes, et
put même récupérer un jouet d'enfant qui allait être
écrasé sous l'une des pattes géantes du *Dauntless*.

D'autres mécanopodes tiraient des chariots dans les
rues. La plupart ressemblaient à des chameaux ou à des
ânes, et l'un d'eux avait la forme d'un bovidé dans lequel
Eddie Malone prétendit reconnaître un buffle d'eau. Un
scarabée en métal de la taille d'un omnibus les croisa,
une grappe de passagers à son bord.

Dans une ruelle adjacente, Deryn aperçut deux mécanopodes à la silhouette quasi humaine. Presque aussi
hauts que le *Dauntless*, ils avaient des jambes cour-
taudes, de longs bras et des visages lisses. Ils étaient
ornés d'étoffes rayées et de symboles étranges, et ne
portaient aucune arme dans leurs mains griffues.

— Des mécanopodes militaires ? s'enquit Deryn
auprès du reporter.

— Non, ce sont des golems de fer. Ils protègent le
quartier juif, répondit Malone en indiquant la foule d'un
geste vague. La plupart des Ottomans sont des Turcs,
mais Istanbul est un melting-pot. On y trouve non seulement des Juifs mais aussi des Grecs, des Arméniens,
des Vénitiens, des Arabes, des Kurdes et des Valaques.

— Bigre ! s'exclama Newkirk, je ne connais pas la
moitié de ces noms.

L'homme sourit et ajouta quelques notes dans son
calepin.

— Et ils possèdent tous leurs propres mécanopodes
de combat, pour aider à maintenir l'ordre.

— Ça m'a l'air d'un ordre plutôt fragile, marmonna
Deryn en observant la foule en contrebas.

Les gens étaient habillés d'une douzaine de manières
différentes : fez ornés de glands, djellabas, voiles
féminins, costumes qu'on aurait dits sortis d'une boutique londonienne, on voyait de tout ; et ce petit monde
semblait se côtoyer en bonne intelligence, du moins sous
le regard impassible des golems de fer.

— Et ça, qu'est-ce que c'est ? demanda Newkirk en
pointant le doigt vers l'avant.

À un quart de mile de l'éléphant, une masse écarlate

semblait bouillonner à travers la foule – et se rapprocher.

Eddie Malone mordilla le bout de son crayon.

— Sûrement votre comité d'accueil.

Deryn s'avança au bord du palanquin et mit sa main
en visière. Elle réussit à distinguer un groupe d'hommes
coiffés de fez rouges, le poing levé. Derrière elle, le
bavardage en français cessa brusquement.

— Oh, non, geignit l'ambassadeur Mallet. Encore
eux.

Deryn se tourna vers le pilote.

— Qui sont ces gens ?

— Les adeptes d'un mouvement appelé la Jeune-
Turquie, je crois, monsieur, répondit l'homme. Cette
ville grouille de sociétés secrètes et de révolutionnaires.
Moi-même, je n'en connais pas la moitié.

Il y eut un flash : Eddie Malone venait de prendre
une photo.

L'ambassadeur entreprit d'essuyer ses lunettes.

— Les Jeunes-Turcs ont tenté de renverser le sultan
voilà six ans, mais les Allemands y ont mis bon ordre.
Et maintenant, ils détestent tous les étrangers. Je suppose qu'il fallait s'y attendre. D'après mes sources, les
journaux ne cessent d'échauffer les esprits à propos de
l'*Osman*.

— D'après vos sources ? répéta le Dr Barlow.

— Eh bien, je ne connais pas le turc, naturellement,
et aucun membre de mon personnel non plus. Mais je
peux vous garantir le sérieux de mes informateurs.

La savante haussa les sourcils.

— Seriez-vous en train de me dire qu'aucun de vous
n'est en mesure de lire les journaux locaux ?

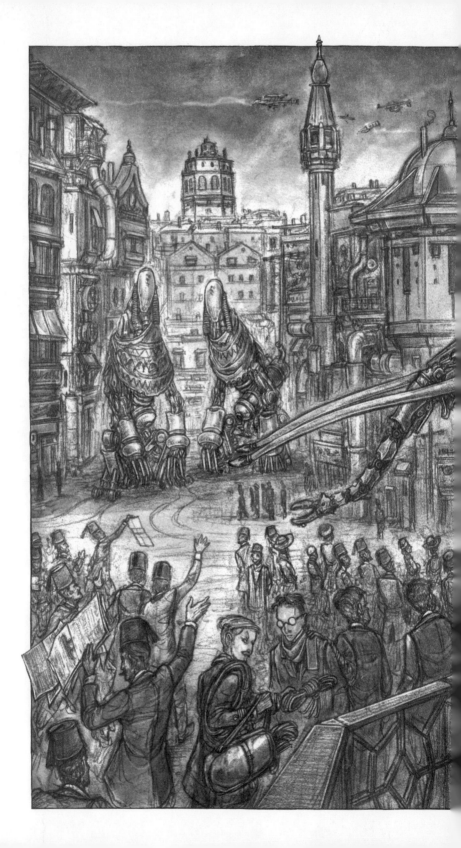

L'ambassadeur se racla la gorge, tandis que le regard de ses assistants se perdait dans le vague.

— Ça ne servirait pas à grand-chose, observa Eddie Malone en glissant un morceau de sucre à la luciole de son appareil photo. D'après ce que je sais, la moitié d'entre eux ont été rachetés par les Allemands.

Le Dr Barlow fixa l'ambassadeur avec une inquiétude croissante.

— Les Allemands ne possèdent qu'un seul journal, protesta-t-il, sans cesser d'essuyer ses lunettes. Même si je dois reconnaître qu'il exerce une certaine influence. Très habile de leur part, de répandre leurs mensonges ici même, à Constantinople.

— On dit Istanbul, fit le Dr Barlow d'une voix sourde, les mains crispées sur sa cravache.

Deryn secoua la tête et se retourna vers la foule.

Les hommes se rapprochèrent encore. Ils scandaient un slogan, levaient le poing à l'unisson puis ils fendirent la masse des badauds et des charrettes. Leurs fez passaient comme une eau rouge entre les galets dans le lit d'un ruisseau. Ils entourèrent bientôt le mécanopode, en agitant des journaux. Deryn plissa les yeux – la une montrait la photo d'un navire surmonté d'un gros titre en caractères géants.

La foule scandait « *Osman ! Osman !* » mais au milieu du tumulte on entendait aussi un autre mot – « béhémoth » – que Deryn ne reconnut pas.

— Eh bien, dit le Dr Barlow, l'accueil est plutôt frais.

L'ambassadeur se mit debout, et tapota la rambarde du palanquin.

— Il n'y a pas de raison de vous inquiéter, madame. Nous avons traversé bien pire à bord du *Dauntless*.

Deryn dut admettre qu'on se sentait en sécurité, à cinquante pieds au-dessus de la foule. Personne ne leur jetait quoi que ce soit, ni n'essayait d'escalader les pattes de l'éléphant. Le pilote du *howdah* repoussait adroitement les manifestants avec sa trompe, si bien que c'est à peine si le mécanopode ralentit l'allure.

Mais le Dr Barlow affichait une expression glaciale.

— Il ne s'agit pas simplement de traverser une foule hostile, monsieur l'ambassadeur. Mon objectif est de renforcer les liens d'amitié entre nos deux pays.

— Eh bien, adressez-vous à lord Churchill, dans ce cas ! protesta l'homme. Ce n'est tout de même pas la faute du Foreign Office s'il a décidé de faire main basse sur…

Ses paroles moururent tandis qu'un grincement métallique emplissait l'air et que le sol se dérobait sous leurs pieds. Deryn sentit ses bottes glisser sur le tapis de soie, et soudain, tout le monde roula à tribord. Deryn prit la rambarde au creux du ventre ; elle se plia en deux et faillit basculer par-dessus bord avant de parvenir à se redresser.

Elle baissa les yeux – le pilote d'une des jambes avant avait dégringolé de son perchoir et s'était étalé de tout son long au milieu d'un cercle de manifestants. Ils avaient l'air aussi surpris que lui. Certains se penchèrent même pour l'aider à se relever.

Mais pourquoi était-il tombé ?

Alors que la machine s'immobilisait tant bien que mal, Deryn saisit un mouvement du coin de l'œil. Un lasso jaillit de la foule, se resserra autour des épaules du pilote de la jambe arrière et l'éjecta de son siège. Un homme en uniforme bleu escaladait la jambe avant.

— C'est un abordage ! s'écria Deryn, en s'élançant à bâbord.

Le *Dauntless* était pris d'assaut de ce côté-là aussi. Le pilote de la jambe arrière avait déjà été jeté à terre, et celui de la jambe avant se débattait contre le lasso qui lui enserrait la taille.

Deryn vit un autre homme en uniforme bleu – un uniforme *britannique* – prendre la place du pilote de la jambe et empoigner les commandes.

Soudain, la machine s'ébranla de nouveau, droit dans la foule. Quelqu'un hurla, et un pied géant frappa les pavés et les réduisit en poussière tandis que les manifestants coiffés de fez rouges s'égaillaient dans la nature.

DOUZE

— Faites quelque chose, monsieur Sharp ! cria le
Dr Barlow par-dessus le vacarme. Ces gens sont en train
de nous capturer !

— Oui, m'dame, j'avais remarqué !

Deryn chercha machinalement son couteau de gabier,
mais bien sûr son uniforme d'apparat ne comportait pas
de poches à proprement parler. Elle ne pourrait compter que sur ses poings.

— Comment peut-on descendre jusqu'aux jambes ?
demanda-t-elle au pilote du palanquin.

— Impossible d'ici, monsieur, lui répondit-il, les
doigts crispés sur les commandes de la trompe : il
s'efforçait de repousser les badauds en sécurité pendant
que la machine fendait la foule en proie à la panique.
Les pilotes des jambes grimpent depuis le sol, alors que
la machine s'agenouille.

— Nom d'une pipe en bois ! Avez-vous du cordage
à bord ?

— J'ai bien peur que non, monsieur. Ceci n'est pas
un bateau, vous savez ?

Deryn poussa un cri de frustration. Comment descendre

sans corde ? Le *Dauntless* trébucha de nouveau, et elle dut se cramponner à la rambarde pour garder l'équilibre.

Alors qu'elle faisait le tour du palanquin, Deryn put voir que trois des pilotes avaient été remplacés par des imposteurs en uniforme bleu. Seul le pilote de la jambe avant gauche restait sur son siège ; mais il avait toujours le lasso autour des reins, et il ne tarderait pas à se faire désarçonner à son tour.

Pendant ce temps, trois des jambes du mécanopode s'efforçaient de le faire repartir cahin-caha. Sous les yeux de Deryn, le pied droit s'abattit sur la charrette d'un vendeur et fit voler dans la rue une grêle de marrons grillés.

— Saleté de machine ! pesta Deryn.

Un véritable animal aurait su qui étaient ses maîtres.

Soudain, la trompe se détendit à bâbord. Elle plongea dans la foule des manifestants et trouva l'homme qui essayait d'arracher au lasso le pilote de la jambe avant. Projeté sur le côté, l'homme poussa un grand cri et lâcha sa corde.

— Bien joué ! cria Deryn au pilote du *howdah*. Pouvez-vous déloger les imposteurs ?

L'autre secoua la tête.

— Pas à l'arrière, ils sont trop loin. Mais peut-être que…

Il pesa sur ses commandes, et la trompe revint comme un fouet sur tribord. Elle se déroula vers le pilote de la jambe avant mais s'arrêta à moins d'un yard, dans un grincement métallique.

— Impossible, monsieur, s'excusa l'homme. Cette machine n'est pas aussi souple qu'un véritable animal.

Si inflexible soit-elle, la machine n'en était pas moins bougrement puissante. Elle dévalait la rue à grands pas maintenant, en repoussant piétons et véhicules de toutes parts. L'un de ses pieds s'écrasa sur un chariot et le fit voler en miettes. Le dernier pilote britannique s'efforçait de freiner le mouvement, mais à une jambe contre trois, il ne pouvait pas faire de miracle.

— Pourriez-vous attraper quelque chose et vous en servir comme d'une arme ? suggéra Deryn au pilote du palanquin. Une barre de quelques pieds de long vous suffirait !

— C'est une machine clanker, monsieur ! Elle n'est pas aussi agile que ça !

— Bon sang de bois ! jura Deryn. Je n'ai plus qu'à m'y coller !

L'homme leva les yeux des commandes une seconde.

— Je vous demande pardon, monsieur ?

— Ramenez cette trompe par ici. Vite, l'ami ! ordonna-t-elle d'un ton péremptoire.

Elle arracha son bel habit et le lança à Newkirk, puis enjamba la rambarde du palanquin et s'avança sur la tête de l'éléphant.

— Au nom du ciel, mais qu'est-ce que vous faites ? s'écria Newkirk.

— Une pure folie ! lança-t-elle en voyant l'extrémité de la trompe articulée venir à sa rencontre.

Elle fléchit les genoux sur la tête de l'éléphant, qui tanguait de gauche à droite.

Et bondit…

Ses bras s'enroulèrent autour de l'acier étincelant. La trompe l'emporta au-dessus de la foule dans le claquement et le grincement de ses segments articulés. Ses pieds se balancèrent sous l'effet de la force centrifuge, comme si elle s'accrochait à la mèche d'un fouet qui sifflait dans les airs.

Un tourbillon de formes défila autour d'elle – elle fonçait droit vers le pilote de la jambe avant droite. L'imposteur ouvrit de grands yeux en la voyant arriver, les deux pieds tendus vers lui.

Mais il se baissa à la dernière seconde, et les bottes de Deryn le manquèrent d'un cheveu. Deryn sentit ses paumes glisser sur le métal luisant de la trompe : elle était en train de lâcher prise.

L'homme lui lança un regard mauvais et sortit un couteau.

Son visage lui parut étrange, il était plus pâle que la plupart des manifestants.

— *Dummkopf !* lui cria-t-elle.

— *Sie gleichen die !* répliqua-t-il.

Du clanker ! Deryn plissa les paupières, ce n'était pas du turc, du valaque, du kurde ni aucune autre de ces langues que l'on parlait à Istanbul. L'homme était allemand, ça ne faisait aucun doute.

Mais comment se débarrasser de lui ? Elle ne donnait pas cher de sa peau avec ses seules bottes contre son couteau.

Elle leva la tête en direction du *howdah*. Le Dr Barlow y criait quelque chose au pilote de la trompe, et Deryn espéra que son plan, quel qu'il soit, fonctionnerait rapidement. À chaque foulée de l'éléphant, elle glissait un peu plus bas le long de la trompe.

Celle-ci se déroula en souplesse et ramena Deryn au-dessus de la rue. Les pavés défilèrent sous elle à toute vitesse. Elle se demanda quelle sorte de stratégie savante on attendait d'elle alors qu'elle filait dans les airs.

Puis la trompe s'immobilisa grâce au pilote tandis que

UN ASPIRANT AUDACIEUX PREND LA SITUATION EN MAIN.

la machine continuait d'avancer. Deryn baissa les yeux. Elle se tenait juste au-dessus d'un étal à épices.

— Mais nom de nom… ? marmonna-t-elle.

Le Dr Barlow s'attendait-elle à ce qu'elle persuade l'Allemand de descendre de son perchoir en l'appâtant avec ses talents de cuisinière ?

Très vite, pourtant, Deryn sentit sa gorge la picoter et ses yeux larmoyer. Même à une longueur de bras, les épices lui brûlaient les muqueuses.

— Pas mal, docteur Barlow, murmura-t-elle, avant d'éternuer.

Deryn tendit la main et rafla un sac rempli d'une épice dont la couleur, rouge vif, promettait des effets dévastateurs.

La trompe se remit en action et la renvoya vers l'Allemand juché sur la jambe avant droite. Elle eut le temps de distinguer son expression glaciale, et le couteau qui scintillait dans sa main.

— Avale ça, foutu salopard ! lui cria-t-elle, en lui lançant le sac entier à la figure.

L'élan impulsé par la trompe s'ajouta à la force de son jet, et le sac frappa l'Allemand comme un boulet de canon. Il explosa contre son torse et l'enveloppa d'un nuage de poussière rouge. L'épice se mit à tourbillonner dans tous les sens, y compris vers Deryn.

Elle se protégea les yeux de ses doigts rougis par la poudre. Quand elle voulut respirer, un feu liquide se déversa dans ses poumons. Sa poitrine lui donnait l'impression d'être remplie de charbons ardents, et elle se sentit glisser le long de la trompe…

Mais elle atterrit en douceur – le pilote du palanquin l'avait amenée au ras du sol. Elle resta là, à tousser et à cracher, pour expulser l'épice qu'elle avait dans les poumons.

Elle réussit enfin à ouvrir les yeux.

L'éléphant de métal ne bougeait plus. Il avait les deux jambes avant ployées, comme s'il s'agenouillait devant elle. Les jambes arrière seules n'avaient pas suffi à le faire avancer.

Deryn aperçut deux taches bleues dans la foule – les uniformes des imposteurs qui s'éclipsaient en toute hâte. L'Allemand qu'elle avait arrosé d'épice gisait au sol, couvert de poudre rouge, où il toussait comme un perdu.

En se relevant, Deryn baissa les yeux sur sa tenue.

— Nom d'une pipe en bois ! s'écria-t-elle.

Son bel uniforme était fichu. Enfin, ce n'était rien comparé à la scène de dévastation qui s'offrait à sa vue – charrettes et chariots renversés, un mécanopode en forme d'âne aplati comme une crêpe. La foule demeurait muette, abasourdie par les dommages que venait de causer l'éléphant.

Une échelle de coupée descendit du ventre du *Dauntless*. Deux assistants de l'ambassadeur empoignèrent l'Allemand assaisonné d'épice tandis que Newkirk et Eddie Malone fendaient la foule jusqu'à Deryn.

— Vous allez bien, monsieur Sharp ? lui cria Newkirk.

— Je crois, répondit-elle.

Le flash de l'appareil d'Eddie Malone crépita, et l'aveugla une fois de plus.

— Dans ce cas, nous ferions mieux de remonter à bord, suggéra Newkirk. Avant que ces gaillards-là se remettent à donner de la voix.

— Mais il y a peut-être des blessés.

Deryn contempla le champ de ruines en clignant des

paupières. Y avait-il des corps ensevelis sous les éclats de bois et les morceaux de verre ?

— Oui, raison de plus pour ne pas traîner. Nous avons intérêt à retrouver nos pilotes et à ficher le camp d'ici avant que la situation ne tourne au vinaigre.

— Je crois bien que c'est déjà trop tard, observa Eddie Malone, alors qu'il glissait un morceau de sucre à sa luciole.

Il braqua son appareil photo sur la rue dévastée.

Les yeux pleins de larmes, Deryn suivit Newkirk en direction du *Dauntless*. Elle se demanda combien de personnes avaient vu les imposteurs embarquer une centaine de yards plus tôt. Quelqu'un réaliserait-il que l'équipage britannique du mécanopode n'était pas responsable du désastre ?

Si la foule avait vu ce qui s'était réellement passé, les journaux ne le rapporteraient pas de cette manière. Pas ceux entre les mains des Allemands.

— Vous êtes témoin, pas vrai ? demanda-t-elle à Eddie Malone. C'étaient les imposteurs qui conduisaient ! Pas nos hommes.

— Ne vous inquiétez pas. J'ai assisté à toute la scène, lui assura le reporter. Et nous n'imprimons que la vérité dans le *New York World*.

— Oui, à New York, soupira Deryn en escaladant l'échelle de coupée.

La foule commençait déjà à gronder autour d'eux à mesure que l'émotion s'estompait.

La question demeurait : y aurait-il quelqu'un susceptible de les croire à Istanbul ?

TREIZE

Alek attendait dans la salle des machines. Il se deman-
dait quand le signal viendrait enfin.

Il défit encore un bouton de sa veste. Le Dr Barlow
avait transformé la pièce en étuve ce soir. Elle rajoutait
toujours des radiateurs quand Alek était de garde. On
aurait dit qu'elle le faisait exprès pour l'embêter.

Au moins n'aurait-il plus à supporter cela très longtemps. Il entendait déjà le grondement lointain du
moteur tribord. Klopp, Hoffman et Bauer se trouvaient
là-haut et feignaient de travailler sur le moteur. Ils faisaient beaucoup de bruit, ainsi, personne ne s'étonnerait
de voir Alek les rejoindre.

Suite aux débuts désastreux de la mission Barlow,
leur plan d'évasion avait changé. Alek avait assisté au
retour précipité du mécanopode en forme d'éléphant,
sans approvisionnement, le flanc maculé de rouge. La
rumeur s'était répandue dans l'aéronef que le *Dauntless*
avait essuyé une attaque, au cours d'un incident qui avait
blessé des dizaines de civils.

Moins d'une heure plus tard, une foule en colère
s'était rassemblée aux portes de l'aérodrome et menaçait

de s'attaquer au *Léviathan*. Il avait fallu poster des gardes à toutes les issues de l'aéronef, ainsi qu'un cordon de soldats ottomans autour de la nacelle. Désormais, il n'était plus question de s'enfuir par le pont de marchandises à la tombée de la nuit.

Depuis l'habitacle de son moteur, toutefois, Klopp avait rapporté que personne ne surveillait le mât d'amarrage. Il était relié à l'avant de l'aéronef par un câble unique tendu dans les airs sur près de quatre-vingts mètres. S'ils parvenaient à se glisser tous les cinq le long du câble, puis à descendre du mât, peut-être pourraient-ils s'échapper à la faveur de l'obscurité.

Alek écouta le bruit du moteur, à l'affût du signal. À présent que le commandant le considérait comme un prisonnier de guerre, il était impatient de quitter le *Léviathan*. Il avait été stupide de s'y attacher à ce point. Volger avait raison – imaginer que cette abomination volante pouvait constituer son nouveau foyer ne lui avait valu que des ennuis. Dylan aurait pu être son ami dans un autre monde, mais pas dans celui-ci.

Soudain, il y eut cinq détonations. Elles provenaient des bougies d'allumage. C'était le signal indiquant que Bauer et Hoffman avaient remplacé les gabiers darwinistes dans l'habitacle. Volger devait être en train de se glisser hors de ses quartiers.

Ils allaient vraiment s'enfuir. Cette nuit.

Alek vérifia les œufs une dernière fois. Il attrapa un radiateur neuf, le secoua pour l'activer puis l'enfonça dans la paille. Avec la chaleur qui régnait dans la salle des machines, la mystérieuse cargaison du Dr Barlow resterait probablement à la bonne température jusqu'au matin. De toute manière, cela ne le concernait plus.

Avisant une trace de cambouis sur la caisse des œufs, Alek passa le doigt dessus puis s'en barbouilla les joues, comme s'il venait de travailler sur l'un des moteurs. Si on le croisait, on penserait que Dylan l'avait remplacé auprès des œufs et qu'il était rentré chercher une pièce pour les mécaniciens.

Il se leva et empoigna sa caisse à outils. Elle contenait des vêtements de rechange et le communicateur sans fil du Sturmgänger. L'appareil était lourd, mais quand ses hommes et lui disparaîtraient dans la nature, la radio serait leur seul moyen de contacter le monde extérieur.

Alek soupira. À bord du *Léviathan* il avait presque oublié le sentiment de solitude qu'on éprouve dans la peau d'un fugitif.

La porte s'ouvrit avec un léger grincement. Il jeta un coup d'œil dans la coursive, attentif aux murmures de l'aéronef.

Un tapotement discret parvint à ses oreilles. Quelqu'un venait-il lui rendre visite ?

Il lâcha un juron discret. Il s'agissait sans doute de Dylan, venu discuter une dernière fois. Revoir le garçon ne ferait que lui rendre les choses plus pénibles, et Alek devait se diriger sans tarder vers le moteur.

Sauf que le bruit provenait de *derrière* lui…

Il pivota sur ses talons – l'un des œufs frémissait.

Dans la lumière rougeoyante des radiateurs, il vit un tout petit trou se former au sommet de l'œuf. De minuscules débris de coquille se détachaient et glissaient le long de la surface blanche. Petit à petit, le trou s'agrandit.

Alek demeura pétrifié, la main sur la poignée de la porte. Il aurait dû s'en aller, oublier ces créatures impies.

Mais il venait de passer sept longues nuits dans cette salle à surveiller les œufs, à se demander ce qui finirait par en sortir. Et voilà que dans un instant, il allait pouvoir le découvrir de ses yeux.

Il referma la porte en douceur.

Le plus curieux, c'est que l'œuf en train d'éclore était celui du milieu – celui que le Dr Barlow pensait malade.

Quelque chose tentait de se frayer un chemin à travers le trou maintenant. On aurait dit des serres – ou une patte ? On distinguait dessus un pelage pâle, et non des plumes.

Un petit museau noir pointa à l'extérieur, humant l'air.

Alek se demanda si la créature était dangereuse. Bien sûr, ce n'était qu'un bébé et il portait un couteau de gabier à sa ceinture. Mais il resta tout de même à proximité de la porte, par précaution.

La bête se déplia lentement puis s'agrippa au rebord de la caisse du bout de ses pattes à quatre doigts. Son pelage était mouillé et ses grands yeux clignaient sous la lumière des radiateurs. Elle regarda tout autour d'elle avec attention, puis s'écarta en frissonnant des débris de sa coquille.

Par le sang du Christ, ce qu'elle était vilaine ! Sa peau pendait en plis flasques sur son corps, comme celle d'un vieillard. Elle lui fit penser à l'un des chats sans poil de sa tante, élevés pour leur étrange allure.

L'animal le dévisagea et lui adressa un petit cri plaintif.

— Je suppose que tu as faim, murmura Alek.

Mais il n'avait pas la moindre idée de ce qu'il aurait pu lui donner.

Au moins, il semblait clair que ce n'était pas un mangeur d'hommes. Il était bien trop petit pour cela, et trop... mignon, finalement, en dépit de sa peau flasque. Ses yeux immenses reflétaient un mélange de sagesse et de chagrin. Alek eut envie de prendre l'animal dans ses bras et de le caresser.

La créature étendit une patte minuscule.

Alek posa sa caisse à outils et s'approcha d'un pas. Quand il lui tendit la main, l'animal lui toucha les doigts, qu'il serra un à un. Puis il se pencha par-dessus le rebord et bascula hors de la caisse.

Alek le rattrapa juste à temps. Même dans la moiteur étouffante de la salle des machines, le corps de la créature était chaud, son pelage ras aussi doux que le manteau en chinchilla que sa mère portait en hiver. Quand

Alek la serra contre lui, elle émit une sorte de ronron-nement.

Ses grands yeux clignèrent lentement ; son regard plongea dans celui d'Alek et ses maigres pattes s'enrou-lèrent autour de son poignet.

Étrangement, Alek n'éprouvait pas devant cette créa-ture le même sentiment de malaise qu'en présence des autres créations darwinistes. Elle était trop petite, avait l'air endormi, et dégageait une impression de calme sur-naturel.

Le moteur toussa de nouveau, et Alek réalisa qu'il était en retard.

— Je regrette, murmura-t-il, mais je vais devoir te laisser.

Il reposa la créature dans la caisse, bien au chaud entre les radiateurs. Mais quand il voulut retirer ses mains, l'animal poussa un miaulement perçant.

— Chut ! souffla Alek. On viendra bientôt s'occuper de toi.

Il n'en était pas vraiment sûr. Dylan arriverait à l'aube, mais pas avant plusieurs heures.

Il recula d'un pas et se pencha pour attraper sa caisse à outils. La créature écarquilla les yeux puis poussa un autre cri qui s'acheva sur une note aiguë, aussi pure que le son d'une flûte.

Alek fronça les sourcils – ce dernier son ressemblait étonnamment à celui des sifflets que l'équipage utilisait avec ses bêtes. Et il était assez fort pour réveiller quelqu'un.

Il tendit le bras vers la créature, pour la faire taire. Elle s'apaisa dès qu'il la toucha.

Alek resta agenouillé là un moment, à caresser le doux

pelage. Finalement, les grands yeux se fermèrent et Alek tenta de se lever.

La bête s'anima aussitôt et se remit à miauler. Alek jura. Il était absurde de se voir ainsi pris en otage par un nouveau-né. Il tourna les talons et traversa la pièce.

Mais à l'instant où il ouvrit la porte, les cris se muèrent en une succession de sifflements. Les vers luisants dans la salle des machines se mirent à baigner les murs d'une lumière verte. Alek se représenta l'ensemble de l'aéronef en train de se réveiller, avec des lézards messagers en train d'accourir de toutes parts à l'appel de la créature.

— Silence ! chuchota-t-il, mais la bête ne voulut pas s'arrêter avant qu'il revienne et la reprenne dans ses bras.

Alors qu'il caressait sa pâle fourrure, il comprit avec horreur ce qui l'attendait.

S'il voulait conserver le moindre espoir de s'échapper, il allait devoir emporter ce nouveau-né avec lui. Il ne pouvait pas l'abandonner là, en train de s'égosiller, jusqu'à ce qu'il réveille tout le monde.

Il ignorait tout de cette créature et n'avait aucune idée de comment s'en occuper. Et que dirait le comte Volger en le voyant arriver avec cette abomination dans les bras ?

Mais Alek n'avait pas vraiment le choix.

Quand il prit l'animal dans la paille, celui-ci escalada son bras et vint s'accrocher à son épaule comme un chaton, puis il planta ses griffes minuscules dans la laine de sa veste.

Il leva vers lui de grands yeux brillants de curiosité.

— Nous partons en promenade, lui murmura Alek

en ramassant sa trousse à outils. Tu vas être bien sage, n'est-ce pas ?

La créature cligna des paupières avec un petit air satisfait.

Alek soupira, avant de gagner la porte. Il la rouvrit, et regarda des deux côtés dans la coursive. Les étranges cris n'avaient alerté personne – pour l'instant, tout au moins.

Il entrouvrit sa veste, prêt à cacher la créature à l'intérieur s'il rencontrait qui que ce soit. Mais pour l'instant, l'animal paraissait se plaire sur son épaule – et se taisait. Il était léger comme un oiseau, comme s'il avait été conçu pour voyager de cette façon.

« Conçu », songea Alek. Cette créature était une fabrication et non un produit de la nature. Il avait un rôle à jouer dans le plan des darwinistes, dans les manigances du Dr Barlow pour garder les Ottomans à l'écart de la guerre.

Et Alek ignorait en quoi pouvait consister ce rôle.

Il frissonna, puis s'éloigna dans la pénombre de la coursive.

QUATORZE

— Vous voilà enfin ! chuchota le comte Volger depuis la poutrelle de soutènement du moteur. Nous ne vous espérions plus.

Alek se laissa descendre le long des cordages. Il sentait la créature remuer à l'intérieur de sa veste. Ses griffes minuscules lui piquaient la peau.

— J'ai eu un léger… problème.

— Vous n'avez croisé personne ?

Alek haussa les épaules.

— Quelques gabiers. Mais ils ne m'ont pas posé de questions. Votre concerto pour moteur en détresse était très convaincant, maestro Klopp.

Dans l'habitacle du moteur, son maître de mécanique le salua avec un large sourire. À côté de lui M. Hirst, bâillonné et ficelé contre le tableau de contrôle, fulminait.

— Il est temps de lever le camp, déclara Volger. Je suppose que vous êtes tous prêts à vous battre, s'il faut en arriver là.

Bauer et Hoffman brandirent des outils, et Volger portait son sabre. Mais Alek ne pourrait pas jouer du couteau avec la créature qu'il cachait dans son habit.

133

S'il devait se confier, c'était maintenant, et non au beau milieu de leur évasion.

— J'ai toujours un léger problème.

Volger fronça les sourcils.

— De quoi parlez-vous ? Que s'est-il passé ?

— Au moment où j'allais partir, l'un des œufs du Dr Barlow a éclos. Un petit animal en est sorti. Plutôt bruyant. Quand j'ai fait mine de le quitter, il s'est mis à crier comme un bébé – enfin, je suppose. J'ai bien cru qu'il allait réveiller tout l'aéronef !

Volger hocha la tête.

— Vous avez donc été contraint de l'étrangler. Une expérience tout à fait déplaisante, j'en suis sûr. Mais on ne retrouvera pas le corps avant demain matin, et nous serons loin à ce moment-là.

Alek cligna des paupières.

— Vous avez fait ce qu'il fallait, n'est-ce pas, Alek ?

— En fait, cette solution ne m'a pas traversé l'esprit.

La créature remua sous sa veste, et Alek grimaça.

Volger posa la main sur son sabre.

— Que diable cachez-vous sous votre habit ?

Alek s'éclaircit la gorge.

— Je vous assure que je n'en ai pas la moindre idée. Mais l'animal est d'une sagesse exemplaire, tant qu'on n'essaie pas de l'abandonner.

Volger se pencha sur lui.

— Vous l'avez emmené avec vous ? Au cas où cela vous aurait échappé, Votre Altesse, nous sommes actuellement en train de fausser compagnie aux darwinistes. Si vous portez sur vous une de leurs abominations, soyez aimable de la balancer par-dessus bord !

Alek raffermit sa prise sur le cordage.

— Je n'en ferai rien, comte. Ne serait-ce que parce

que l'animal causerait à coup sûr un vacarme considérable dans sa chute.

Volger pesta, puis desserra les poings.

— Soit. Je suppose que, s'il faut nous battre, nous pourrons toujours nous en servir comme otage.

Alek hocha la tête, et déboutonna sa veste. La créature montra le bout de son nez.

Volger se détourna, exaspéré.

— Assurez-vous simplement qu'il se taise, sans quoi je me charge de le réduire au silence. Après vous, Votre Altesse.

Alek partit en direction de la proue, et les autres le suivirent sans un mot. Ils cheminaient juste au-dessus de la ligne médiane de la baleine. Les cordes s'enfonçaient sous le poids de ces cinq hommes lourdement chargés. Ils ne progressaient pas vite, et le pauvre Klopp affichait une mine terrorisée, mais au moins ne risquait-on pas de les apercevoir depuis le dos de l'aéronef.

Quand la créature commença à se tortiller contre lui, Alek ouvrit sa veste. L'animal en sortit pour se percher sur son épaule et cligna ses gros yeux dans la brise.

— Sois prudent, lui chuchota-t-il. Et ne fais pas de bruit.

La créature lui retourna un regard blasé, comme s'il venait de proférer une évidence.

Ils se retrouvèrent bientôt au milieu des chauves-souris à fléchettes.

La proue de l'aéronef en était couverte : une masse bouillonnante de minuscules silhouettes noires qui émettaient des petits cris métalliques. Dylan avait expliqué à Alek que ces cliquetis produisaient des échos dont les créatures se servaient pour « voir » dans le noir. Elles avaient aussi des yeux, néanmoins – mille paires d'yeux ronds vigilants suivaient d'ailleurs leurs moindres gestes. Alek avait beau se déplacer le plus doucement possible, les chauves-souris voletaient autour de lui. Autant se frayer un chemin discret au milieu d'une volée de pigeons.

— Pourquoi nous regardent-elles comme cela ? chuchota Klopp.

— Elles s'imaginent que nous leur apportons à manger, expliqua Alek. C'est toujours la nuit qu'on les nourrit.

— Vous voulez dire qu'elles ont *faim* ? demanda Klopp, le visage luisant de transpiration sous la lune.

— Ne vous inquiétez pas. Elles ne mangent que des fruits secs et des insectes, lui assura Alek, en omettant de lui parler des pointes en métal.

— Je suis heureux de l'entendre…, commença Klopp.

Tout à coup, une chauve-souris surgit juste devant lui : alors qu'elle lui frôlait le visage, ses pieds ripèrent. Klopp se rattrapa tant bien que mal aux cordages, mais sa masse énorme heurta la membrane de l'aéronef qu'elle fit gondoler. Des chauves-souris s'envolèrent autour d'eux ; leurs cliquetis se muèrent en stridulations.

Alek empoigna Klopp par le poignet pour l'aider à se rétablir sur la corde. Un instant plus tard, l'homme se trouvait en sécurité mais l'agitation continuait à se propager parmi les chauves-souris, comme des ondes sur une eau sombre.

« Tout est perdu », songea Alek.

La créature qu'il avait sur l'épaule se dressa et lui planta ses griffes dans la chair. Elle émit un petit cri discret – semblable à celui des chauves-souris un instant plus tôt.

— Arrêtez ce…, souffla Volger, mais Alek lui fit signe de se taire.

Tout autour d'eux, les chauves-souris se calmaient.

Leurs cris mouraient, et elles revenaient se poser comme un tapis noir sur la membrane de l'aéronef.

La créature se tut et braqua ses gros yeux sur Alek.

Il lui retourna son regard. Cet animal, quel qu'il soit, venait-il de réduire au silence les chauves-souris à fléchettes ?

Par accident, peut-être. Par une sorte d'imitation, comme les lézards messagers. Et pourtant, la créature n'avait reçu aucun entraînement, aucun soin. Peut-être en allait-il ainsi de toutes les créatures darwinistes à leur naissance...

— Continuons, chuchota Volger.

Alek s'exécuta.

◎   ◎   ◎

La tour d'amarrage s'élevait dans les airs droit devant eux, mais Alek ne put s'empêcher de regarder vers le bas. Dans l'obscurité brumeuse, le sol lui semblait à des milliers de kilomètres.

— Cette corde vous paraît-elle assez solide ? demanda-t-il à Hoffman.

L'homme s'agenouilla pour éprouver la résistance du câble tendu jusqu'à la tour, à une trentaine de mètres de distance. Il paraissait bien mince, mais les matériaux de fabrication darwinistes étaient souvent plus efficaces qu'ils n'en avaient l'air.

— D'après ce que j'ai pu voir, monsieur, les câbles les plus épais sont tous rattachés à la nacelle. Mais celui-ci est forcément là pour une raison. Il ne servirait pas à grand-chose s'il ne pouvait pas supporter le poids d'un homme.

— C'est vrai, reconnut Alek.

Il pensait néanmoins à d'autres créatures susceptibles d'utiliser ce câble. Peut-être était-il destiné aux lézards messagers, afin de leur permettre de descendre à terre, ou servait-il de perchoir aux faucons bombardiers.

Hoffman décrocha un rouleau de corde passé autour de son épaule.

— Ce filin est assez solide pour deux hommes avec leur équipement. Nous devrions envoyer l'un d'entre nous l'attacher de l'autre côté, dit-il.

— Je m'en charge, dit Alek.

— Pas avec votre blessure, jeune maître, protesta Klopp.

— C'est moi le plus léger. Donnez-moi le filin.

Klopp se tourna vers Volger, qui hocha la tête en déclarant :

— Attachez-le par la taille, pour qu'il n'aille pas se tuer.

Alek haussa les sourcils, surpris que Volger le laisse aller devant. En remarquant son expression, le comte sourit.

— Si ce câble se brise, nous serons tous coincés ici ; et peu importe qui sera passé le premier. Après tout, c'est vrai, vous êtes le plus léger.

— Ma folle témérité aurait-elle donc abouti à la bonne stratégie, comte ?

— Même une horloge cassée donne l'heure deux fois par jour.

Alek ne répondit pas mais la créature se raidit sur son épaule, comme si elle percevait son agacement.

Klopp laissa échapper un gloussement et noua la corde autour de la taille d'Alek. Après quoi Bauer, Hoffman et lui la saisirent à l'autre extrémité.

— Ne traînons pas, murmura Volger.

Alek commença à descendre le long de la tête de la bête volante. Les autres laissèrent filer la corde au fur et à mesure, avec une légère traction. Le jeune homme se souvint de ses dix ans, quand son père l'avançait au-dessus du parapet du château en le retenant par la ceinture. Il se sentait beaucoup plus en sécurité à l'époque.

Le câble s'enfonçait devant lui, avant de disparaître parmi les poutrelles de la tour d'amarrage. Alek l'empoigna à deux mains.

— J'espère que tu n'as pas le vertige, mon mignon.

La créature se contenta de le dévisager en clignant des paupières.

— Très bien, dit Alek, avant de se laisser glisser dans le vide.

Il resta un moment suspendu par les mains, puis balança ses jambes autour du câble. La créature lui enfonça ses griffes dans l'épaule sans émettre le moindre son.

C'était une bonne chose de se retrouver accroché sous le câble de cette façon – Alek ne voyait plus le sol mais seulement ses propres mains, la corde et les étoiles tout en haut. Peu à peu, il commença à se hisser loin de l'aéronef, le long du câble qui lui sciait l'intérieur des genoux.

À mi-chemin, Alek avait déjà du mal à respirer. Sa côte blessée le lançait et il ne sentait plus ses doigts. L'air nocturne refroidissait la sueur sur son front. Et plus il s'éloignait de l'aéronef, plus la corde qui lui ceignait la taille s'allongeait et s'alourdissait.

Il imagina que le câble se rompe, ou que ses doigts glissent. Il tomberait en chute libre un instant, puis la

UNE TRAVERSÉE PÉRILLEUSE DANS LA NUIT.

corde qui l'assurait le rabattrait vers le nez de la baleine, contre lequel il s'écraserait – assez fort, peut-être, pour réveiller et irriter l'animal…

La tour d'amarrage commençait à se rapprocher, mais cela voulait dire que le câble se redressait peu à peu entre ses doigts douloureux, et qu'il devenait de plus en plus pénible de grimper. La créature sur son épaule émit un gémissement semblable au hurlement du vent dans les poutrelles de la tour.

Alek serra les dents et se hissa sur les derniers mètres, sans penser à ses muscles mis au supplice. Pour une fois, il fut reconnaissant à Volger de ses longues heures d'entraînement.

Il parvint enfin à portée d'une poutrelle, et s'y cramponna. Il resta là un moment, le souffle court, puis se hissa sur l'édifice en acier froid.

Les doigts tremblants, il défit la corde passée autour de sa taille et la noua à la poutrelle. À présent qu'elle s'étendait jusqu'à la tête de l'aéronef, elle lui semblait peser une tonne. Comment avait-il réussi à la traîner aussi loin ?

Il s'allongea sur le dos et regarda les autres se préparer à traverser et se répartir les sacs d'outils et d'armes. C'était impressionnant de contempler le *Léviathan* ainsi, de face. Alek avait l'impression d'être une créature minuscule sur le point de se faire avaler par une énorme baleine.

Mais la nuit au-delà de l'aéronef était plus vaste encore. On y voyait briller les torches des manifestants aux portes de l'aérodrome et, plus loin, les lumières de la ville.

— Constantinople, murmura-t-il.

— Hum, Constantinople, répéta la créature.

QUINZE

Descendre de la tour ne présenta aucune difficulté. Un escalier métallique en spirale passait en son milieu, et ils l'empruntèrent tous les cinq.

À moins qu'ils ne soient six, désormais ? Alek sentit subitement le poids de la créature fabriquée sur son épaule. Ce simple nom qu'elle avait prononcé semblait l'avoir alourdie, comme si son étrangeté lui conférait davantage de substance.

Alek n'en avait pas soufflé mot aux autres, bien sûr. Volger avait déjà suffisamment peur des lézards messagers. À quoi bon lui fournir un prétexte supplémentaire de se débarrasser de la créature ?

Au moins celle-ci savait rester tranquille. Depuis qu'elle avait lâché ce mot, elle n'avait plus émis un seul son.

Quand ils parvinrent au bas des marches, Alek se retrouva au niveau de la passerelle de l'aéronef. Derrière les fenêtres, des lampes à vers luisants découpaient en ombres chinoises les deux officiers de quart. Mais leur lueur n'était pas suffisante pour atteindre l'intérieur de la tour.

Les soldats du *Léviathan* se tenaient au garde-à-vous devant les issues de la nacelle, face aux hommes au sol coiffés de fez rouges ; les deux groupes se dévisageaient avec méfiance. Le reste des Ottomans se trouvait aux portes de l'aérodrome, à contenir les manifestants.

Personne ne surveillait le pied de la tour d'amarrage.

La lune était en train de se lever, dessinant un gros croissant, et la tour projetait une ombre allongée vers l'ouest, loin de la ville et de la foule. Volger conduisit les autres le long de ce mince trait de noirceur, en direction d'un bout de grillage désert au fond de l'aérodrome.

Alek pensa à ce qu'ils risquaient s'ils se faisaient repérer maintenant. L'équipage du *Léviathan* n'avait aucune autorité ici, sur le sol ottoman. Mais il doutait que les darwinistes laissent partir leurs ingénieurs sans lever le petit doigt. D'ailleurs, les Ottomans n'apprécieraient peut-être pas davantage de voir des étrangers circuler librement dans leur aérodrome.

Tout bien considéré, mieux valait demeurer discrets.

Soudain, la créature se dressa sur son arrière-train et tourna les oreilles vers l'aéronef. Alek s'arrêta pour tendre l'oreille. Il entendit la stridulation lointaine d'un sifflet de commandement.

— Volger, je crois qu'on nous a...

Le hurlement d'un renifleur d'hydrogène déchira la nuit. Le bruit semblait provenir des alentours du moteur – on avait sans doute découvert M. Hirst ficelé et bâillonné.

— Continuons, chuchota Volger. Nous ne sommes plus qu'à cinq cents mètres du grillage. Ils commenceront par fouiller l'aéronef avant de nous chercher par ici.

143

Alek se mit à courir. Il se demanda avec un frisson quel genre de bestioles les darwinistes enverraient à leurs trousses. Les chiens renifleurs à six pattes ? Ces épouvantables chauves-souris à fléchettes ? Ou gardaient-ils d'autres créatures encore plus diaboliques à bord de l'aéronef ?

L'alarme se propagea le long de la masse sombre derrière eux, tandis que les lumières de la nacelle passaient du vert tamisé au blanc éclatant. Sur l'épaule d'Alek, la créature se mit à imiter tous les bruits de l'alerte, les aboiements et hurlements des chiens, les appels et les coups de sifflet.

— Je ne suis pas sûr que ce soit indispensable, lui souffla-t-il.

— Indispensable, répéta la créature à voix basse.

Une minute plus tard, un projecteur dardait une lumière aveuglante depuis le dos de l'aéronef. Après avoir balayé l'entrée de l'aérodrome, il entreprit de pivoter lentement, comme un phare au-dessus d'une mer sombre.

Pour une évasion discrète, c'était plutôt raté.

— Partez devant tous les quatre, haleta Klopp, le visage écarlate. Je ne peux plus continuer à cette allure !

Alek ralentit le pas et lui prit des mains son gros sac à outils.

— Ne dites pas de bêtises, Klopp. Nous disperser ne servirait qu'à nous faire repérer plus facilement.

— Il a raison, approuva Volger. Restons groupés.

Alek jeta un coup d'œil derrière lui. Le faisceau du projecteur se rapprochait d'eux, en ondulant sur l'herbe comme une vague lumineuse.

— Couchez-vous ! murmura-t-il.

Ils se laissèrent tomber à plat ventre tous les cinq.

La lumière vive passa sur eux sans s'arrêter – le projecteur était braqué trop haut. Ceux qui le maniaient fouillaient l'aérodrome depuis l'extérieur, en commençant par ses limites. Mais Alek doutait que Klopp réussisse à gagner le grillage avant que la lumière ne revienne.

La créature se crispa sur son épaule, et produisit un son nouveau… qui évoquait un bruissement d'ailes.

Alek se retourna vers l'aéronef, les yeux écarquillés. Une nuée sombre s'échappait de sous la nacelle – des milliers de silhouettes noires en train de s'envoler dans la nuit. Elles s'élevèrent à travers le pinceau du projecteur dans un scintillement de serres en acier.

— Les faucons bombardiers, souffla Alek.

Il avait pu les observer à l'œuvre contre les soldats allemands, sur le glacier. Et la veille encore, il avait vu un gabier affûter leurs serres en acier, comme un rasoir, sur une lanière de cuir.

Les oiseaux se déployèrent hors de l'aéronef et le ciel se remplit bientôt de formes tournoyantes.

Alek regarda devant lui – le grillage ne se trouvait plus qu'à une centaine de mètres.

Mais un instant plus tard, les faucons commençaient à dessiner un cercle, un tourbillon d'ailes et d'acier scintillant au-dessus d'eux. Alek rentra la tête dans les épaules, prêt à anticiper l'attaque.

— Continuez à courir ! cria Volger. Ils ont besoin de nous vivants !

Alek accéléra. Il espérait que son maître d'armes avait raison.

Alors que la masse tournoyante devenait de plus en

plus imposante, le projecteur modifia son parcours pour revenir vers les oiseaux. Quelques secondes plus tard, il épinglait Alek dans son faisceau.

Le hurlement des renifleurs d'hydrogène retentit de nouveau, plus près. La créature sur l'épaule d'Alek l'imita.

— Ils arrivent, prévint Alek.

— Passez devant, Bauer ! cria Volger. C'est vous qui avez les pinces.

Alek suivit le caporal qui se mit à piquer un sprint. Le bout de l'aérodrome était tout près désormais ; le projecteur illuminait des boucles de fil de fer barbelé droit devant eux.

Quand Bauer et Alek atteignirent le grillage, Bauer sortit une paire de pinces coupantes et se mit au travail. Il trancha les mailles l'une après l'autre afin d'ouvrir une brèche dans le grillage. Mais les cris de leurs poursuivants se rapprochaient de plus en plus.

Bauer n'avait pas encore fini quand les autres les rejoignirent.

— La forêt se trouve par là, dit Volger en indiquant les ténèbres au-delà du grillage. Continuez vers l'ouest jusqu'à ce que vous n'en puissiez plus, puis cherchez-vous une cachette.

— Et vous ? demanda Alek.

— Hoffman et moi allons les retenir ici le plus longtemps possible.

— Les retenir ? protesta Alek. Avec une clé à molette et un sabre d'entraînement ? Vous n'êtes pas de taille contre ces créatures !

— Non, mais nous pouvons les ralentir. Et quand les darwinistes s'apercevront qu'ils tiennent un mécanicien et un traducteur, ils renonceront peut-être à vous poursuivre. Surtout en plein territoire ottoman.

— Nous en avons déjà débattu, jeune maître, haleta Klopp. Cela fait partie du plan !

— Quel plan ? s'écria Alek, mais personne ne lui répondit. Pourquoi ne m'avoir rien dit ?

— Toutes mes excuses, Votre Altesse, dit Volger en tirant son sabre. Mais ces derniers temps vous n'avez pas toujours très bien gardé nos secrets.

— Par le sang du Christ, Volger ! Vous voulez jouer les martyrs ?

— S'ils ne nous serraient pas d'aussi près, je viendrais avec vous. Mais quelqu'un doit rester ici. Et Hoffman et moi leur offrons une chance de continuer à faire voler leur aéronef, pour peu qu'ils ne nous molestent pas trop.

— Je ne peux pas vous…

Alek se racla la gorge.

— J'ai fini, monsieur, annonça Bauer.

— Partez, dans ce cas, dit Volger, en passant son sac à Klopp qui se faufila à travers la brèche.

Les ombres des renifleurs d'hydrogène et des soldats se rapprochaient, gigantesques dans la lumière du projecteur.

— Volger ! cria Alek les poings serrés. Je ne peux pas continuer sans vous ! Je n'y arriverai jamais.

— J'ai bien peur que vous n'ayez pas le choix.

Volger salua avec son sabre.

— Au revoir, Alek. Faites la fierté de votre père.

« Mais mon père est mort… et vous, non. »

— Venez, monsieur.

Bauer lui agrippa le bras. Alek voulut se dégager, mais l'autre était plus grand et plus fort. Le garçon fut

Un sacrifice héroïque.

entraîné malgré lui de l'autre côté du grillage, déchirant sa veste au passage sur les barbelés ; tandis que la créature perchée sur son épaule baissait la tête et hurlait comme un renifleur d'hydrogène qui a flairé une piste. Un instant plus tard ils couraient sous les arbres, précédés d'un Klopp haletant. Le caporal Bauer continuait à traîner Alek sans cesse de s'excuser à voix basse. La forêt étouffa bientôt le fracas du combat ; quant au projecteur, il ne pénétrait pas si loin sous le feuillage. Les hurlements des renifleurs leur parvenaient assourdis, et les faucons bombardiers n'avaient pas pu les suivre sous les branches.

Ils continuèrent néanmoins à foncer à travers les fourrés, jusqu'à se retrouver dans le noir complet. Alek ne distinguait plus que des points lumineux imprimés sur sa rétine par le pinceau du projecteur. Derrière eux, le bruit cessa brusquement.

Volger devait être en train de négocier sa reddition et celle d'Hoffman contre la liberté pour ses compagnons. Les darwinistes n'auraient pas le choix. En forçant le passage à travers le grillage, ils risqueraient de perdre leur dernier mécanicien et son traducteur.

Alek ralentit le pas. Le plan du comte avait fonctionné à la perfection.

Bauer resserra sa prise.

— S'il vous plaît, monsieur. Nous ne pouvons pas y retourner.

— Bien sûr que non, grommela Alek en se dégageant. Mais il ne sert à rien de continuer à courir, à moins que vous ne teniez à voir le pauvre Klopp s'offrir une crise cardiaque.

Klopp ne fit pas mine de protester. Il s'arrêta et se

plia en deux, hors d'haleine, en appui sur les genoux. Alek regarda le chemin qu'ils venaient d'emprunter, guettant d'éventuels bruits de poursuite – rien. Pas même un oiseau dans le ciel.

Il était enfin libre, mais il ne s'était jamais senti aussi seul.

Le prince Aleksandar savait bien ce qu'aurait dit son père. Qu'il était temps pour lui de prendre les choses en main.

— Avons-nous perdu quelque chose ?

Bauer fit rapidement l'inventaire des sacs.

— Le communicateur sans fil, les outils, le lingot d'or – nous avons tout, monsieur.

— Le lingot…, répéta Alek.

Il se demanda combien de temps ce dernier fragment de la fortune paternelle leur avait fait perdre. En cet instant, il l'aurait volontiers échangé contre les minutes que le sacrifice de Volger leur avait coûtées.

Mais il était trop tard pour pleurer sur le lait répandu.

— Sans oublier ceci, ajouta Klopp, en tirant un étui en cuir de son habit, cacheté par les clés entrecroisées du sceau papal. Le comte a dit que ce serait à vous de la porter désormais.

Alek contempla l'objet. Il s'agissait d'une lettre du pape établissant que le garçon était bien l'héritier des titres et domaines de son père, en dépit de la volonté de son grand-oncle, l'empereur. On pouvait légitimement considérer que cela faisait de lui l'héritier du trône d'Autriche-Hongrie également. Voilà pourquoi les Allemands le pourchassaient – parce qu'il aurait un jour le pouvoir de mettre un terme à cette guerre.

En refermant les doigts sur l'étui, Alek réalisa qu'il

s'en était toujours remis à Volger pour le conserver en sécurité. Dorénavant, il allait devoir assumer seul le fardeau de sa propre destinée.

Il glissa la lettre dans l'une de ses poches, qu'il boutonna avec soin.

— Excellent, Klopp. Passez-moi le sac de Volger, voulez-vous ?

— Inutile, jeune maître, déclina le vieil homme hors d'haleine. Je peux le porter.

Alek tendit la main.

— Je dois insister, j'en ai peur. Vous nous ralentissez.

Klopp hésita. D'ordinaire, il aurait quêté du regard l'approbation du comte, mais ce dernier n'était plus là. Il remit le sac à Alek, qui l'endossa en grognant.

Volger s'était, bien sûr, chargé de l'or.

La créature imita son grognement et Alek soupira : elle n'avait pas une heure d'existence et devenait déjà pénible.

— J'espère que tu apprendras d'autres tours très vite, murmura-t-il.

Pour toute réponse, la créature plissa les paupières.

Bauer prit les deux derniers sacs.

— Quelle direction, monsieur ?

— Quoi, le comte Volger n'a donc pas prévu d'autres plans secrets ?

Bauer se tourna vers Klopp, qui haussa les épaules.

Alek prit une grande inspiration. Tout reposait sur lui désormais.

À l'ouest se trouvait l'Europe, en train de s'enfoncer dans la folie et dans la guerre. À l'est, l'Empire ottoman, immense et inconnu, s'étendait jusqu'au cœur de l'Asie. Et entre les deux, la vénérable ville de Constantinople.

— Nous allons rester dans la capitale pour l'instant. Nous avons besoin de nous procurer d'autres vêtements… et peut-être des chevaux.

Alek marqua une pause, réalisant qu'avec son lingot d'or ils pourraient probablement s'acheter leur propre mécanopode s'ils en avaient envie. Les possibilités étaient infinies.

— Au moins, en ville, nous devrions pouvoir trouver des boutiquiers capables de comprendre l'allemand.

— Très judicieux, approuva Klopp. Mais pour ce soir, jeune maître ?

Bauer hocha la tête avant de se retourner vers l'aérodrome. Les bois demeuraient silencieux mais on apercevait toujours le scintillement du projecteur à l'horizon.

— Nous allons continuer vers l'ouest pendant une heure, décida Alek. Puis nous décrirons un grand cercle pour retourner en ville. Peut-être pourrons-nous trouver à nous loger dans une auberge.

— Une auberge, monsieur ? Ne craignez-vous pas que les Ottomans soient à notre recherche ? objecta Bauer.

Alek réfléchit un moment, puis secoua la tête.

— Ils n'ont pas notre signalement. Seuls les darwinistes pourraient le leur donner, et je doute qu'ils le fassent.

Klopp plissa le front.

— Pourquoi cela ?

— Voyons, les darwinistes n'ont aucun intérêt à ce que nous nous fassions capturer, déclara Alek, dont les idées s'éclaircissaient à mesure qu'il les énonçait. Nous savons trop de choses à propos du *Léviathan* – le fonctionnement de ses moteurs, la nature de sa mission.

Non, ils ne tiennent sûrement pas à nous voir tomber entre les mains des Ottomans.

Klopp acquiesça de la tête.

— Ils préféreront déclarer que seuls Volger et Hoffman ont tenté de s'échapper, et qu'ils les ont repris. Ainsi, pas la peine de lancer d'autres recherches !

— Exactement, dit Alek. De toute manière, en tant que bâtiment de guerre, le *Léviathan* devra quitter ce territoire neutre dès demain. Et après son départ, plus personne ne saura que nous sommes ici.

— Que faites-vous des Allemands, monsieur ? demanda Bauer à voix basse. Ils ont le Sturmgänger dans les Alpes, avec le blason des Habsbourg, et ils ont vu le *Léviathan* partir avec nos moteurs. Ils doivent savoir que nous étions à bord, et devineront à coup sûr qui a tenté de s'enfuir cette nuit, même si les Ottomans ne se doutent de rien.

Alek lâcha un juron. Constantinople était truffée d'espions allemands, et leur petite escapade nocturne n'était certainement pas passée inaperçue.

— Vous avez raison, Bauer. Mais je doute que nous croisions beaucoup d'Allemands dans ces bois. Je propose donc que nous cherchions une auberge pour cette nuit – un établissement discret, confortable, qui accepte les copeaux d'or en paiement. Et demain, nous nous mettrons en quête de déguisements adéquats.

Il partit dans le noir, guidé par les derniers reflets du projecteur derrière eux. Les deux autres prirent leurs sacs et le suivirent. Sans poser de question, sans chercher à discuter.

Alek avait pris le commandement. C'était aussi simple que cela.

SEIZE

Deryn portait le plateau avec la plus grande précaution.
Elle était si épuisée qu'elle tenait à peine debout.

L'évasion des clankers l'avait tenue éveillée toute la nuit – d'abord courir libérer les faucons bombardiers, puis se faire traîner par une meute de renifleurs surexcités, avant de perdre deux heures en compagnie des officiers chargés d'amadouer les autorités ottomanes, lesquelles avaient fort peu apprécié de voir l'équipage du *Léviathan* galoper partout dans l'aérodrome sans autorisation.

Quand Deryn avait enfin trouvé un moment pour se rendre à la salle des machines, le Dr Barlow l'y avait précédée. L'un des œufs avait éclos dans la nuit, et le nouveau-né avait disparu !

Le plus curieux, c'est que la savante ne paraissait pas particulièrement contrariée. Elle avait ordonné à Deryn de jeter un rapide coup d'œil dans l'aéronef, mais s'était contentée de sourire en la voyant revenir bredouille.

Allez comprendre, avec ces grosses têtes.

Le temps que Deryn regagne sa propre cabine ivre de fatigue, l'aube pointait – l'heure du début de son service. Pour remuer le couteau dans la plaie, on l'avait sommée d'apporter son petit déjeuner à l'homme à l'origine de tout ce charivari.

Il y avait un planton devant la cabine du comte Volger. Il paraissait aussi fatigué que Deryn, et il lorgna d'un œil jaloux sur son plateau garni de pain grillé, d'œufs à la coque, de thé et autres denrées appétissantes.

— Voulez-vous que je frappe, monsieur ? proposa-t-il.

— Oui, prenons la liberté de déranger son excellence comtale, répondit Deryn. C'est lui qui nous a empêchés de dormir toute la nuit, après tout.

L'homme acquiesça et donna un grand coup de pied dans la porte.

Volger vint ouvrir quelques instants plus tard. Lui non plus ne semblait pas avoir eu le temps de se mettre au lit. Ses cheveux rebiquaient en tous sens, et son pantalon était encore maculé de boue.

À la vue du plateau, il s'écarta. Deryn passa devant lui pour le poser sur son bureau. Elle nota qu'on lui avait retiré son sabre d'entraînement, ainsi que la plupart de ses papiers. Les officiers avaient dû mettre sa cabine à sac après sa tentative d'évasion.

— Le petit déjeuner du condamné ? demanda Volger en refermant la porte.

— Ça m'étonnerait qu'on vous pende, monsieur. Pas aujourd'hui, en tout cas.

L'homme sourit et se versa une tasse de thé.

— Vous autres darwinistes êtes tellement indulgents.

Deryn leva les yeux au ciel. Volger savait qu'il leur était indispensable. La savante parlait le clanker, mais son vocabulaire ne s'étendait pas aux subtilités de la mécanique. Et elle n'allait certainement pas passer ses journées dans l'habitacle d'un moteur. Volger continuerait à être bien traité aussi longtemps qu'on aurait besoin d'Hoffman pour entretenir les moteurs.

— N'allez pas croire qu'on vous a pardonné, l'avertit Deryn. Il y aura un garde devant votre porte jour et nuit.

— Eh bien, monsieur Sharp, il semble que je sois votre prisonnier.

Volger tira une chaise, s'assit puis indiqua une tasse vide sur le rebord de la fenêtre.

— Un peu de thé ?

Deryn haussa les sourcils. Monsieur le comte lui proposait une tasse de thé, à elle, un vulgaire aspirant ? Les senteurs florales qui s'élevaient de la théière lui mettaient déjà l'eau à la bouche. Entre la cavalcade de la nuit dernière et le ravitaillement de l'aéronef avant leur départ prévu aujourd'hui, il risquait de s'écouler plusieurs heures avant qu'elle puisse avaler quoi que ce soit.

Un thé au lait valait toujours mieux que rien.

— Merci, monsieur. Bien volontiers.

Deryn prit la tasse. Elle était en porcelaine très fine, légère comme un colibri, avec l'aigle mécanique du blason d'Alek doré à l'or fin.

— Vous avez apporté votre service avec vous depuis l'Autriche ?

— L'un des avantages de voyager à bord d'un Sturmgänger, c'est que la place ne manque pas pour les bagages, fit Volger avec un soupir. J'ai bien peur que cette tasse soit la dernière qu'il nous reste, hélas. Elle a deux cents ans. Faites attention à ne pas la casser, s'il vous plaît.

Deryn ouvrit de grands yeux tandis que le comte la servait.

— Je vous promets d'essayer.

— Du lait ?

Elle hocha la tête et s'assit à son tour, légèrement intriguée par l'attitude du comte Volger. Il avait toujours constitué une présence inquiétante à bord de l'aéronef, à fureter sans cesse dans les coursives, à toiser les animaux d'un regard mauvais. Mais ce matin, il paraissait presque... affable.

Deryn but une gorgée de thé et laissa sa chaleur se diffuser en elle.

— Vous m'avez l'air bien guilleret, observa-t-elle. Vu les circonstances.

Volger regarda par la fenêtre.

— Vous faites allusion à mon évasion ratée ? Curieux, n'est-ce pas ? Je me sens léger, ce matin, comme si on venait de m'ôter tous mes soucis.

Deryn se renfrogna.

— Parce que Alek s'est échappé, et vous non ?

L'homme remua sa cuillère dans son thé.

— Oui, je suppose que c'est ça.

— C'est un peu raide, vous ne trouvez pas ? s'indigna Deryn. Le pauvre Alek doit se cacher je ne sais où pendant que vous restez là, bien au chaud, à siroter du thé dans de la porcelaine fine.

Volger leva sa tasse ornée sur son flanc d'un motif noir qui représentait le *Léviathan* encadré de nautiles.

— Parlez pour vous, mon garçon. La mienne est on ne peut plus ordinaire.

— Au diable votre foutue tasse ! s'emporta Deryn. Vous êtes content qu'Alek se soit enfui, n'est-ce pas ?

Le comte sala ses œufs à la coque et y goûta.

— Content qu'il ait quitté le bord ? Qu'il ne soit plus condamné à passer la guerre en captivité ?

— D'accord, mais le pauvre ne peut plus compter que sur lui-même. Alors que vous restez là à prendre votre petit déjeuner, tranquille comme Baptiste. Vous ne pensez qu'à vous !

Volger s'interrompit, la fourchette pleine de pommes de terre. Il examina Deryn de haut en bas.

Deryn ravala la suite de sa tirade, consciente que la fatigue lui faisait oublier toute prudence. Sa voix s'était perdue dans les aigus, et elle serrait sa tasse ancienne si fort que c'était un miracle qu'elle ne l'ait pas brisée.

Pendant l'alerte, il y avait eu un tel remue-ménage qu'il lui avait été facile d'oublier qu'Alek se retrouvait seul dans la nature, traqué par tous. Mais assise dans cette cabine, à voir Volger saler ses œufs avec un petit air satisfait, elle réalisait enfin l'horreur de la situation.

Alek était parti, et ne reviendrait pas.

Deryn reposa avec précaution la tasse sur le bureau. Elle s'efforça de prendre sa voix de garçon et dit :

— Vous m'avez l'air un peu trop content de vous, c'est tout. Et je crois que c'est parce que Alek n'est plus votre problème.

— Mon problème ? répéta Volger. Vous pensez que c'est tout ce qu'il représentait pour moi ?

— Oui. Vous êtes ravi de le savoir parti parce qu'il ne vous écoutait pas toujours comme vous l'auriez voulu.

Le visage de Volger reprit son expression de dédain habituelle, comme si Deryn était un cafard en train de ramper dans son assiette.

— Écoutez, mon garçon. Vous n'avez aucune idée de ce que j'ai pu sacrifier pour lui – mon titre, mon avenir, le nom de ma famille. Peu importe qui gagne cette guerre, je ne pourrai jamais plus rentrer chez moi. Aux yeux des miens je resterai toujours un traître – et tout cela, uniquement dans l'intérêt d'Alek.

Deryn affronta son regard.

— Vous n'êtes pas le seul homme à avoir pris position contre son pays. Moi aussi, j'ai gardé le secret d'Alek et j'ai fermé les yeux pendant que vous prépariez votre évasion. Alors, inutile de prendre vos grands airs avec moi.

Volger la fixa encore un moment d'un œil noir, puis laissa échapper un rire las. Il finit par manger ses pommes de terre en les mâchant d'un air pensif.

— Vous vous faites autant de souci que moi pour lui, n'est-ce pas ?

— Bien sûr, grogna Deryn.

— C'est très touchant, vraiment, dit Volger en resservant une tasse de thé. Je suis heureux qu'Alek vous ait comme ami, Dylan, malgré la modestie de vos origines.

Deryn leva les yeux au ciel. Ces aristocrates se montraient parfois tellement imbus d'eux-mêmes.

— Mais Alek s'est entraîné toute sa vie pour cet instant, poursuivit Volger. Son père et moi avons toujours su qu'un jour, il se retrouverait seul contre le reste du monde. Et le prince m'a signifié on ne peut plus clairement qu'il se sentait prêt à continuer sans moi.

Deryn secoua la tête.

— Vous vous trompez complètement, comte. Alek n'avait pas l'intention de s'enfuir seul ; il voulait plus d'alliés, pas moins. Il disait même qu'il aurait souhaité…

Elle se rappela leur dernière conversation, deux nuits plus tôt. Alek avait regretté de ne pas pouvoir rester à bord du *Léviathan*, car c'était le seul endroit où il s'était jamais senti chez lui. Et elle avait réagi comme une idiote, parce qu'elle s'attendait à une tout autre déclaration.

Elle avait la gorge trop serrée pour parler, tout à coup.

Volger se pencha en avant et la dévisagea.

— Vous êtes un garçon très sensible, Dylan.

Deryn le fusilla du regard. Elle avait conscience de l'importance des choses, ce n'était pas de la sensiblerie.

— J'espère juste qu'il va bien, dit-elle après avoir avalé une grande gorgée de thé.

— Moi aussi. Peut-être pouvons-nous encore l'aider, vous et moi.

— Comment ça ?

— Il a un plus grand rôle à jouer dans cette guerre que vous ne l'imaginez, Dylan, expliqua le comte. Son grand-oncle l'empereur est un homme très âgé.

— Je sais, mais Alek ne pourra jamais monter sur le trône parce que sa mère n'était pas de sang royal. Pas vrai ?

— Ah, je vois qu'il vous a tout raconté, fit Volger avec un sourire étrange. Mais en politique, il y a toujours des exceptions. Le moment venu, il se pourrait bien qu'Alek puisse inverser le cours de cette guerre.

Deryn plissa le front. Ce que sous-entendait le comte ne cadrait pas avec ce que lui avait dit Alek, le dédain dans lequel sa famille les avait toujours tenus sa mère et lui. Mais il est vrai que dans les Alpes, les Allemands avaient envoyé des forces impressionnantes à sa poursuite. Eux au moins semblaient lui conférer une certaine importance.

— Que peut-on faire ?

— Pour l'instant, pas grand-chose. Mais on ne sait jamais. Une opportunité pourrait se présenter. L'inconvénient, c'est que je n'ai plus mon communicateur sans fil.

Deryn écarquilla les yeux.

— Vous aviez un appareil de communication sans fil ? Est-ce que les officiers étaient au courant ?

— Ils ne m'ont rien demandé. Et je vois que vous n'avez pas pensé à m'apporter les journaux du matin. Alors si vous pouviez me tenir informé de la suite des événements, j'apprécierais grandement.

— Quoi, que j'espionne pour vous ? s'écria Deryn. Jamais de la vie !

— Vous pourriez y trouver un intérêt.

— Qu'avez-vous à m'offrir ? Une tasse de thé de temps en temps ?

Le comte sourit.

— Je dois pouvoir faire mieux que cela. Par exemple, je suis sûr que vous vous posez beaucoup de questions à propos d'une certaine créature disparue.

— La bestiole sortie de l'œuf la nuit dernière ? Vous savez où elle est ?

L'homme ne répondit pas, mais Deryn échafaudait déjà toutes sortes de possibilités.

— Alors, l'éclosion a dû avoir lieu avant qu'Alek ne parte de la salle des machines ! Il l'a emmenée avec lui, n'est-ce pas ?

— Peut-être. À moins que nous ne l'ayons étranglée pour la faire taire.

Volger prit une dernière bouchée de pain grillé et se tamponna les lèvres avec sa serviette.

— Croyez-vous que le Dr Barlow aimerait connaître les détails de l'histoire ?

Deryn plissa les paupières. À voir la manière dont la savante se comportait, elle semblait déjà se douter de l'endroit où pouvait se trouver sa créature. Tout s'éclairait subitement. Deryn aurait compris plus tôt si elle n'avait pas été aussi fatiguée.

À présent qu'elle y réfléchissait, certains détails curieux à propos des œufs commençaient à prendre une signification.

— Oui, reconnut Deryn. Je crois qu'elle aimerait beaucoup.

— Dans ce cas, je vous raconterai précisément comment la créature s'est comportée la nuit dernière, si vous promettez de me tenir au courant des événements des prochains jours. Les Ottomans décideront bientôt s'ils veulent ou non entrer dans cette guerre. Pour Alek, la suite va dépendre en grande partie de leur choix, dit le comte en regardant par la fenêtre.

Deryn suivit son regard. Les minarets d'Istanbul se distinguaient à peine dans le lointain, masqués par les fumées d'échappement qui s'élevaient déjà au-dessus de la ville.

— Eh bien, je pourrais vous raconter ce qu'on lit dans les journaux. On ne peut pas appeler ça de l'espionnage, je suppose.

— Excellent. J'ai l'impression que nous allons arriver à nous entendre, après tout.

Le comte Volger se leva et lui tendit la main.

Deryn hésita un moment, puis soupira et serra la main offerte.

— Merci pour le thé, monsieur. Une dernière chose : à votre prochaine tentative d'évasion, vous seriez bien aimable d'être un peu plus discret. Ou au moins d'essayer pendant mes heures de service.

Volger s'inclina gracieusement.

— Promis. Et si un jour vous avez envie d'une *vraie* leçon d'escrime, monsieur Sharp, faites-le-moi savoir.

DIX-SEPT

À mi-chemin de la cabine du bosco, un lézard messager s'arrêta sur le plafond au-dessus de Deryn et la fixa de ses yeux globuleux.

— Monsieur Sharp, annonça-t-il avec la voix du Dr Barlow, j'aurai besoin de vous en grand uniforme aujourd'hui. Nous allons rendre visite au sultan.

Deryn fixa l'animal. Avait-elle bien entendu ? Le sultan ? L'homme qui dirigeait l'Empire ottoman ?

— J'ai demandé à M. Rigby de vous relever de vos autres missions, continua le lézard. Retrouvez-moi à midi à l'aérodrome, et ne soyez pas en retard.

Deryn se racla la gorge.

— Bien, m'dame. J'y serai. Terminé.

Alors que l'animal repartait en se dandinant, elle ferma les yeux et jura à mi-voix. Elle n'avait plus de grand uniforme, depuis l'incident de la veille. Elle avait ôté sa veste avant de sauter sur la trompe du *Dauntless*, et sa belle chemise était encore tout imprégnée d'épice rouge vif. Même après deux lavages, le vêtement aurait fait éternuer un cheval mort. Elle allait devoir emprunter une chemise de rechange à Newkirk, et cela voulait dire jouer de l'aiguille pour la mettre à ses mesures...

Elle gémit, et partit au pas de course en direction de sa cabine.

◉　◉　◉

Quand Deryn descendit l'échelle de coupée, bien plus tard, elle fut accueillie par un grondement de moteurs clankers. À l'ombre de l'aéronef, Newkirk, le bosco et une douzaine de gabiers embarquaient à bord de plusieurs mécanopodes semblables à des mules ou des buffles d'eau. Ils allaient chercher des provisions au marché et paraissaient pressés. Si le *Léviathan* n'avait pas quitté la ville en fin d'après-midi, les Ottomans seraient en droit de le saisir.

Les officiers n'avaient rien dit de leur prochaine destination. Mais où qu'ils aillent, Deryn doutait de jamais revoir Istanbul, ou même Alek. Pas avant la fin de la guerre, en tout cas.

Elle observa Newkirk un moment, avec une pointe d'envie pour son déguisement. Son groupe au complet s'était affublé de djellabas pour échapper à l'attention des Jeunes-Turcs et ne pas risquer de déclencher une nouvelle manifestation. Elle avait préféré participer aux affaires courantes de l'aéronef, plutôt que de se plier à tous ces salamalecs diplomatiques... ou quel que soit le nom qu'il fallait donner aux activités du Dr Barlow.

La savante patientait à une centaine de yards du *Léviathan*, sur un coin de terrain désert au-delà de la tour d'amarrage. Vêtue de son plus bel habit, elle faisait machinalement tourner une ombrelle entre ses doigts.

Elle se tenait près d'une caisse remplie de paille, dans laquelle on voyait l'un des deux derniers œufs briller au soleil telle une perle géante. La mystérieuse cargaison du Dr Barlow allait enfin être remise au sultan.

Mais pourquoi tenir à se faire accompagner d'un simple aspirant ?

Quand Deryn s'approcha, le Dr Barlow se tourna vers elle et déclara :

— Vous êtes en retard, monsieur Sharp, et votre tenue est loin d'être irréprochable.

— Désolé, m'dame, s'excusa Deryn en tirant sur son col. C'est une chemise que j'ai dû emprunter. La mienne était trop… épicée.

Sa chemise lui allait bien mal, en dépit d'une heure de couture frénétique ; pire encore, elle gardait l'odeur de Newkirk – le petit salopard ne s'était même pas donné la peine de la laver depuis la veille.

Le Dr Barlow fit claquer sa langue.

— Vous n'avez qu'un seul uniforme d'apparat ? Il va falloir remédier à cela si vous devez continuer à m'assister.

Deryn se renfrogna.

— Vous assister, m'dame ? Franchement, je ne me vois pas dans la peau d'un diplomate.

— Peut-être pas. Mais voilà ce qu'il en coûte de vous être rendu indispensable, monsieur Sharp. Vous avez été d'une aide précieuse lors de l'attaque contre le *Dauntless*, alors que l'ambassadeur et ses sbires se révélaient complètement dépassés. Je n'oserai bientôt plus quitter le bord sans votre protection, ajouta le Dr Barlow en poussant un soupir amusé.

Deryn leva les yeux au ciel. Même pour un compliment, la savante ne pouvait s'empêcher de prendre un ton moqueur.

— J'espère que vous ne prévoyez pas de nouvel incident de ce genre aujourd'hui, m'dame.

— Sait-on jamais ? L'accueil est plus frais que je ne l'avais espéré.

— Comme vous dites, approuva Deryn, qui entendait encore la colère dans la voix des manifestants. Au fait, j'avais une question à vous poser, m'dame. Qu'est-ce qu'un béhémoth ?

Le Dr Barlow la dévisagea les yeux plissés.

— Où avez-vous entendu ce mot, monsieur Sharp ?

— Oh, ils le criaient dans la rue hier. Les Jeunes-Turcs, je veux dire.

— Hum, bien sûr. C'est le nom de la créature qui accompagne l'*Osman*, que lord Churchill s'est approprié de manière si maladroite.

Deryn fronça les sourcils.

— Mais les krakens n'ont pas de nom. On n'en donne jamais aux créatures fabriquées, à moins qu'il ne s'agisse d'un vaisseau entier.

— « Béhémoth » n'est pas un nom propre, jeune homme. Cela désigne une espèce. Cette créature n'a rien d'un kraken, voyez-vous, c'est quelque chose d'entièrement nouveau. Couvert par le secret militaire, d'ailleurs, ce qui veut dire que nous ferions mieux de changer de sujet.

Le Dr Barlow inclina son ombrelle de manière à pouvoir scruter le ciel.

— Voilà notre transport, me semble-t-il.

Deryn mit sa main en visière au-dessus de ses yeux et vit approcher un appareil à l'allure chamarrée.

— Il est plutôt… voyant, non ?

— Naturellement. Les invités du sultan sont censés se déplacer en grande pompe.

L'aéronef clanker mesurait moins d'un quart de la longueur du *Léviathan*, mais il était décoré comme une pièce montée. Une frange de glands dorés bordait son enveloppe, et des dais de soie ondulante recouvraient sa nacelle, comme si quelque prince ottoman avait choisi de sillonner les airs à bord de son lit à baldaquin.

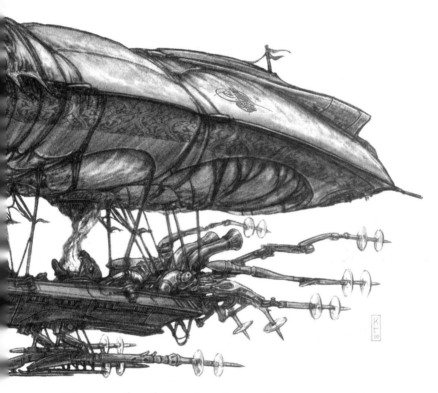

L'appareil volait grâce à une longue enveloppe gonflable cylindrique munie de plusieurs ouvertures ventrales, alimentées en air chaud par des foyers en forme de têtes monstrueuses. Des hélices tournoyaient au bout de longs bras articulés pointés vers le haut pour certains, vers le bas pour d'autres, les deux plus grosses assurant la propulsion de l'appareil vers l'avant. Sa proue épousait la forme d'une tête de faucon et des ailes effilées comme des rasoirs se déployaient de part et d'autre de la nacelle.

Les hélices se braquèrent dans un sens, puis dans l'autre, jusqu'à ce que l'engin finisse par se poser en douceur sur l'herbe rase de l'aérodrome.

Une courte échelle descendit de la nacelle. Le Dr Barlow referma son ombrelle et indiqua la caisse à ses pieds.

— S'il vous plaît, monsieur Sharp.

— Indispensable, c'est tout moi, bougonna Deryn en empoignant la caisse.

Elle grimpa l'échelle de coupée à la suite de la savante pour parvenir sur une plate-forme entourée d'une main courante, assez semblable au pont supérieur d'un navire à voile. Le souffle des hélices brassait l'air autour d'eux, soulevant la voilette glissée sous le chapeau melon du Dr Barlow.

Les membres de l'équipage avaient la peau noire mais ne portaient pas de djellabas, contrairement aux Africains que Deryn avait aperçus la veille depuis le palanquin. Ils avaient plutôt des uniformes en soie et des turbans rouges et orange. Deux d'entre eux débarrassèrent Deryn de sa caisse, qu'ils attachèrent solidement sur le pont.

L'un des hommes portait une coiffe conique et de grosses lunettes de pilote. Il avait une sorte de bestiole mécanique sur l'épaule, avec de grands yeux de chouette et une bouche béante ; l'animal portait en travers du torse un minuscule cylindre sur lequel griffonnait un stylet.

L'homme s'avança et s'inclina devant le Dr Barlow.

— La paix soit avec vous, madame. Je suis le kizlar agha. Bienvenue à bord.

La savante lui répondit dans une langue que Deryn ne reconnut pas, aux sonorités plus douces que l'allemand. L'homme sourit, puis répéta la même phrase en s'inclinant devant Deryn.

— Aspirant Dylan Sharp, se présenta-t-elle, en s'inclinant en retour. Enchanté, monsieur Agha.

Le Dr Barlow s'esclaffa.

— Kizlar agha est un titre, monsieur Sharp, pas un nom. C'est le chef de la garde du palais et du trésor. L'homme le plus important de l'empire, après le sultan et le grand vizir. On lui confie les messages importants.

— Ainsi que les visiteurs de marque, ajouta l'homme avant de lever une main.

Les foyers se mirent à cracher des flammes, soulevant des ondes de chaleur vers l'enveloppe.

Deryn flaira l'odeur douceâtre du propane brûlé. Elle frémit, serra les dents et se tourna pour s'accrocher à la main courante pendant que l'aéronef s'élevait dans les airs.

— Vous ne vous sentez pas bien, monsieur Sharp ? s'inquiéta le kizlar agha. Il est rare de rencontrer des aviateurs qui souffrent du vertige.

— Ce n'est rien, rétorqua Deryn avec raideur. Les ballons à air chaud me rendent un peu nerveux, voilà tout.

L'homme croisa les bras.

— Le yacht impérial *Stamboul* est aussi sûr que n'importe quelle bête volante, vous pouvez me croire.

— Oh, je n'en doute pas, affirma Deryn, sans cesser d'agripper la rambarde.

Les foyers flambèrent de nouveau, avec un rugissement tigresque.

— Nous avons été soumis à rude épreuve hier, intervint le Dr Barlow, sa main fraîche posée sur la joue de Deryn. D'abord l'échauffourée, puis une alerte et une battue au beau milieu de la nuit... M. Sharp a été très occupé, j'en ai peur.

— Ah, c'est vrai. On m'a raconté que les Jeunes-Turcs vous avaient pris à partie, reconnut le kizlar agha. On trouve des révolutionnaires partout, maintenant. Mais ils ne viendront pas vous déranger au palais, ni en plein ciel.

L'appareil avait laissé l'aérodrome derrière lui, et les manifestants devant la porte paraissaient désormais aussi minuscules que des fourmis.

Pendant que le Dr Barlow discutait avec le kizlar agha, Deryn scruta la ville et s'efforça d'ignorer les ondulations de chaleur tout autour d'elle. Le *Stamboul* survola bientôt les rues d'Istanbul, où l'on distinguait le reflet métallique des mécanopodes à travers le voile de fumée. Des gyroplanes passaient en vrombissant, d'allure aussi fragile que des papillons.

Alek devait se trouver quelque part là-dessous. À moins qu'il ait préféré se perdre dans l'arrière-pays, où les cartes de l'Air Service n'indiquaient que des montagnes et des plaines poussiéreuses sur la route de l'Extrême-Orient.

Quand le kizlar agha retourna à ses devoirs, le Dr Barlow rejoignit Deryn à la rambarde.

— Êtes-vous bien sûr de ne pas avoir pris un coup sur la tête la nuit dernière, monsieur Sharp ? Vous m'avez l'air un peu pâle.

— Non, je me sens en pleine forme, lui assura Deryn, les mains crispées sur la rambarde.

Elle n'avait aucune intention d'aborder l'accident de son père une fois de plus. Mieux valait changer de sujet.

— J'ai eu une discussion assez curieuse avec le comte Volger au petit déjeuner… à propos de notre créature disparue.

— Vraiment ? Vous êtes plein d'initiative.

— Il affirme l'avoir vue la nuit dernière. Je suppose que l'œuf a éclos avant le départ d'Alek, et que cet idiot a emporté la créature avec lui.

Deryn se retourna vers le Dr Barlow et la dévisagea, les paupières plissées.

— Mais vous le saviez déjà, n'est-ce pas, m'dame ?

La savante haussa les épaules.

— Disons que cette possibilité m'avait traversé l'esprit. Cela semblait la seule explication logique à la disparition de cette pauvre bête.

— Oui, mais ce n'était pas seulement une question de logique, pas vrai ? Vous saviez qu'Alek essaierait de s'échapper avant que nous ne repartions d'Istanbul. C'est pour ça que vous l'avez mis de corvée d'œufs hier soir.

Un sourire se dessina derrière la voilette du Dr Barlow.

— Allons, monsieur Sharp, seriez-vous en train de m'accuser d'avoir manigancé tout cela ?

— Appelez ça comme vous voudrez, m'dame, mais Alek n'arrêtait pas de se plaindre que vous rajoutiez des radiateurs quand il était de garde. Que vous rendiez la pièce plus chaude pour lui que pour moi. Et vous refusiez toujours que je lui rende visite pendant ces moments-là. De façon à être sûre qu'en cas d'éclosion, il serait tout seul dans la pièce avec la créature !

En formulant ses soupçons à voix haute, Deryn sentit d'autres pièces du puzzle se mettre en place.

Le Dr Barlow détourna la tête et demanda d'un air sévère :

— Vous êtes tout à fait *certain* de ne pas avoir reçu un coup la nuit dernière, monsieur Sharp ? Parce que je ne comprends pas où vous voulez en venir.

— Je vous parle des créatures à l'intérieur de ces œufs, dit Deryn, le regard fixé sur la caisse. De quel genre de bestioles s'agit-il ?

— C'est un secret militaire, jeune homme.

— Oui, que vous êtes sur le point de dévoiler à ce fameux sultan – un aristocrate clanker, comme Alek !

Deryn regarda le Dr Barlow droit dans les yeux, prête à entendre sa réponse. C'était la première fois qu'elle se montrait aussi brutale envers la savante, mais après sa nuit blanche et les révélations de ce matin elle s'était laissé emporter.

Le tableau commençait à singulièrement s'éclaircir. Elle comprenait soudain pourquoi le Dr Barlow avait consenti à garder le secret d'Alek devant les officiers, pourquoi elle l'avait mis de corvée de surveillance des œufs presque depuis le début. Elle *tenait* à ce que l'un des œufs éclose pendant qu'Alek se trouvait seul dans la salle des machines.

Mais bon sang, quelle pouvait être la fonction de cette bestiole ? Et pourquoi Alek ne l'avait-il pas tout simplement abandonnée derrière lui ?

Après un échange de regards glacials, le Dr Barlow finit par rompre le silence.

— Le comte Volger a-t-il dit quelque chose de précis à propos de la créature ?

— Pas vraiment. Il a peut-être parlé de l'étrangler pour la faire taire.

Le Dr Barlow haussa les sourcils, et Deryn sourit. On pouvait être deux à jouer au petit jeu des cachotteries.

— Mais je crois que c'était juste une manière de faire le malin.

— Je veux bien le croire, dit le Dr Barlow. Il semble que tout le monde veuille s'y essayer ces derniers temps.

Deryn soutint son regard.

— Je n'essaie pas de jouer au plus fin avec vous, m'dame. Je veux simplement savoir… si Alek court un danger avec cette créature.

Le Dr Barlow se pencha plus près, en baissant la voix.

— Ne soyez pas absurde, monsieur Sharp. Le loris perspicace, comme nous l'appelons, est tout à fait inoffensif. Je n'aurais jamais mis Alek en danger.

— Donc, vous reconnaissez avoir favorisé une éclosion en sa présence ?

Le Dr Barlow détourna la tête.

— Oui, le loris a été conçu avec un degré élevé de fixation à la naissance. Il s'attache à la première personne qu'il voit, comme les canetons.

— Et vous l'avez poussé à s'attacher à Alek !

— Improvisation nécessaire. Après notre atterrissage forcé dans les Alpes, je ne pensais pas que nous réussirions à gagner Istanbul à temps. Je ne voulais pas voir le fruit de plusieurs années de travail s'évaporer en pure perte. Par ailleurs, j'apprécie beaucoup Alek et j'ai voulu l'aider pour la suite de ses voyages. Le loris perspicace peut se révéler très utile quand on sait l'écouter.

— Utile ? demanda Deryn. Comment ça ?

— Eh bien, il fait preuve de perspicacité, comme son nom l'indique.

Deryn fronça les sourcils : quelle était la signification de ce mot ? Elle se demanda dans quelle mesure elle pouvait ajouter foi aux explications de la savante. Le Dr Barlow semblait toujours viser plus loin que ce qu'elle voulait bien reconnaître.

— Vous n'avez pas fait ça pour l'aider, dit Deryn. Alek est un clanker de haut rang, tout comme le sultan, et c'est pour ça que vous teniez à ce qu'il ait ce loris avec lui.

— Comme je l'ai dit hier, fit le Dr Barlow, avec un geste en direction de la proue en bec de faucon de l'aéronef et des têtes monstrueuses qui crachaient du feu sur le pont, contrairement aux autres clankers, les Ottomans n'ont pas oublié les fils de la vie. Et je crois qu'au cours du peu de temps passé en notre compagnie, Alek aura peut-être été ramené à la raison lui aussi.

— La raison ? Qu'est-ce qu'une bestiole à peine née a à voir avec la raison ?

— Rien du tout, bien sûr, la loi de mon grand-père est formelle sur ce point : « Aucune créature fabriquée ne montrera jamais de raison humaine. » Prenez cela comme une figure de style, monsieur Sharp. Mais une chose est certaine – cette guerre va semer le chaos dans les maisons royales européennes. Il est tout à fait possible que le jeune Alek devienne un jour aussi important que n'importe quel sultan, qu'il soit de sang royal ou non.

— Oui, c'est aussi ce que le comte Volger avait l'air de penser.

Le Dr Barlow tambourina sur la rambarde avec les doigts.

— Vraiment ? Comme c'est intéressant.

Devant, le détroit scintillait au soleil de midi. Presque directement sous eux se dressaient deux immenses bâtiments de marbre et de pierre – des mosquées, de toute évidence, avec leurs dômes, sortes de boucliers géants et leurs minarets pareils à des lances. L'esplanade qui les séparait était noire de monde, et tous les visages étaient tournés vers le ciel tandis que l'ombre du *Stamboul* passait sur eux.

Le kizlar agha cria un ordre, et les hélices pivotèrent au bout de leurs longs bras arachnéens. L'appareil entama sa descente vers une sorte de parc bordé de hauts murs. Dans l'enceinte de ce dernier se trouvaient des dizaines de bâtiments bas, tous reliés par des allées et des chemins couverts, ainsi qu'un gigantesque édifice coiffé de dômes et de minarets. L'ensemble formait presque une ville à part entière derrière les murs du palais.

— Peut-être serait-il sage de tenir le comte Volger à l'œil, dans ce cas, suggéra le Dr Barlow.

Deryn hocha la tête, avec à l'esprit la proposition du comte. L'homme s'était clairement montré ouvert à un échange d'informations.

— Justement, m'dame, il a offert de me donner des leçons d'escrime.

La savante sourit.

— Eh bien, mon garçon, j'ai comme l'impression que vous allez apprendre à manier le sabre.

DIX-HUIT

Le *Stamboul* se posa derrière la muraille du palais, dans un jardin luxuriant de la taille d'un terrain de cricket.

Le kizlar agha se tenait à la proue, à crier des indications aux hommes de barre, qu'il guida tout au long de l'atterrissage. Deryn comprit bientôt pourquoi – il y avait tout juste la place de poser un aéronef. Mais l'appareil s'immobilisa précisément à l'intersection de cinq allées dallées, avec la légèreté d'une libellule. On aurait dit un pavillon bariolé venu mettre la touche finale à l'ornement du jardin. Les palmiers frissonnèrent autour d'eux sous le souffle des hélices.

On abaissa l'échelle de coupée, et le kizlar agha mena Deryn, le Dr Barlow et les deux hommes d'équipage qui portaient la caisse dans le jardin du sultan.

Une centaine de fenêtres les dominaient, occultées par des grilles métalliques qui scintillaient au soleil avec des reflets dorés. Deryn se demanda si des gens les observaient derrière les fentes étroites, des courtisans ou des conseillers peut-être, ou même les innombrables épouses du harem du sultan.

Le palais ne ressemblait pas du tout à celui de

Buckingham, devant lequel Deryn avait pu assister à la relève de la Royal Lionesque Guard lors de son premier jour à Londres ; à savoir, haut de quatre étages et carré comme un gâteau. Ses ailes étaient basses au contraire, bordées de colonnades aux arches décorées de damiers noirs et blancs aussi rutilants que les touches d'un piano. Des conduits de vapeur serpentaient le long des mosaïques murales tels des tubes de lézards messagers, luisant de condensation et vibrant d'énergie. Chaque porte était surveillée par des gardes, des Africains en uniformes chamarrés, armés de hallebardes et de cimeterres.

Deryn se demanda ce qu'on pouvait éprouver à vivre au milieu d'un tel faste, entièrement conçu pour donner le tournis. Comment le pauvre Alek avait-il pu grandir dans un cadre aussi extravagant ? Il y avait de quoi devenir fou, à voir des milliers de serviteurs à l'affût de vos moindres faits et gestes.

Les gardes s'inclinaient bien bas devant le kizlar agha, et murmuraient la même formule de politesse qu'avait employée le Dr Barlow.

— Est-ce ainsi qu'on dit « bonjour » en turc ? chuchota Deryn, consciente qu'elle allait peut-être devoir mémoriser cette phrase.

— En arabe. On parle de nombreuses langues ici, au palais. Espérons que l'allemand n'en fait pas encore partie.

On les introduisit bientôt dans un grand bâtiment de marbre à l'écart du reste du palais, avec trois énormes cheminées. On entendait un grondement de rouages à l'intérieur.

Le kizlar agha s'arrêta devant une arche fermée par une porte en pierre à double battant.

— Nous pénétrons dans la salle du trône du sultan Mehmed V, seigneur des Horizons.

Il tapa trois fois dans ses mains, et les portes s'ouvrirent avec un chuintement. Il s'en échappa une forte odeur d'encens où se mêlaient des relents de charbon incandescent et de cambouis.

La salle du trône était bien sombre au regard du soleil qui brillait au-dehors, et dans un premier temps Deryn ne distingua pas grand-chose. Mais devant elle se dressait une sorte de géant assis en tailleur, aussi imposant que les golems de fer aperçus la veille dans la rue. C'était une statue de métal entièrement drapée de soie noire, au torse orné de médailles et ceint d'une écharpe d'étoffe argentée, avec un fez écarlate de la taille d'une baignoire sur son étrange tête cornue.

Quand ses yeux se furent habitués à la pénombre, Deryn remarqua un homme au pied de la statue. Il portait exactement les mêmes habits, et se tenait assis dans la même position sur son divan de soie – en tailleur, les mains sur les genoux.

— Bienvenue, docteur Barlow, dit-il, en tournant la main droite pour montrer sa paume vide.

Derrière lui la statue s'ébranla et reproduisit son geste. Un automate – la salle du trône tout entière n'était qu'un gigantesque mécanisme ! Mais le grondement des moteurs et des rouages se trouvait à ce point étouffé par les épaisses tapisseries et les murs de pierre que la statue semblait presque vivante.

Du coin de l'œil, Deryn vit la savante effectuer une petite révérence, aussi à l'aise que si elle rencontrait des

LE SULTAN ET CALIFE, CHEF DE L'EMPIRE OTTOMAN.

statues géantes tous les jours. Remise de sa surprise, elle s'inclina à son tour, imitant Alek lorsqu'il s'adressait aux officiers du *Léviathan*. Elle n'avait aucune idée de la manière de se comporter en présence d'un empereur ; elle regretta que la savante n'ait pas pris le temps de le lui expliquer.

— Votre Majesté, dit le Dr Barlow, je vous apporte les compliments de Sa Majesté le roi George.

— La paix soit avec lui, dit le sultan, en inclinant légèrement la tête.

Derrière lui, l'automate géant l'imita.

— Je vous apporte également un cadeau.

Le Dr Barlow indiqua la caisse contenant l'œuf. Le sultan haussa les sourcils. Deryn découvrit avec soulagement que l'automate ne reproduisait pas les expressions faciales ; la machine géante la mettait déjà suffisamment mal à l'aise.

— Il a une forme étonnante pour un cuirassé, commenta le sultan. Et me paraît un peu petit pour un béhémoth.

Après un silence gêné, la savante s'éclaircit la gorge.

— Notre petit cadeau, bien évidemment, ne prétend pas remplacer l'*Osman* ni la créature qui l'accompagne. Même si Sa Majesté regrette cette malheureuse affaire.

— Vraiment ?

— Tout à fait, lui assura le Dr Barlow. Si nous avons emprunté l'*Osman*, c'est parce que nous en avions un besoin vital : la Grande-Bretagne est en guerre, alors que votre empire est en paix – et le restera, je l'espère.

— La paix a ses exigences elle aussi.

Le sultan croisa les bras, aussitôt imité par la statue. À l'observer de plus près, Deryn crut remarquer que les gestes de la statue étaient un peu raides, comme ceux d'un marin qui a bu trop de rhum et s'efforce de ne pas le montrer. Peut-être pour faciliter l'illusion, le sultan bougeait lentement et avec précision, comme un acteur de pantomime. Deryn se demanda s'il contrôlait lui-même l'automate ou si ce dernier était manipulé à distance par des ingénieurs, au moyen de manettes et de boutons.

D'une certaine manière, le fait de s'intéresser au fonctionnement de l'immense machine la rendait moins impressionnante.

— Je ne doute pas que vous ayez vos propres soucis, Votre Majesté.

Le Dr Barlow jeta un regard vers la caisse.

— Et nous espérons que cette créature fabriquée, si modeste soit-elle, pourra vous offrir une distraction bienvenue.

— Les Allemands nous offrent des chemins de fer, des aéronefs et des tours de communication sans fil, répondit le sultan. Tous les bénéfices de la *mekanzimat*. Ils forment notre armée et entretiennent nos machines. Ils ont reconstruit ce palais et nous ont aidés à écraser la révolution voilà six ans. Et tout ce que votre roi peut nous offrir, c'est une *distraction* ?

Le sultan fit un geste en direction de la caisse ; la main de l'automate s'avança dans la pièce et passa au-dessus de Deryn. Celle-ci rentra la tête dans les épaules en s'interrogeant sur la force de ces doigts mécaniques.

Le Dr Barlow ne se laissa pas démonter.

— Ce n'est peut-être qu'un début, dit-elle alors qu'elle s'inclinait un peu plus bas. Mais ce cadeau représente notre espoir d'un avenir meilleur.

Le sultan regarda l'œuf à son tour.

— Un cadeau ? Après toutes ces humiliations ? Peut-être nous sommes-nous laissé trop longtemps distraire par vos cadeaux.

La main géante enveloppa la caisse et se referma sur elle. Un craquement résonna à travers la pièce, tandis que des éclats de bois retombaient par terre comme une cascade d'allumettes. L'œuf se brisa avec un bruit écœurant. Un fluide translucide s'écoula en filets entre les doigts de métal, avant de former une flaque sur le dallage. Une odeur de soufre se mêla aux senteurs de charbon et d'encens.

La savante laissa échapper un petit cri d'horreur, et Deryn, les yeux écarquillés, fixa tour à tour le poing fermé puis le sultan. Curieusement, l'homme semblait le premier surpris. Mais bien sûr, lui n'avait rien fait – c'était l'automate qui venait de broyer l'œuf.

Deryn remarqua la main tendue du sultan. Il avait gardé les doigts ouverts...

Elle balaya la pièce du regard. Le kizlar agha et les hommes qui avaient apporté la caisse affichaient une expression stupéfaite, et il n'y avait personne d'autre en vue. Mais elle repéra une galerie supérieure derrière la tête de la statue, fermée par des grilles de bois, et crut y apercevoir quelqu'un.

Elle jeta un coup d'œil au Dr Barlow, pour attirer son attention sur la main ouverte du sultan. Mais la savante, livide, demeurait figée sur place ; sa décontraction avait volé en éclats en même temps que l'œuf.

— Je vois, Votre Majesté, que j'arrive trop tard.

Malgré son expression catastrophée, il y avait de

UN CADEAU BIEN MAL ACCUEILLI.

l'acier dans sa voix. Le sultan dut l'entendre lui aussi, car il s'éclaircit discrètement la gorge avant de dire :

— Pas nécessairement, docteur Barlow.

Il plaqua ses deux paumes l'une contre l'autre, mais l'automate demeura immobile, sa main géante figée sur les débris gluants de l'œuf.

— En un sens, les choses se sont arrangées toutes seules.

— Comment cela ?

— Aujourd'hui même, nous avons pu remplacer le dreadnought que vous nous avez « emprunté », par deux bâtiments de guerre au lieu d'un seul, répondit le sultan avec un sourire. Laissez-moi vous présenter le nouveau commandant en chef de la marine ottomane, l'amiral Wilhelm Souchon.

Un homme sortit de l'ombre, et Deryn en resta bouche bée. Il portait l'uniforme bleu de la marine allemande, assorti d'un fez rouge. Il fit claquer ses talons, s'inclina devant le sultan puis se tourna pour saluer le Dr Barlow.

— Madame, je vous souhaite la bienvenue à Istanbul.

Deryn fit la grimace. Voilà donc comment les deux cuirassés allemands avaient disparu – les Ottomans les avaient cachés, et réquisitionnés ! Et non seulement ils s'étaient emparés des navires, mais ils avaient placé le commandant du *Goeben* à la tête de toute leur foutue flotte.

La savante se contenta de toiser l'amiral, muette de stupéfaction. C'était la première fois que Deryn la voyait ainsi. Le silence se prolongea jusqu'à en devenir gênant ; on n'entendait que le bruit du blanc d'œuf qui s'écrasait sur les dalles.

Finalement, Deryn se racla la gorge et rendit son salut à l'Allemand.

— En tant que futur officier, je vous adresse les remerciements du British Air Service. Pour votre... heu... hospitalité.

L'amiral Souchon la dévisagea avec froideur.

— Je ne crois pas avoir eu l'honneur de vous être présenté, monsieur.

— Aspirant Dylan Sharp, à votre service.

— Un aspirant. Je vois.

Il se tourna vers le Dr Barlow, auquel il tendit la main.

— Pardonnez-moi, madame, pour ces formalités militaires. J'en oubliais presque que vous êtes une civile. C'est un plaisir de faire votre connaissance. Et je me félicite que, grâce à ma nomination récente, nous n'ayons pas à nous considérer comme des ennemis.

La savante lui tendit sa main à baiser.

— Je suis enchantée, moi aussi.

Ayant repris peu à peu son sang-froid, elle se tourna vers le sultan.

— Je dois admettre que deux cuirassés constituent un très joli présent. En fait, je suis tellement impressionnée par ce déploiement de générosité que je me sens tenue de vous proposer un autre cadeau au nom du gouvernement britannique.

Le sultan se pencha en avant.

— Vraiment ? Et de quoi s'agit-il ?

— Du *Léviathan*, Votre Majesté.

Le silence s'installa de nouveau dans la salle, et Deryn cligna des paupières. La savante aurait-elle complètement perdu la tête ?

— C'est le plus célèbre des grands souffleurs

d'hydrogène, poursuivit le Dr Barlow. Aussi précieux que l'*Osman* et son compagnon réunis. Ce ne sont pas nos amis allemands qui pourraient vous offrir un aéronef pareil.

Le sultan affichait un air réjoui, et Deryn nota que le sourire de l'amiral Souchon s'était figé sur ses lèvres. Elle-même se sentait prise de vertige, incapable d'en croire ses oreilles.

— Docteur Barlow, intervint-elle. Je crois qu'il est d'usage de consulter le commandant avant de... heu... offrir son aéronef.

— Bien sûr ! Où avais-je la tête ?

Le Dr Barlow fit un petit geste avec la main.

— Merci, monsieur Sharp. Nous aurons besoin de quelques jours de délai, Votre Majesté, pour obtenir l'aval de l'Amirauté avant de procéder au transfert.

— Hélas, docteur Barlow, fit l'amiral Souchon, la main sur la garde de son épée. En période de conflit, un port neutre ne saurait héberger un bâtiment de guerre étranger pendant plus de vingt-quatre heures. Le droit international est très strict sur ce point.

— Puis-je vous rappeler, amiral, signala le sultan d'une voix douce, que votre propre période de grâce s'est vu prolonger pendant la durée des négociations ?

L'Allemand ouvrit la bouche, puis la referma avant de s'incliner bien bas.

— Bien sûr, Votre Majesté. Je suis à vos ordres.

Adossé à son divan, le sultan sourit, et croisa les mains. Deryn observa que quand l'automate ne l'imitait pas, ses gestes devenaient beaucoup plus fluides. À moins qu'il n'apprécie simplement de pouvoir dresser deux grandes puissances l'une contre l'autre.

— La chose est entendue, dans ce cas, déclara-t-il.
Docteur Barlow, vous avez quatre jours pour me remettre le *Léviathan*.

☉   ☉   ☉

Trente minutes plus tard, le *Stamboul* s'envolait de
nouveau. Alors qu'il décrivait une large courbe au-
dessus du détroit scintillant pour retourner vers l'aérodrome, le kizlar agha rejoignit Deryn et le Dr Barlow à
la rambarde, le visage blême.

— Je ne sais pas quoi vous dire, madame. Le sultan
n'était pas lui-même aujourd'hui.

— Il m'a pourtant semblé avoir des convictions bien
arrêtées, répliqua le Dr Barlow, dont la voix tremblait
encore sous le choc.

— Certes. Mais il est différent depuis qu'il est revenu
au palais. Les Allemands ont apporté tellement de changements ici. Des changements que tout le monde
n'approuve pas.

Deryn fronça les sourcils. Elle aurait voulu mentionner ce qu'elle avait remarqué à propos de l'automate,
mais elle ne le pouvait pas, pas en présence du plus
proche conseiller du sultan.

La chouette mécanique était encore perchée sur
l'épaule du kizlar agha, mais Deryn nota que le cylindre
qu'elle portait sur le poitrail ne tournait plus. Peut-être
s'agissait-il d'une machine d'enregistrement, que
l'homme avait éteinte pour garder cette conversation
secrète.

— Êtes-vous en train de me dire qu'il pourrait

changer d'avis à propos des cadeaux du kaiser ? s'enquit le Dr Barlow avec prudence.

Le kizlar agha écarta les mains.

— Cela, je n'en sais rien, madame. Mais notre empire a déjà livré deux guerres au cours des dix dernières années, ainsi qu'une révolution sanglante. Tous ici ne veulent pas s'engager dans cette folie en Europe.

Le Dr Barlow hocha la tête.

— Faites-vous entendre, dans ce cas.

— Nous essaierons. La paix soit avec vous, et avec nous tous, dit-il, avant de s'incliner et de regagner la proue de l'aéronef.

— Comme c'est intéressant, murmura la savante en le regardant s'éloigner. Il reste peut-être de l'espoir pour ce pays.

— Que voulait-il dire exactement ? demanda Deryn.

— Peut-être a-t-il l'intention de glisser quelques bons conseils à l'empereur. Ou peut-être envisage-t-il quelque chose de plus radical. Ce ne serait pas la première fois qu'on renverse un sultan.

Deryn s'appuya à la rambarde et, soudain, elle les vit juste en dessous – le *Goeben* et le *Breslau* à l'ancre dans la Corne d'Or.

— L'amiral ne mentait pas, dit-elle, en voyant le drapeau ottoman flotter au mât des cuirassés. Ils devaient être cachés dans la mer Noire à notre arrivée.

— J'aurais dû m'en douter, pesta le Dr Barlow. Ces navires étaient coincés ici, sans aucune valeur pour les Allemands. Alors pourquoi ne pas les offrir au sultan ?

— Oui, à ce propos...

Deryn se racla la gorge, hésitant à poursuivre.

— Qu'est-ce qui vous a pris de vouloir lui faire

cadeau du *Léviathan* ? Vous n'auriez pas un peu perdu la tête, dites-moi ?

Le Dr Barlow lui jeta un regard oblique.

— Ne soyez pas stupide, monsieur Sharp. Il s'agissait d'une ruse afin de prolonger notre séjour ici. Vous l'aviez deviné, bien sûr, puisque vous avez joué votre rôle à la perfection. Quatre jours supplémentaires pourraient nous être très utiles.

Deryn se renfrogna. Joué son rôle ? Elle avait simplement exprimé la première chose qui lui était passée par la tête.

— Si nous n'avons pas l'intention de donner l'aéronef aux Ottomans, à quoi nous sert de rester ?

— Enfin, monsieur Sharp ! fit la savante, d'une voix où perçait une pointe d'agacement. Vous n'imaginez pas que j'aurais traversé la moitié de l'Europe sans un plan de secours ?

— C'est ça votre plan de secours, m'dame ? Faire de fausses promesses au sultan pour le mettre encore plus en colère ?

— Pas du tout. Je doute que la colère du sultan fasse beaucoup de différence, dans un sens ou dans l'autre. L'Empire ottoman se trouve déjà entre les mains des Allemands.

— Oui, c'est vrai, reconnut Deryn. Et à propos de mains, je ne suis pas sûr que le sultan ait vraiment eu l'intention d'écraser l'œuf.

Le Dr Barlow lui adressa un regard glacial.

— Seriez-vous en train de me dire que l'œuvre de ma vie aurait été détruite par accident ?

— Pas par accident, m'dame. Mais le sultan n'a pas

fermé le poing. Il n'a fait qu'indiquer l'œuf. C'est l'automate qui a broyé votre bestiole, pas lui !

Le Dr Barlow demeura silencieuse un moment, avant de hocher la tête.

— Bien sûr. Quelle idiote ! Cette salle du trône a été construite par des ingénieurs allemands. Ce sont eux qui étaient aux commandes, et non le sultan. Ils lui ont forcé la main, si j'ose dire.

— Eh oui.

Deryn baissa les yeux vers la mer. Le *Stamboul* avait achevé son virage et le *Goeben* rapetissait derrière eux. Mais elle distinguait encore la silhouette menaçante du canon Tesla, entourée d'une nuée d'oiseaux marins.

— À se demander ce qu'ils lui feront faire la prochaine fois, pas vrai ?

— Comme vous dites, monsieur Sharp.

Le regard de Deryn se perdit à l'horizon. La flotte méditerranéenne de la Royal Navy était stationnée juste au sud du détroit, guettant toujours la réapparition du *Goeben* et du *Breslau*. Et dans la direction opposée, la marine russe dormait dans ses ports de la mer Noire, sans savoir que son vieil ennemi le sultan avait acquis deux nouveaux cuirassés.

Il suffirait d'une brève sortie par l'amiral Souchon, d'un côté ou de l'autre, pour précipiter les Ottomans dans le conflit.

DIX-NEUF

— Ce n'est peut-être pas bien malin de quitter l'hôtel avec tous ces Allemands dans les parages.

Il n'y eut pas de réponse tandis qu'Alek boutonnait la veste de son nouveau costume.

— Mais les Allemands ignorent à quoi je ressemble. Et les Ottomans ne savent même pas que nous sommes là.

Alek coiffa son fez et se contempla dans le miroir, en attendant un commentaire. Il n'eut toujours pas de réponse.

Il donna une pichenette au gland de son fez. Fallait-il le laisser pendre à gauche ou à droite ?

— N'importe qui me prendrait pour un Turc dans ces habits. Et si je dois parler allemand, au moins ai-je travaillé mon accent roturier, de manière à ne plus m'exprimer comme un prince.

— Comme un prince, lâcha enfin la créature.

— Eh bien, maintenant je connais ton opinion, dit Alek avec un soupir.

Comment avait-il pu prendre l'habitude de s'adresser à cet animal ? Sans doute mémorisait-il tous ses secrets.

Cela valait mieux que faire part de ses doutes à ses

hommes, cependant. Et quelque chose dans l'expression intelligente et sereine de la créature lui donnait la sensation qu'elle l'écoutait vraiment, qu'elle ne se contentait pas de répéter quelques mots au hasard.

Alek inspecta son reflet une dernière fois dans le miroir puis se tourna vers la porte.

— Sois bien sage, et maître Klopp viendra t'apporter à manger. Pas de pleurnicheries. Je serai bientôt de retour.

La créature le fixa longuement, d'un air dur, puis parut se résigner.

— Bientôt de retour, répéta-t-elle.

◎　◎　◎

Le caporal Bauer, vêtu de ses nouveaux habits civils, l'attendait dans la chambre qu'il partageait avec Klopp. Le maître de mécanique, quant à lui, ne pouvait pas quitter l'hôtel : il était trop connu dans le milieu technique clanker, et Constantinople grouillait d'ingénieurs allemands.

En arrivant en ville la nuit précédente, Alek avait compté une douzaine de chantiers en construction sur lesquels flottait l'aigle noire sur champ jaune, le drapeau d'amitié du kaiser. Les vieilles murailles de la ville se hérissaient de nouvelles cheminées flambant neuves, de conduits de vapeur et d'antennes rutilantes. Alek se souvint que son père lui avait parlé du financement par les Allemands de la *mekanzimat*, la refondation de la société ottomane autour de la machine.

— Je continue à penser que ce n'est pas une bonne idée, jeune maître, déclara Klopp en se détournant du communicateur sans fil et de son cadran de boutons et de manettes.

— On ne risque pas de me reconnaître, lui assura Alek. Mon père s'est toujours opposé à ce qu'on fasse mon portrait ou qu'on me prenne en photo. En dehors de ma famille, presque personne ne sait à quoi je ressemble.

— Oui, mais souvenez-vous de ce qui s'est passé à Lienz !

Alek poussa un long soupir, en se rappelant la première fois qu'il avait tenté de se faire passer pour un homme du peuple.

— Oui, Klopp, je me suis comporté en vrai petit prince. Mais je crois que ma touche roturière s'est améliorée depuis, pas vous ?

Klopp n'avait pas l'air convaincu.

— Et si nous devons nous cacher dans l'Empire ottoman, continua Alek, nous avons besoin de savoir ce que manigancent les grandes puissances. Or, je suis le seul d'entre nous à parler une autre langue que l'allemand.

Le vieil homme soutint son regard un moment, puis détourna les yeux.

— Votre logique est imparable, jeune maître. Je préférerais simplement que ce ne soit pas à vous de prendre des risques.

— Moi aussi, je voudrais bien que Volger soit encore avec nous, reconnut Alek à voix basse. Mais je ne serai pas seul. J'aurai Bauer avec moi, n'est-ce pas, Bauer ?

— À votre service, monsieur, répondit Bauer.

— Eh oui. Au fait, j'y pense : pas de « monsieur » en dehors de cette chambre.

— Bien, monsieur. Enfin, hum… Comment faut-il vous appeler, monsieur ?

Alek sourit.

— Ma foi, ceux qui nous entendront discuter entre nous ne risquent pas de nous prendre pour des Turcs, alors autant choisir un nom bien allemand. Que diriez-vous de Hans ?

— Mais c'est mon nom, monsieur.

— Ah oui, bien sûr.

Alek s'éclaircit la gorge, en se demandant s'il avait su un jour quel était le prénom du caporal Bauer. Peut-être aurait-il pu le lui demander plus tôt.

— Appelez-moi Fritz, dans ce cas.

— Entendu, monsieur. Je veux dire – d'accord, Fritz, dit Bauer, et Alek vit Klopp secouer lentement la tête.

La partie était loin d'être gagnée…

◉ ◉ ◉

L'hôtel se situait tout près du Grand Bazar, le plus grand marché de Constantinople, et les rues étaient noires de monde ce soir. Alek et Bauer suivirent la foule, à la recherche d'un endroit où les ouvriers allemands se retrouvaient pour bavarder.

Ils s'enfoncèrent bientôt dans le bazar, labyrinthe de boutiques sous des plafonds voûtés éclairés par des lampadaires à gaz. Les boutiquiers vantaient leurs marchandises – lampes, vêtements, tapis, soieries, bijoux, cuir et pièces détachées – dans une demi-douzaine de langues différentes. Des ânes mécaniques se frayaient un chemin à travers les badauds, en faisant griller des marrons ou des brochettes de viande au-dessus de leur bloc moteur. Des femmes voilées passaient à bord de chaises articulées, aux jambes silencieuses, encadrées de serviteurs attentifs.

Alek se souvint de sa visite au marché de Lienz dans son déguisement de paysan, quand la proximité des corps et les odeurs l'avaient dégoûté. Mais le Grand

Bazar était presque un autre monde, où les senteurs de cumin, de paprika et d'eau de rose se mêlaient à la fumée âcre du tabac montant des pipes à eau bouillonnantes. Les jongleurs se disputaient la place disponible avec les diseuses de bonne aventure et les musiciens, pendant que de minuscules automates dansaient sur une couverture étalée par terre devant un homme assis en tailleur, sous les applaudissements de la foule.

Le réceptionniste de l'hôtel leur avait expliqué qu'il s'agissait d'un mois saint durant lequel les musulmans de la ville jeûnaient jusqu'au coucher du soleil. Ils semblaient se rattraper dès la tombée de la nuit.

— On ne voit pas beaucoup d'Allemands, observa Bauer. Croyez-vous qu'on puisse trouver une brasserie dans cette ville ?

— J'ignore si les Ottomans apprécient la bière, dit Alek, qui venait de croiser un jeune garçon avec un plateau rempli de verres vides. Mais pour le café, cela ne fait aucun doute.

Il arrêta le garçon et lui montra son plateau. L'autre hocha la tête et leur fit signe de le suivre, puis se faufila dans la foule en les attendant de temps à autre.

Le garçon les conduisit bientôt devant une grande salle bondée à l'entrée du marché. Des arômes de thé noir et de café saupoudré de chocolat s'échappaient de ses portes tandis qu'une épaisse fumée de tabac flottait au plafond.

Alors qu'Alek glissait une pièce au garçon pour sa peine, Bauer s'écria :

— J'ai l'impression que nous avons trouvé ce que nous cherchions, monsieur.

Alek leva la tête. Plusieurs drapeaux du kaiser

s'alignaient le long de l'auvent, et une chanson à boire en allemand retentissait à l'intérieur.

Alek soupira.

— Ce garçon nous a tout de suite identifiés comme des clankers. Attention où vous mettez les pieds, et plus de « monsieur », d'accord, Hans ?

— Désolé… Fritz.

Alek hésita à franchir le seuil. Le brouhaha des conversations en allemand lui donnait le frisson. Pas étonnant : les zeppelins du kaiser avaient su le retrouver caché au flanc d'un pic au beau milieu des Alpes ; peut-être courait-il moins de risques juste sous le nez de ses ennemis.

Il redressa les épaules et entra.

L'essentiel de la clientèle paraissait constitué de mécaniciens allemands. Certains portaient encore leur combinaison de travail, maculée de cambouis. Alek se sentit quelque peu déplacé dans son beau costume turc.

Bauer et lui trouvèrent une table libre, puis commandèrent un café à un jeune Turc en turban qui s'adressa à eux dans un allemand irréprochable.

Alors que le garçon repartait, Alek secoua la tête.

— Que les Ottomans s'engagent ou non dans le conflit, ce pays est déjà aux mains des Allemands.

— Pas difficile de comprendre pourquoi, observa Bauer en indiquant le mur.

Alek se retourna pour découvrir une grande affiche punaisée au-dessus d'eux, le genre de propagande que son père avait toujours détestée. En bas figurait une ville stylisée – « Istanbul » – surmontée de conduits de cheminées à vapeur et quadrillée de voies ferrées. À cheval sur le détroit, la ville était prise entre l'ours russe d'une part, régnant sur la mer Noire, et la Navy britannique d'autre part, basée en Méditerranée.

Le haut de l'affiche était dominé par une abomination géante, dressée au-dessus de l'horizon, un monstre darwiniste fabriqué à partir d'une demi-douzaine d'autres créatures. Il portait un chapeau melon, et brandissait un dreadnought dans une patte griffue, et un sac de pièces dans l'autre. Un petit homme nommé « Winston Churchill » se tenait sur son épaule, observant la scène pendant que le monstre menaçait les minarets et les dômes minuscules au-dessous de lui.

« Qui nous protégera de ces monstres ? » demandait la légende en haut de l'affiche.

— Il doit s'agir de l'*Osman*, dit Bauer en indiquant le dreadnought.

Alek hocha la tête.

— C'est curieux, mais si lord Churchill n'avait pas volé ce navire, le *Léviathan* n'aurait jamais été envoyé ici, à l'autre bout de l'Europe. Et nous serions toujours dans ce château perdu dans les Alpes.

— Où nous serions sans doute un peu plus à l'abri, reconnut Bauer avec un sourire. Mais nous aurions aussi beaucoup plus froid, et personne ne nous apporterait un délicieux café turc.

— Vous pensez donc que j'ai fait le bon choix, Hans ? En renonçant à la sécurité de notre refuge ?

— Vous ne l'aviez pas tellement, le choix, monsieur – enfin, Fritz, répondit Bauer en haussant les épaules. Vous deviez affronter la situation telle qu'elle se présentait, quels que soient les plans de votre père. Nous en arrivons tous là un jour ou l'autre.

Alek hocha la tête, heureux de cette réponse. Il n'avait

encore jamais demandé son avis à Bauer, mais à présent qu'il assumait le commandement, c'était bon de savoir que l'homme ne le considérait pas comme un parfait imbécile.

— Et votre père, Hans ? Il doit vous prendre pour un déserteur.

L'homme secoua la tête.

— Mes parents se sont débarrassés de moi il y a bien longtemps. Trop de bouches à nourrir chez nous. C'est la même chose pour Hoffman, je crois. Votre père n'a choisi que des hommes sans famille pour vous aider.

— Délicate attention de sa part, je suppose, dit Alek, frappé par l'idée que ses hommes et lui étaient tous orphelins, d'une certaine manière. Mais quand cette guerre sera finie, Hans, je jure que vous n'aurez plus jamais faim.

— Inutile, Fritz. Je ne fais que mon devoir. De toute façon, je n'ai pas l'impression qu'on puisse vraiment mourir de faim dans cette ville.

Le café arriva, fleurant bon le chocolat et onctueux comme du miel noir. Il était sans conteste bien meilleur que celui qu'ils auraient pu se préparer sur un feu de camp au fin fond des Alpes.

Alek but une longue gorgée et les arômes savoureux balayèrent ses idées noires. En prêtant l'oreille aux conversations des tables voisines, il entendit surtout des récriminations à propos de retards dans la livraison des pièces, ou des lettres censurées qui parvenaient du pays. La conquête de la Belgique était presque achevée, et les mécaniciens faisaient la fête. La France serait la prochaine à tomber. Viendrait ensuite une brève campagne contre la Russie darwiniste et la forteresse insulaire de Grande-Bretagne. À moins que le conflit ne s'éternise,

Un délicieux café dans la fosse aux serpents.

faisaient valoir certains, mais tous s'accordaient à reconnaître que l'Allemagne finirait par l'emporter – les monstres fabriqués n'étaient pas de taille face à la bravoure et à l'acier des clankers.

Personne ne semblait se soucier de savoir si les Ottomans s'engageraient ou non dans le conflit. Les Allemands montraient une confiance totale envers eux-mêmes et leurs alliés autrichiens.

Bien sûr, le haut commandement voyait peut-être les choses différemment.

Soudain, Alek capta des bribes de phrases en anglais. Il se retourna et vit un homme s'avancer lentement entre les tables, posant des questions qui ne lui valaient que des haussements d'épaules et des regards d'incompréhension. L'homme portait un vieux manteau fatigué, un chapeau informe. Un appareil photo était suspendu à son cou. Il avait aussi un animal fabriqué sur l'épaule – une grenouille, peut-être, cachée derrière le col de son veston et qui scrutait la salle de ses yeux globuleux.

Un darwiniste, ici, dans cet endroit qui était presque un territoire allemand ?

— Excusez-moi, messieurs, leur dit-il en parvenant à la table d'Alek. Mais l'un d'entre vous parlerait-il anglais ?

Alek hésita. L'homme avait un accent curieux et n'avait pas l'air anglais. Et son appareil semblait de conception clanker.

— Moi, un peu, dit Alek.

Un large sourire aux lèvres, l'autre lui tendit la main.

— Excellent ! Eddie Malone, reporter au *New York World*. Ça ne vous ennuie pas si je vous pose quelques questions ?

VINGT

L'homme s'assit sans attendre de réponse, appela un serveur d'un claquement de doigts et commanda un café.

— J'ai bien entendu « reporter » ? marmonna Bauer en allemand. Êtes-vous sûr que ce soit bien malin de lui parler, Fritz ?

Alek hocha la tête – c'était l'occasion rêvée. Le métier d'un journaliste étranger, après tout, consistait précisément à démêler la politique locale, à percer à jour les manœuvres des grandes puissances ici, dans l'Empire ottoman. Et il semblait beaucoup moins risqué de discuter avec Malone que d'essayer de tirer les vers du nez à un Allemand qui risquait de remarquer les inflexions aristocratiques d'Alek.

Quelques clients aux tables voisines avaient vaguement suivi le reporter des yeux, mais personne ne faisait plus attention à lui désormais. Les rues de Constantinople étaient pleines de visions autrement plus étranges que celle d'un Européen avec un crapaud fabriqué sur l'épaule.

— Je ne suis pas sûr de vous être très utile, s'excusa Alek. Nous venons à peine d'arriver.

Le reporter sortit un calepin froissé.

— Ne vous en faites pas. Je ne vous poserai pas de questions pièges. Je cherche à me renseigner sur la *mekanzimat* – toutes ces constructions nouvelles que les Allemands sont en train de bâtir à Istanbul. Êtes-vous venus pour travailler sur un projet en particulier ?

Alek s'éclaircit la gorge. L'homme les avait pris pour des Allemands, bien sûr. Il était sans doute incapable de distinguer un accent autrichien du coassement de son propre crapaud. Mais il ne servait à rien de le détromper.

— Nous ne sommes pas des ouvriers, monsieur Malone. Nous sommes là en simple visite. Pour profiter du paysage.

Malone détailla Alek de pied en cap, puis son regard s'arrêta sur le fez posé sur la chaise à côté de lui.

— Je vois que vous avez déjà pris le temps de faire des emplettes. C'est curieux, tout de même. Des hommes en âge de servir sous les drapeaux, qui font du tourisme en temps de guerre !

Alek se maudit intérieurement. Il avait toujours été très mauvais menteur, mais se faire passer pour un touriste alors que les Européens étaient tous mobilisés jusqu'au dernier… Malone devait les prendre pour des déserteurs, ou des espions.

Par chance, une certaine dose de mystère ne pouvait pas leur nuire.

— Disons seulement que vous n'avez pas besoin de connaître nos noms.

Alek indiqua l'appareil photo.

— Et pas de photos, s'il vous plaît !

— Aucun problème. Istanbul est pleine de gens anonymes.

L'homme tendit la main pour gratter son crapaud sous le menton.

— Je suppose que vous êtes arrivés par l'Express ?

Alek hocha la tête. L'Orient-Express filait tout droit de Munich jusqu'à Constantinople, et il pouvait difficilement raconter qu'il était venu à bord d'un aéronef.

— Il devait y avoir beaucoup de monde, avec tous les nouveaux ouvriers qui affluent.

— Nous avions notre propre cabine.

À peine eut-il lâché ces mots qu'Alek se maudit de nouveau. Pourquoi ne parvenait-il jamais à cacher le fait qu'il était riche ?

— Alors vous n'avez pas discuté avec ceux qui travaillent sur cette tour de communications, j'imagine ?

— Une tour de communications ? répéta Alek.

— Oui. Celle que les Allemands construisent sur la falaise ouest. Un projet spécial pour le sultan, paraît-il. Elle est gigantesque – elle a même sa propre centrale !

Alek jeta un coup d'œil à Bauer, en se demandant ce qu'il réussissait à suivre de la conversation grâce au peu d'anglais qu'il avait appris à bord du *Léviathan*. Une grande tour de communications sans fil pouvait nécessiter sa propre centrale électrique, mais un canon Tesla aussi.

— J'ai bien peur que nous ne sachions rien de tout cela, reconnut Alek. Nous ne sommes à Constantinople que depuis deux jours.

Malone l'observa attentivement, une lueur dans le regard, comme si Alek venait de lui glisser une plaisanterie subtile.

— Pas assez longtemps pour l'appeler Istanbul, à ce que je vois.

Alek se souvint que le Dr Barlow leur avait dit que les autochtones appelaient leur ville autrement, mais le réceptionniste de l'hôtel n'avait pas semblé y prêter attention.

— Quel que soit le nom que vous lui donnez, nous n'en avons pas vu grand-chose.

— Quoi, vous n'êtes pas encore descendus sur les quais pour admirer les nouveaux bâtiments de guerre du sultan ?

— Des nouveaux bâtiments de guerre ?

Malone plissa les paupières.

— Deux cuirassés que les Allemands viennent de céder aux Ottomans. Vous ne les avez vraiment pas vus ? On ne peut pas les rater, pourtant.

Alek secoua la tête.

— Non, nous n'avons pas encore vu le port.

— Pas vu le *port* ? Nous sommes sur une péninsule, vous savez. Et je croyais que l'Orient-Express longeait le front de mer ?

— C'est vrai, admit Alek avec raideur. Mais nous étions très fatigués à notre arrivée, et il faisait nuit noire.

L'homme parut amusé une fois de plus – c'était sans espoir. La prochaine fois, Malone allait lui dire que la lune était pleine, ou que l'Orient-Express n'arrivait jamais de nuit.

Mais au fond, quelle importance ? Il ne croyait pas un mot de ce que lui racontait Alek de toute façon. Le moment était peut-être venu de changer de sujet.

— Curieuse créature que vous avez là, dit Alek en montrant le crapaud. Je ne savais pas que les Ottomans autorisaient les abominations darwinistes dans leur pays.

Malone s'esclaffa.

— Oh, il suffit de savoir à qui graisser la patte. Je ne me déplace jamais nulle part sans Rusty. Sa mémoire est bien meilleure que la mienne.

Alek écarquilla les yeux.

— Il... mémorise des choses ?

— Oui. Vous avez déjà vu l'un de ces lézards messagers ?

— J'en ai entendu parler.

— Eh bien, Rusty leur est apparenté. Sauf qu'il a tout dans la cervelle et rien dans les pattes. Il peut entendre une conversation d'une heure et vous la répéter ensuite, mot pour mot.

L'homme caressa la tête de son crapaud, dont les yeux globuleux clignèrent.

Alek se renfrogna. Il se demanda si la créature qui l'attendait à l'hôtel ne serait pas un animal du même acabit.

— Est-il en train d'enregistrer ce que nous disons en ce moment ?

Le reporter haussa les épaules.

— Pour autant qu'on peut considérer que vos réponses ont une quelconque valeur informative.

— Comme je vous l'expliquais, nous venons d'arriver.

— En tout cas, votre anglais n'est pas rouillé du tout, dit l'homme en riant. On dirait que vous avez révisé rien que pour moi.

— Trop aimable, rétorqua Alek.

Ces deux dernières semaines, naturellement, il avait plus souvent parlé anglais qu'allemand.

— Vous avez une excellente oreille. Cela ne vous ennuie pas si je vous pose quelques questions à mon tour ?

— Bien sûr. Pourquoi pas ?

Le reporter lécha son crayon.

— Pensez-vous que les Ottomans se joindront aux clankers dans le conflit ?

Malone fit la moue.

— Je doute que les Allemands se préoccupent de ça.

Ils sont là sur le long terme. Ils veulent vaincre les darwinistes en Europe, puis étendre leur influence dans le monde entier. Ils sont déjà en train de prolonger l'Express en direction de Bagdad.

Alek avait entendu son père tenir le même discours, à savoir que l'Orient-Express était construit pour propager l'influence clanker au Moyen-Orient et jusqu'au cœur de l'Asie.

Malone indiqua d'un geste l'affiche de propagande derrière Alek.

— Tout ce qui les intéresse pour l'instant, c'est que les Ottomans ferment les Dardanelles afin que les Russes ne puissent plus faire venir de denrées par le sud.

— Il est plus facile d'affamer son adversaire que de le combattre, approuva Alek. Mais les Ottomans peuvent-ils tenir le détroit contre la Navy britannique ?

— Les bâtiments de surface ne peuvent pas franchir les mines et les batteries, et ils ont des filets pour tenir les krakens à distance. Ce qui exclut tout autre moyen de transport que les aéronefs, et encore, les Ottomans pourraient bien en obtenir un très bientôt.

— Je vous demande pardon ?

Le visage de Malone s'éclaira.

— Il faut absolument que vous voyiez ça. Le *Léviathan*, l'un des grands souffleurs d'hydrogène, se trouve ici même, à Istanbul.

— Il est encore… Je veux dire, un aéronef britannique, ici ? N'est-ce pas un peu bizarre, avec le conflit en cours ?

— Je dirais que si. Et le plus bizarre, c'est que les Britanniques envisagent de l'offrir au sultan ! Après les deux cuirassés dont les Allemands lui ont fait cadeau, il semble que les Britanniques aient décidé de surenchérir. Le sultan en personne doit monter à bord demain avec une poignée de journalistes.

Alek en demeura abasourdi. Que le *Léviathan* soit remis à une puissance clanker était absurde. Mais si l'aéronef n'était pas encore reparti, cela signifiait que le comte Volger se trouvait toujours à Istanbul.

— En serez-vous ?

— Je ne manquerais ça pour rien au monde, répondit Malone, rayonnant. Nous avons des souffleurs d'hydrogènes aux États-Unis, mais aucun d'eux n'est aussi gros. Regardez en l'air demain, et vous comprendrez ce que je veux dire !

Alek le dévisagea. S'il avait raison à propos du *Léviathan*, alors Volger avait peut-être encore une chance de s'échapper. Hélas, il devait s'imaginer qu'Alek et ses compagnons s'étaient évaporés dans la nature.

C'était de la folie de se fier à cet Américain, mais Alek devait courir le risque.

— Peut-être pourriez-vous faire quelque chose pour moi, dit-il à voix basse. J'aurais besoin de faire passer un message à bord de cet aéronef.

Malone haussa les sourcils.

— Vous m'intéressez.

— Mais vous ne devrez rien écrire là-dessus.

— Je ne peux rien vous promettre. Cela dit, mon journal se trouve à New York, très loin d'ici, et je dois recourir à des sternes messagères pour envoyer mes articles. Tout ce que j'écris met quatre jours à retourner là-bas, après quoi il faut compter encore un jour ou deux avant que le journal imprimé n'arrive jusqu'ici. Vous voyez où je veux en venir ?

Alek acquiesça de la tête. S'ils parvenaient à faire

évader Volger, cinq jours leur suffiraient largement pour disparaître.

— Très bien, dans ce cas, déclara Alek après avoir pris une longue inspiration. Il y a un homme à bord du *Léviathan*, un prisonnier.

Le crayon de Malone se figea au-dessus de son calepin.

— Un compatriote allemand, je présume ?

— Non, un Autrichien. Il s'appelle…

Alek s'interrompit – l'éclairage des lampes à gaz diminuait tout autour d'eux, plongeant la salle dans la pénombre.

— Que se passe-t-il ? siffla Bauer.

Malone eut un petit geste de la main.

— Ne vous en faites pas. Ce n'est qu'un théâtre d'ombres.

Les conversations s'éteignirent dans tout le café, et bientôt, le mur du fond s'éclaira en crépitant. Alek réalisa qu'il ne s'agissait pas d'un mur mais d'un grand écran de papier éclairé par-derrière au moyen de grosses lampes à gaz.

Des silhouettes se découpèrent sur le papier, figurant des monstres et des hommes.

Alek écarquilla les yeux. L'une de ses tantes, à Prague, avait collectionné les marionnettes d'ombres d'Indonésie, créations de cuir aux bras et aux jambes articulés, tout à fait comparables à des marionnettes ordinaires mais manipulées par des baguettes au lieu de ficelles. Ces ombres-là, cependant, se déplaçaient avec la régularité d'une pièce d'horlogerie. En vraies marionnettes clankers, elles étaient mues par des machines et non par la main de l'homme.

Les comédiens dissimulés derrière l'écran s'exprimaient apparemment en turc, mais l'histoire était facile à suivre. Au bas de l'écran, des vagues déferlaient autour d'une immense créature marine, un monstre darwiniste couvert de tentacules et de crocs. La bête s'approcha d'un navire sur le pont duquel deux hommes discutaient tranquillement, sans se douter de rien. Alek saisit le nom de Churchill dans leur conversation.

Puis soudain, la créature jaillit hors de l'eau, s'empara de l'un des hommes et l'entraîna avec elle dans les abysses. Curieusement, l'autre ne fit qu'en rire...

Alek sursauta : quelqu'un serrait son bras. Il s'agissait de Bauer, lequel lui indiqua d'un coup de menton deux soldats allemands qui passaient de table en table et comparaient chaque visage à une photographie.

— Nous ferions mieux de partir, Fritz, murmura Bauer.

— Ils sont là pour quelqu'un d'autre, lui assura Alek.

Personne n'avait jamais pris la moindre photo de lui.

Malone avait surpris leurs regards inquiets, et se retourna vers les soldats allemands. Puis il se pencha et leur chuchota :

— Si vous avez à faire, peut-être pourrions-nous nous revoir demain ? À midi, devant la mosquée Bleue ?

Alek allait lui expliquer qu'ils n'avaient aucunement besoin de partir, quand l'un des soldats se raidit. Il baissa les yeux sur la photo qu'il tenait à la main, puis les releva sur Alek.

— Impossible, souffla Alek.

Puis il réalisa que ce n'était pas lui que regardait le soldat.

C'était Bauer.

VINGT ET UN

— Quel imbécile je fais ! murmura Alek.

Les Allemands, bien sûr, avaient enquêté sur les hommes qui s'étaient enfuis avec lui la nuit de sa disparition. Bauer, Hoffman et Klopp appartenaient à la garde des Habsbourg, et tous avaient une photo dans leur dossier militaire. Alek avait oublié qu'on pouvait aussi rechercher les roturiers.

Il jeta des regards affolés autour de lui. Deux autres soldats allemands barraient l'entrée, et le café n'avait pas d'autre issue. Les soldats qui avaient remarqué Bauer discutaient à voix basse, avec des regards nerveux dans leur direction.

Malone se renfonça dans sa chaise et déclara d'une voix tranquille :

— Il y a une porte à l'arrière du café.

Alek regarda – le mur du fond était entièrement masqué par l'écran, mais celui-ci était en papier.

— Hans, avez-vous un couteau ? chuchota Alek.

Bauer hocha la tête et mit la main dans sa poche.

— Ne vous inquiétez pas, monsieur. Je me charge de les occuper pendant que vous prenez la fuite.

— Pas question, Hans. Nous allons fuir ensemble. Passez-moi le couteau, et suivez-moi.

Bauer fronça les sourcils mais lui glissa son arme. Les deux soldats allemands faisaient des signes à leurs collègues à l'entrée. Il était temps d'agir.

— À midi, demain, à la mosquée Bleue, souffla Alek.

Il attrapa son fez, bondit sur ses pieds et piqua un sprint entre les tables jusqu'à l'écran.

L'immense feuille de papier se fendit en deux sous son couteau, dévoilant les rouages et les lampes à gaz qui ronronnaient derrière. À demi aveuglé, Alek trébucha et se cogna contre une énorme machine bourdonnante. Il se retint à une lampe à gaz, qui lui brûla la paume comme un tison. La lampe se renversa ; des flammes et des bouts de verre s'éparpillèrent sur le plancher.

Des cris retentirent derrière lui. Une odeur de gaz et de papier en train de brûler alerta les clients et un début de panique saisit l'assemblée. Alek entendit l'un des soldats leur crier de le laisser passer.

— La porte, monsieur ! cria Bauer.

Alek ne voyait rien, sinon des points lumineux qui dansaient devant ses yeux, mais Bauer le tira par la main en trébuchant sur les rouages et les morceaux de verre.

La porte s'ouvrit sur la nuit, et Alek savoura la sensation de l'air frais contre sa paume brûlée. Il suivit Bauer en clignant des yeux pour chasser son éblouissement.

La ruelle ressemblait à une version miniature du Grand Bazar, bordée d'échoppes de la taille d'une armoire et d'étals encombrés de pistaches, de noix et de fruits. Des visages surpris se tournaient vers Alek et Bauer en les voyant passer au pas de course.

UNE ÉVASION DÉCHIRANTE.

Alek entendit la porte se rouvrir et claquer derrière lui. Puis une détonation retentit dans la ruelle, et un nuage de poussière se souleva des vieilles pierres au-dessus de sa tête.

— Par ici, monsieur ! cria Bauer, en lui indiquant le coin.

Les gens s'écartaient précipitamment devant eux désormais, et la rue devint une pagaille d'étals renversés. Des volets s'ouvraient au-dessus d'eux, et des cris réson-naient sur les murs dans une douzaine de langues.

Une autre balle siffla à leurs oreilles, et Alek suivit Bauer dans un passage latéral entre deux bâtiments : une voie déserte, étroite, où leurs bottes clapotaient dans les eaux usées qui coulaient au milieu. Ils durent se courber pour passer sous des arches de pierre.

La voie ne ramenait pas au Grand Bazar, ni même dans une rue – elle semblait s'enrouler sur elle-même, en suivant une spirale de conduits de vapeur et de gaines de câbles. La maigre clarté de la lune avait bien du mal à descendre jusqu'aux pavés, et Alek perdit bientôt tout sens de l'orientation.

On distinguait de nombreux mots et symboles tracés à la craie sur les murs – Alek reconnut de l'arabe, du grec et de l'hébreu, mêlés à des signes qui lui étaient étrangers. Il avait le sentiment que Bauer et lui s'enfon-çaient dans une ville plus ancienne cachée à l'intérieur de la première, l'Istanbul avant que les Allemands élar-gissent les boulevards et les remplissent de machines rutilantes.

À un coin, Bauer arrêta Alek.

Un mécanopode se dressait devant eux, haut de six étages. Il avait un corps long et sinueux, comme un

serpent dressé, et deux bras articulés. La cabine de pilotage ressemblait à un visage de femme qui avait l'air de
les toiser d'en haut, parfaitement immobile.

— Volger nous en a parlé, murmura Alek. Les golems
de fer. Ils font respecter l'ordre entre les différents
ghettos.

— Celui-ci m'a l'air vide, dit Bauer d'un air inquiet.
Et les moteurs sont à l'arrêt.

— Peut-être qu'il n'est là que pour donner le change.
Il n'est même pas armé.

Le mécanopode dégageait une présence impressionnante, pourtant, comme la statue de quelque déesse
païenne. Le visage géant semblait esquisser l'amorce
d'un sourire.

Des cris lointains leur parvinrent, et Alek détacha les
yeux de la machine.

— Nous pourrions nous glisser dans l'une de ces
maisons et nous y cacher, suggéra Bauer en indiquant
dans le mur de la ruelle une porte basse, percée d'une
fenêtre grillagée.

Alek hésita. S'introduire dans un foyer inconnu ne
leur vaudrait que des ennuis, surtout si les propriétaires
du mécanopode endormi se trouvaient dans les parages.

Des sifflets se répondaient tout autour d'eux, comme
si leurs poursuivants se rapprochaient…

Ou presque.

Alek leva les yeux vers les tuyaux de vapeur qui grim-
paient le long des murs. La plupart étaient brûlants et
ruisselaient, mais il courut le long du passage, les toucha
l'un après l'autre jusqu'à ce qu'il en trouve un qui était
froid.

Il glissa le couteau dans sa ceinture.

— Passons par les toits.

Bauer donna un coup dans le conduit ; de la poussière de plâtre se détacha autour des fixations rouillées.

— Je vais y aller le premier, monsieur, au cas où le tuyau se décrocherait.

— Si cela devait arriver, Hans, je pense que nous aurions des ennuis tous les deux, mais je vous en prie.

Bauer empoigna le conduit et commença à grimper.

Alek le suivit. Ses bottes trouvaient facilement des prises sur le mur de pierre, et le tuyau rouillé tenait bon. Mais alors qu'ils parvenaient à mi-hauteur, sa paume brûlée commença à le lancer, et à palpiter comme si une flamme se trouvait piégée sous la peau. Il lâcha le tuyau et secoua sa main, pour éteindre la douleur qui courait dans ses nerfs.

— Nous y sommes presque, monsieur, lui souffla Bauer. Je vois une gouttière juste au-dessus de moi.

— J'espère qu'il y aura de l'eau dedans, grommela Alek sans cesser d'agiter la main. Je tuerais pour un seau d'eau froide.

Sa botte droite dérapa de quelques centimètres, et Alek se cramponna des deux mains au tuyau. Mieux valait une brève torture qu'une longue chute.

Bientôt, Bauer se hissa par-dessus la corniche et disparut à sa vue. Mais quand Alek tendit le bras vers la gouttière, il entendit des clameurs en contrebas.

Il se colla au mur et resta immobile.

Des soldats descendaient la ruelle au pas de charge, en uniforme allemand. L'un d'eux hurla quelque chose à ses compagnons, et tous s'arrêtèrent sous Alek. L'homme qui avait crié s'agenouilla et ramassa quelque chose dans la poussière.

Alek jura tout bas. Bauer avait fait tomber son couteau.

C'était une arme de la garde des Habsbourg, avec le blason de la famille d'Alek sur le manche. Si les Allemands se demandaient encore s'il était bien à Istanbul, voilà qui allait balayer leurs doutes.

Les soldats restèrent sur place à discuter, sans paraître remarquer les tuyaux de vapeur qui s'élevaient autour d'eux. L'officier indiqua toutes les directions et partagea ses hommes.

« Allez-vous-en ! » les implora intérieurement Alek. S'accrocher au tuyau sans bouger était mille fois plus pénible que de l'escalader. Sa main brûlée était gagnée par les crampes, et sa blessure aux côtes, vieille d'une semaine, pulsait au rythme de son pouls.

Enfin, le dernier soldat tourna le coin et Alek put tendre le bras et attraper la gouttière. Mais alors qu'il se hissait vers le haut, on entendit un grincement et la gouttière se détacha de la pierre avec une série de claquements secs.

Alek se sentit partir en arrière, le cœur au bord des lèvres, tandis que les fixations s'arrachaient une à une. La gouttière tenait encore par un bout, mais il la sentait se plier entre ses mains.

— Monsieur !

Bauer se pencha au-dessus du toit et essaya d'attraper Alek par le poignet, mais la gouttière était trop loin du mur.

Alek rua dans le vide pour tenter de se rapprocher, mais ce mouvement ne fit que décrocher d'autres attaches.

— Le mécanopode ! s'écria Bauer.

Alek réalisa qu'une ombre gigantesque s'avançait sous

lui, en crachant de la vapeur aux articulations dans la fraîcheur nocturne. L'un des grands bras se tendit vers lui…

Il lâcha prise, et tomba dans l'énorme main de métal. Le choc lui coupa le souffle, et une vive douleur parcourut ses côtes meurtries. Il commença par déraper, et les boutons de sa tunique s'arrachèrent contre l'acier, mais la main se referma en coupe autour de lui.

Il leva la tête – le bras continuait à bouger afin de le rapprocher du mécanopode. Le visage de ce dernier s'ouvrit en deux, comme un hublot laissant apparaître la cabine de pilotage.

Trois hommes se tenaient à l'intérieur. Deux étaient penchés par-dessus bord et scrutaient la ruelle, le pistolet à la main. Le troisième, assis aux commandes du mécanopode, affichait une expression intriguée.

Des jets de vapeur les environnaient, crachés par les articulations de la machine. Alek prit conscience que les moteurs étaient toujours éteints ; le pilote avait utilisé la pression pneumatique emmagasinée dans les circuits.

— Vous parlez allemand, dit l'homme installé aux commandes. Et pourtant, vous avez les Allemands à vos trousses. Très intéressant.

— Nous ne sommes pas allemands, répondit Alek, mais autrichiens.

L'homme se renfrogna.

— Vous n'en restez pas moins des clankers. Seriez-vous des déserteurs ?

Alek secoua la tête. Difficile de savoir à quel camp il appartenait, ces derniers temps, mais il n'était pas un déserteur.

— Puis-je vous demander qui vous êtes, monsieur ?

L'homme sourit et manipula les commandes.

— Celui qui vient de vous sauver d'une chute mortelle.

— Monsieur, voulez-vous que je..., commença Bauer, mais Alek le fit taire d'un geste.

La main géante s'approcha encore de la tête du mécanopode, et s'ouvrit à plat. Alors qu'Alek se remettait debout, l'un des deux autres hommes s'exprima dans une langue inconnue. Cela ressemblait plus à de l'italien qu'au turc qu'il avait entendu dans la rue aujourd'hui. Et le propos ne semblait pas très amical.

Le pilote du mécanopode éclata de rire.

— Mon ami propose de vous laisser tomber, parce qu'il vous croit allemand. Nous ferions peut-être mieux de continuer dans une autre langue.

Alek haussa les sourcils.

— Avec plaisir. Parlez-vous l'anglais ?

— Très bien, reconnut l'homme en passant d'une langue à l'autre sans le moindre effort. J'ai fait mes études à Oxford.

Alek fit une petite courbette, puis indiqua Bauer qui les fixait depuis le toit, les yeux écarquillés.

— D'accord. Je m'appelle Aleksandar. Et voici Hans, mais j'ai peur qu'il ne parle pas un mot d'anglais.

— Moi, c'est Zaven.

L'homme indiqua ses deux compagnons d'un geste dédaigneux.

— Ces deux barbares ne parlent que le roumain et le turc. Ne faites pas attention à eux. Mais je vois que vous avez reçu une bonne éducation.

— Merci de m'avoir sauvé, monsieur. Et de... ne pas m'avoir laissé tomber.

Une lueur malicieuse pétilla dans les yeux de Zaven.

— Ma foi, quelqu'un qui est recherché par les Allemands ne peut pas être foncièrement mauvais. Auriez-vous fait quelque chose pour les mettre en colère ?

Alek prit une longue inspiration, le temps de choisir ses mots avec soin.

— Je le crains. Ils sont à ma poursuite depuis le début de la guerre. Ils avaient des raisons d'en vouloir à mon père.

— Ah, ah ! Un rebelle de la deuxième génération, comme moi !

Alek regarda ses compagnons.

— C'est donc ce que vous êtes tous les trois ? Des révolutionnaires ?

— Nous sommes bien plus que trois, monsieur. Nous sommes des milliers ! Nous sommes du Comité Union et Progrès.

Zaven se dressa derrière son pupitre de commandes et salua.

Alek hocha la tête. Il avait entendu ce nom six ans plus tôt, quand la rébellion avait exigé le retour à un gouvernement élu. Mais les Allemands étaient intervenus pour les écraser et maintenir le sultan au pouvoir.

— Vous faisiez donc partie de la rébellion des Jeunes-Turcs ?

— Les Jeunes-Turcs ? Peuh ! cracha Zaven. Nous nous sommes séparés de ces crétins depuis des années. Ils considèrent qu'il n'y a pas de vrais Ottomans en dehors des Turcs. Comme vous le voyez, le comité a les idées plus larges. Mes deux amis sont valaques, je suis arménien, et nous avons parmi nous des Kurdes, des Arabes et des Juifs. Et de nombreux Turcs, bien sûr !

Il rit.

Alek acquiesça lentement de la tête, avec à l'esprit les slogans à la craie aperçus lors de sa fuite, cet embrouillamini de langues qui empruntait à tous les peuples de l'empire.

Et tous ces gens se battaient ensemble – contre les Allemands.

Un bref instant, Alek chancela dans la main du géant de métal. Peut-être était-ce le contrecoup de sa chute évitée de justesse, mais son pouls s'emballait de nouveau.

Ces hommes pouvaient représenter des alliés. Enfin, il entrevoyait une chance de faire davantage que fuir et se cacher, une manière de rendre la monnaie de leur pièce aux assassins de ses parents.

— Monsieur Zaven, déclara-t-il, je crois que vous et moi devrions nous entendre à merveille.

VINGT-DEUX

— Saleté d'épice. Vas-tu te décider à partir ? gronda Deryn, avant d'éternuer pour la centième fois de la journée.

Le sultan et sa suite allaient monter à bord dans une heure et l'équipage au complet devait être en grand uniforme dans trente minutes. Mais elle avait beau frotter, la tache rouge sur sa chemise refusait de disparaître.

Elle était mal embarquée.

Un jappement à la porte de sa cabine la fit sursauter. C'était Tazza qui sautillait sur ses pattes arrière, un os dans la gueule. Depuis que le Dr Barlow avait prétendu vouloir donner le *Léviathan*, les animaux mangeaient mieux. Pendant deux jours, l'équipage avait multiplié les allers et retours au marché et chez les forgerons d'Istanbul, troquant l'ambre gris de l'aéronef contre des provisions et des pièces détachées. Hormis l'uniforme de Deryn, tout était prêt pour la réception de leur hôte impérial.

La savante apparut derrière son thylacine. Elle était parvenue à extraire de ses bagages une robe éblouissante, ainsi qu'un chapeau surmonté de plumes d'autruche assorties à ses gants blancs. Même Tazza portait un bijou extravagant, une rivière de diamants qui scintillait autour de son cou.

— Monsieur Sharp, dit-elle avec un claquement de langue réprobateur. Une fois de plus, votre tenue laisse à désirer.

Deryn lui montra sa chemise.

— Désolé, m'dame. C'est qu'elle est fichue, et que je n'en ai pas d'autre !

— Eh bien, heureusement que vous n'aurez pas à servir le sultan ce soir. M. Newkirk vous remplacera.

— Mais tous les membres d'équipage doivent être en grand uniforme !

— Pas ceux qui se verront confier des tâches plus importantes.

Le Dr Barlow lui tendit la laisse du thylacine.

— Quand vous aurez sorti Tazza, rejoignez-moi auprès du commandant dans la salle de navigation, s'il vous plaît. Je crois que notre conversation devrait beaucoup vous intéresser.

Tazza tenta de la tirer vers la porte, mais Deryn résista.

— Excusez-moi, m'dame. Vous dites que le commandant veut me voir. Cette entrevue fait-elle partie de votre plan de secours en ce qui concerne les Ottomans ?

La savante lui sourit avec froideur.

— En partie. Mais cela concerne également vos exploits récents. À votre place, je ne traînerais pas en route.

◉   ◉   ◉

La salle de navigation se trouvait à l'avant de l'aéronef, juste sous la passerelle. C'était une petite pièce tranquille où le commandant se retirait parfois pour réfléchir, ou pour adresser des remontrances loin des oreilles indiscrètes.

Deryn sentit son estomac se nouer à mesure qu'elle s'approchait de la salle. Et si les officiers l'avaient vue prendre ses leçons d'escrime avec le comte Volger ? Chaque fois qu'elle lui apportait son repas, elle restait une vingtaine de minutes à s'entraîner avec un manche à balai.

Mais le commandant se chargerait-il de réprimander lui-même ce genre d'égarement ? Sans doute pas, à moins qu'il n'ait appris aussi qu'elle avait glissé des journaux à Volger, et lui avait même parlé de l'amiral Souchon et du *Goeben*. Ou qu'elle avait fermé les yeux sur les préparatifs d'évasion des clankers !

Il est vrai que la savante avait le *sourire* en lui parlant de cette réunion…

Le soleil de fin d'après-midi entrait en biais par les fenêtres de la salle de navigation. Le Dr Barlow et le commandant étaient déjà là, ainsi que le bosco et le Dr Busk, les officiers en uniforme rutilant pour la visite du sultan.

Deryn fronça les sourcils. Si elle était sur le point de recevoir une réprimande, pourquoi diable le médecin-chef du bord était-il présent ?

Quand elle fit claquer ses talons, les quatre se turent aussitôt, comme des enfants surpris à s'échanger des secrets.

— Ah, monsieur Sharp, je suis content que vous ayez pu venir, commença le commandant Hobbes. Il faut que nous discutions de vos récents exploits.

— Heu... mes exploits, monsieur ?

Le commandant brandit une dépêche.

— Je m'en suis entretenu avec ces messieurs de l'Amirauté, et ils ont approuvé mes recommandations.

— L'Amirauté, monsieur ? bafouilla Deryn.

Pour impliquer l'Amirauté, il fallait au moins un crime passible de la pendaison ! Elle se tourna vers le Dr Barlow, et se creusa la cervelle pour comprendre à quel moment elle s'était trahie.

— N'ayez pas l'air aussi surpris, monsieur Sharp, lui dit le bosco. Même au milieu de l'agitation de ces derniers jours, personne n'a oublié la manière dont vous avez sauvé M. Newkirk.

Tous les quatre affichèrent un grand sourire, mais elle réussit simplement à bredouiller :

— Je vous demande pardon, monsieur ?

— J'aurais voulu que nous ayons le temps de faire cela dans les règles, s'excusa le commandant Hobbes, mais d'autres devoirs nous attendent.

Il prit un étui de velours sur la table des cartes, l'ouvrit et montra la croix d'argent arrondi qui y pendait au bout d'un ruban bleu ciel. Le visage de Charles Darwin figurait au centre, les ailes de l'Air Service au sommet.

Deryn fixa la décoration. Que fabriquait le commandant avec la médaille de son père ? Et pourquoi avait-elle l'air aussi brillante et aussi neuve ?

— Aspirant Dylan Sharp, déclara le commandant, j'ai l'honneur de vous remettre la croix de la Bravoure aérienne pour le courage dont vous avez fait preuve le 10 août dernier, en sauvant la vie d'un compagnon de bord au péril de la vôtre. Félicitations.

Quand il épingla la médaille sur la poitrine de Deryn, le Dr Barlow applaudit avec ses mains gantées. Le commandant se recula et les officiers saluèrent comme un seul homme.

La vérité s'imposa peu à peu à Deryn – il ne s'agissait pas de la médaille de son père…

Mais de la sienne.

— Merci, monsieur, dit-elle enfin avant de rendre leur salut aux officiers.

Au lieu de l'accuser de trahison, voilà qu'on la *décorait* !

— Bien, fit le commandant Hobbes, et il se retourna vers la salle des cartes. À présent, nous avons d'autres affaires à traiter.

— Bravo, monsieur Sharp, chuchota la savante en lui donnant une petite tape sur l'épaule. Si seulement vous étiez un peu mieux habillé !

Deryn hocha la tête machinalement et s'efforça de rassembler ses idées. Elle était à présent un officier décoré, comme son père. Et contrairement à lui, elle était encore en vie. Elle entendait battre son cœur, pas d'erreur, tel un tambour qui l'accompagnait à la bataille.

Une part d'elle-même aurait voulu pleurer, lâcher la bonde à tous les cauchemars de la semaine dernière ; et une autre part aurait voulu crier que cette décoration était insensée. Elle était une traîtresse, une espionne – une *fille*, pour l'amour du ciel ! Pourtant, elle parvint à garder en elle ce bouillonnement d'émotions en fixant la table aussi fort qu'elle put.

On y voyait une carte des Dardanelles avec les mines et les batteries rajoutées au crayon rouge. À mesure que

Deryn reprenait son souffle, son cerveau se focalisa peu à peu sur l'affaire en cours.

Le détroit des Dardanelles se trouvait au cœur des défenses ottomanes. Il obligeait tous les navires en route pour Istanbul à se presser dans un passage de moins d'un mile de large, truffé de mines et bordé de batteries sur les falaises.

Quel que soit le plan de secours de la savante, Deryn avait l'intuition qu'il ne reposait pas sur la diplomatie.

— On nous a interdit le survol du détroit, disait le commandant Hobbes. Les Ottomans ne tiennent pas à ce que nous profitions de la présence du sultan pour espionner leurs fortifications. Par contre, nous avons l'autorisation de descendre la côte – afin que le sultan puisse profiter du coucher de soleil, leur avons-nous dit.

Le bosco rit sous cape tandis que le commandant suivait du doigt la côte ouest de Gallipoli, la péninsule rocheuse qui séparait le détroit de la mer Égée.

— Il y a là un promontoire que l'on appelle le Sphinx, un repère naturel. Nous pourrons le trouver facilement de jour comme de nuit. Et votre groupe d'intervention également, monsieur Sharp.

— Mon groupe d'intervention ?

— Tout à fait. Vous allez devoir effectuer une descente en glissade depuis notre altitude de croisière.

Deryn haussa les sourcils. Descendre en glissade supposait se laisser aller jusqu'au sol le long d'un câble. Mais d'après le *Manuel d'aéronautique*, cette manœuvre était uniquement destinée à l'abandon de l'aéronef.

En voyant son expression, le bosco sourit.

— Plutôt excitant, hein, monsieur Sharp ? Surtout pour votre premier commandement.

— Parce que c'est moi qui commanderai, monsieur ?
Hobbes hocha la tête.

— On ne peut pas confier cette mission à un officier
supérieur, au cas où vous seriez capturés. Mieux vaut
un simple aspirant, afin de limiter la portée de l'incident.

— Oh...

Deryn s'éclaircit la gorge. Elle réalisa pourquoi on
s'était montré si empressé à lui donner cette fichue
médaille. Au cas où elle ne s'en sortirait pas.

— Je veux dire, à vos ordres, monsieur.

Le doigt du commandant traversa Gallipoli.

— Arrivé au Sphinx, votre groupe traversera la
péninsule jusqu'à Kilye Niman, à un peu plus de deux
miles de distance.

Il indiqua un étranglement à une courbe du détroit,
marqué d'une ligne rouge en pointillés.

— D'après nos meilleurs delphinesques, c'est là que
les Ottomans ont tendu leurs filets anti-krakens.

— Excusez-moi, monsieur, mais si les dauphins ont
déjà reconnu l'endroit, que suis-je censé faire ? Prendre
des photos ?

Le commandant rit dans sa barbe avant de répondre :

— Des photos ? Il ne s'agit pas d'une promenade
d'agrément, monsieur Sharp. Votre mission consiste à
couper les filets.

Deryn se renfrogna. Les filets anti-krakens étaient
assez solides pour retenir les monstres marins les plus
imposants. Comment son groupe d'intervention s'y
prendrait-il pour les couper ? Avec une paire de
pinces ?

— Laissez-moi vous expliquer, dit le Dr Barlow, en
indiquant deux bocaux posés sur la table des cartes.

Ces derniers étaient remplis d'un amoncellement de coquilles blanches qui se collaient au verre. La savante en ouvrit un, et une odeur d'eau de mer emplit la pièce.

— Saviez-vous, monsieur Sharp, que mon grand-père était un expert dans le domaine des anatifes ?

— Les anatifes, m'dame ?

— Des créatures tout à fait étonnantes. Elles passent leur brève existence à s'accrocher aux navires, aux baleines, aux récifs ou au bois flotté et pourtant elles se montrent implacables. Suffisamment nombreuses, elles peuvent mettre hors service le moteur d'un dread-nought.

Elle enfila des gants épais, ramassa une paire de pinces sur la table et s'en servit pour pêcher une bestiole dans le bocal.

— Bien sûr, ceux-ci ne sont pas des anatifes ordinaires mais une race de mon invention, fabriquée au cas où les Ottomans nous créeraient des difficultés. Promettez-moi de faire très attention.

— Ne vous inquiétez pas, m'dame. Il n'arrivera rien à vos bestioles.

— À elles, monsieur Sharp ? demanda la savante. C'est à vous que je pensais.

Le Dr Busk pouffa.

Soudain, Deryn sentit une autre odeur par-dessus celle de l'eau de mer ; un relent âcre, sinistre, rappelant la fumée qui s'échappe d'une forge. Elle réalisa que les pinces se pliaient doucement dans la main du Dr Barlow.

Le métal était en train de... *fondre*.

Le Dr Barlow manœuvra les pinces avec prudence de manière à relâcher l'anatife dans son bocal de saumure avant qu'elles ne se désintègrent.

— Je les ai baptisées anatifes vitrioliques.

— Naturellement, aspirant Sharp, je vous demande de garder cette mission secrète vis-à-vis du reste de l'équipage, dit le commandant. Même les membres de votre groupe d'intervention ne seront pas au courant de tous les détails. Est-ce clair ?

Deryn avala sa salive.

— Limpide, monsieur.

Le Dr Barlow revissa le couvercle du bocal.

— Une fois sur les filets anti-krakens, mes anatifes vitrioliques commenceront à se multiplier et à se reproduire avec les autres anatifes déjà présents. En quelques semaines, ils seront aussi serrés sur les filets que dans ces bocaux. Ils commenceront à se disputer l'espace disponible en s'efforçant de faire lâcher prise aux autres. Leurs sécrétions acides rongeront les filets jusqu'à ce qu'il n'en reste plus qu'une traînée métallique au fond de la mer.

— Nous reviendrons dans un mois, dit le commandant. À la faveur de la nuit, le *Léviathan* guidera une créature dans le détroit grâce à ses projecteurs. Les batteries côtières ottomanes ne pourront pas nous atteindre dans les airs, et notre animal nagera à grande profondeur, largement sous les mines magnétiques.

— La marine ottomane ne risque-t-elle pas d'être alertée, monsieur ? demanda Deryn – car le détroit se situait à presque une centaine de miles d'Istanbul.

— Si, reconnut le Dr Busk, mais l'amiral Souchon ne sait rien de la créature que nous amènerons. Il s'agit d'une espèce nouvelle, beaucoup plus redoutable que tous nos krakens de la Navy.

Deryn pensa à ce que le Dr Barlow lui avait dit à bord de l'aéronef du sultan.

— On appelle cela un béhémoth, déclara le médecin-chef.

⊙   ⊙   ⊙

Deryn avait les jambes en coton lorsqu'elle sortit de la salle de navigation.

D'abord, une décoration pour bravoure alors qu'elle s'attendait à moitié à ce qu'on la pende pour trahison. Ensuite, son premier commandement, une opération secrète contre un empire avec lequel la Grande-Bretagne était en paix. Ce qui ne lui plaisait pas du tout. Cela ressemblait davantage à du travail d'espion qu'à une mission de soldat !

Et pour couronner le tout, cette illustration du béhémoth que le Dr Busk leur avait montrée. C'était une créature gigantesque, avec des tentacules, comme un kraken, mais aussi une gueule énorme capable d'engloutir l'un des sous-marins du kaiser. Son corps atteignait presque la longueur du *Léviathan*, mais point d'hydrogène et de membranes fragiles : il était tout en muscles et en tendons.

Pas étonnant que lord Churchill ait rechigné à s'en séparer !

Près de l'escalier central, Deryn ralentit le pas – un civil rôdait dans la coursive devant elle. Elle reconnut son chapeau informe et le crapaud qu'il avait sur l'épaule : Eddie Malone, le reporter qu'elle avait rencontré à bord du *Dauntless*, sans doute venu couvrir la visite du sultan.

Mais que faisait-il si près de l'avant ?

— Excusez-moi, monsieur Malone, dit-elle. Vous êtes perdu ?

L'homme pivota vers elle avec une expression coupable. Puis il plissa les yeux et la dévisagea avec attention.

— Ah, c'est vous, monsieur Sharp. On peut dire que j'ai de la chance !

— En effet, monsieur. Cette partie du bâtiment est interdite aux visiteurs. Vous allez devoir rejoindre les autres journalistes au mess, j'en ai peur.

Elle lui indiqua la direction de l'escalier.

— Bien sûr ! approuva Malone. Je voulais juste découvrir un peu votre splendide aéronef.

Il ne fit pas mine de bouger et s'intéressa à un lézard messager qui détalait au plafond.

Deryn soupira. Elle avait quelques heures à peine pour apprendre à se servir d'un équipement de plongée, à effectuer une descente en glissade sur un sol dur et à manier des anatifes cracheurs d'acide ! Elle n'était pas d'humeur.

— Vous êtes bien aimable, monsieur. Maintenant, *s'il vous plaît...*

Elle lui indiqua de nouveau l'autre bout de la coursive.

Malone se rapprocha d'elle pour lui glisser à l'oreille :

— Je vais vous dire la vérité, monsieur Sharp. Je cherche à vérifier quelque chose. Une information qui pourrait donner mauvaise presse à votre aéronef, si elle était rapportée de travers. Peut-être pourriez-vous m'aider à y voir plus clair.

— Quelle information, monsieur Malone ?

— Je tiens de source sûre que vous avez un captif à bord. Quelqu'un qui devrait être prisonnier de guerre, mais que vous traitez de façon indigne.

Deryn demeura silencieuse un long moment.

— Je ne vois pas de qui vous parlez.

— Oh, je crois que si. Un dénommé Volger, que vous faites travailler sur vos moteurs clankers, bien qu'il s'agisse d'un comte !

Deryn porta la main à son sifflet, prête à appeler les soldats. Puis elle réalisa que Malone n'avait pu apprendre l'existence que d'une seule personne… Alek.

Après un bref regard dans les deux directions, elle repoussa Malone dans les toilettes des officiers.

— Qui vous a raconté ça ? murmura-t-elle.

— J'ai rencontré un jeune homme très étrange, répondit-il à voix basse, en chatouillant son crapaud sous le menton. Je trouvais son comportement plutôt louche et, tout à coup, les Allemands lui sont tombés dessus. Ce qui m'a paru bizarre, puisqu'il s'agissait d'un Autrichien – d'un clanker, comme eux !

Deryn ouvrit grands les yeux.

— Les Allemands ? Est-ce qu'il va bien ?

L'homme sourit.

— Il a réussi à leur échapper, et j'ai déjeuné avec lui aujourd'hui. Il en sait long sur votre aéronef, ce qui est curieux, là aussi. Pensez-vous que je pourrais rencontrer ce Volger ? J'ai un message à son intention.

Deryn geignit, l'estomac noué comme chaque fois qu'elle envisageait un acte de trahison. Mais Alek était encore là, à Istanbul, et les Allemands le serraient de près ! Le comte Volger pourrait peut-être l'aider.

Elle tendit la main.

— Très bien. Je lui remettrai votre message.

— Cela ne conviendra pas, j'en ai peur. Mon Rusty l'a mémorisé, et vous ne savez pas comment le faire parler.

Deryn fixa la bestiole, et elle se demanda si elle était en train d'enregistrer tout ce qu'elle-même disait en ce moment. Pouvait-elle se fier à ce reporter ?

Ses hésitations furent balayées par un coup de sifflet qui résonna dans tout l'aéronef – le signal du branle-bas. Le sultan arrivait. D'ici quelques minutes, les soldats seraient tous alignés le long de la passerelle pour l'accueillir.

Ce qui voulait dire qu'il n'y aurait plus personne pour garder la cabine de Volger…

Elle attrapa son trousseau de clés.

— Venez avec moi, dit-elle.

VINGT-TROIS

Comme prévu, il n'y avait personne devant la cabine du comte.

Deryn ouvrit la porte et découvrit Volger penché au-dessus du hublot en train d'admirer le splendide méca-nopode du sultan. Avant de quitter la salle de navigation, elle avait eu un aperçu de la machine éléphantine qui traversait l'aérodrome. Elle était encore plus imposante que le *Dauntless*, surmontée d'un palanquin aussi extra-vagant qu'un chapeau de dame au Derby d'Epsom.

— Excusez-moi, monsieur, dit-elle à Volger, mais vous avez de la visite.

Pendant que le comte s'extrayait du hublot, Deryn s'assura que le couloir était désert puis referma la porte derrière elle.

— De la visite ? répéta Volger. Comme c'est intéres-sant.

Le reporter s'avança et lui tendit la main.

— Eddie Malone, reporter au *New York World*.

Le comte Volger se contenta de le dévisager sans rien dire.

— Il a un message de la part d'Alek, dit Deryn.

Le visage de Volger se figea.

— Alek ? Où est-il ?

— Ici même, à Istanbul, répondit Malone, le calepin sorti de sa poche. Il m'a raconté qu'on vous retenait prisonnier à bord de cet aéronef. Êtes-vous bien traité, monsieur ?

Volger resta muet ; il paraissait encore sous le choc.

— Bon sang, Malone ! jura Deryn. Nous n'avons pas le temps pour une interview. Voulez-vous bien demander à votre foutue bestiole de se mettre à table ?

— Alek a dit que c'était un message privé à l'intention du comte.

Deryn poussa un gémissement de frustration.

— Alek ne vous en voudra pas si je l'entends aussi. N'est-ce pas, monsieur le comte ?

Volger regarda le crapaud avec une expression de dégoût. Il adressa néanmoins un hochement de tête au reporter.

Malone attrapa l'animal sur son épaule et le déposa sur le bureau. Puis il le chatouilla sous le menton après avoir tapoté une sorte de code avec ses doigts.

— OK, Rusty. Répète.

Le crapaud se mit à parler avec la voix d'Alek :

— Je ne suis pas certain que ce soit vous, comte, mais je suis obligé de faire confiance à cet homme. Nous sommes toujours à Istanbul, voyez-vous, ce qui va certainement vous contrarier au plus haut point. J'y ai rencontré des amis – des alliés, pourrait-on dire. Je vous en parlerai plus en détail quand nous nous reverrons.

Deryn se renfrogna. Des alliés ? Qu'était-il en train de raconter ?

— Monsieur Malone me dit que le *Léviathan* est encore là lui aussi, poursuivit l'animal. Si Hoffman et vous réussissez à vous échapper, rejoignez-nous ! Nous sommes dans un hôtel de la vieille ville qui porte le même nom que ma mère. Nous y resterons aussi longtemps que possible.

À ces mots, le comte Volger gémit, les poings serrés contre ses flancs.

— Oh, et pardonnez-moi de vous avoir obligé à écouter cette abomination. Mais j'ai besoin de votre aide, comte, plus que jamais. Essayez de nous rejoindre, je vous en prie. Heu, fin du message.

Le crapaud se tut.

— Cela vous ennuie-t-il si je vous pose quelques questions, monsieur ? demanda Malone, le crayon à la main.

Sans répondre, le comte Volger se laissa tomber sur sa chaise et lança au crapaud un regard assassin.

— C'est vraiment lui ?

— C'est bien sa voix en tout cas, répondit Deryn. Et ces bestioles répètent seulement ce qu'elles ont entendu.

— Dans ce cas, pourquoi parle-t-il en anglais ? voulut savoir le comte.

— Je ne m'appelle pas Rosencrantz[1], répliqua Eddie Malone. Je n'allais pas transmettre un message que je ne comprenais pas.

— Le petit imbécile, fit le comte à voix basse, en secouant la tête. À quoi joue-t-il ?

Eddie Malone ramassa son crapaud et le remit sur son épaule. Il avait l'air renfrogné.

— Vous ne paraissez pas très content d'avoir des nouvelles de votre ami. Il semble pourtant vous tenir en haute estime.

---

1. Personnage de *Hamlet*, de William Shakespeare. (*N.d.T.*)

— Savez-vous à quoi il faisait allusion ? demanda Volger à Malone. Qui sont ces « alliés » dont il parle ?

Le reporter haussa les épaules.

— Il ne s'est pas répandu en confidences. Istanbul regorge de sociétés secrètes et de conspirations. Il y a eu une révolution voilà six ans tout juste.

— Il se serait donc acoquiné avec des anarchistes ? Merveilleux.

— Des anarchistes ? s'étonna Deryn. Alek n'est pas complètement stupide, vous savez !

Volger fit un geste vague en direction du crapaud.

— La preuve que si ! Il lui suffisait de quitter Istanbul et de trouver un endroit où se cacher.

— D'accord, mais pourquoi aurait-il fait ça ? rétorqua Deryn. Son père et vous l'avez tenu en cage toute sa vie, comme une perruche, et maintenant il est enfin libre. Vous pensiez vraiment qu'il irait s'enterrer dans un trou ?

— Dans sa situation, cela m'aurait paru judicieux.

— Alek ne va pas fuir éternellement ! s'écria-t-elle. Il a besoin d'alliés, comme il en avait à bord de cet aéronef avant que la guerre ne vienne s'en mêler. Il a besoin de trouver sa place quelque part. Je vais vous dire une bonne chose – je suis content qu'il soit loin de vous, même si ça veut dire qu'il a rejoint la Brigade Secrète des philoluddites ! Au moins, il peut prendre ses propres décisions maintenant !

Le comte Volger la dévisagea longuement, et Deryn réalisa que sa voix était remontée dans les aigus. Voilà ce qui se passait quand elle pensait trop à Alek – elle se comportait en vraie fillette, parfois.

— Décidément, cet Alek m'intéresse de plus en plus,

dit Malone, en griffonnant des notes dans son calepin. Pourriez-vous m'en dire un peu plus à son sujet ?

— Non ! lui répondirent Deryn et Volger d'une seule voix.

Le signal du décollage retentit, et Deryn entendit des bruits de pas rapides dans la coursive. Elle jura – le capitaine avait ordonné une ascension accélérée. Ils devaient traverser la péninsule avant le coucher du soleil, sans quoi son groupe d'intervention effectuerait sa descente dans le noir.

— Il faut y aller, maintenant, dit-elle en tirant Malone vers la porte. On va bientôt venir chercher monsieur le comte pour aider aux moteurs.

— Et mon interview ?

— Si on nous surprend ici, vous nous condamnez à la pendaison !

Deryn entrebâilla la porte, jeta un œil à l'extérieur et attendit que la coursive soit déserte.

— Monsieur Sharp, l'appela le comte Volger dans son dos. J'espère que vous comprenez que ceci complique singulièrement les choses.

Elle regarda derrière elle.

— Que diable voulez-vous dire ?

— Je dois rejoindre Alek et le sortir du pétrin dans lequel il semble s'être fourré. Ce qui veut dire m'échapper de cet aéronef. Hoffman et moi allons avoir besoin de votre aide pour cela.

— Avez-vous perdu la tête ? s'écria-t-elle. Je ne suis pas un traître... enfin, pas à ce point, en tout cas.

— Peut-être, mais si vous refusez de nous aider, je me verrai contraint de révéler votre petit secret.

Deryn se figea.

— J'ai commencé à avoir des doutes lors de nos leçons d'escrime, expliqua froidement le comte. Il y a quelque chose dans votre façon de vous tenir. Et vos emportements à propos d'Alek étaient révélateurs eux aussi. Mais c'est l'expression de votre visage, à l'instant, qui vient d'achever de me convaincre.

— Je ne sais pas… de quoi vous parlez, dit-elle.

Elle avait pris une voix ridiculement basse, celle d'un petit garçon qui tente de se faire passer pour un homme.

— Moi non plus, dit Eddie Malone, dont le crayon volait au-dessus de la page. Mais je trouve ça fascinant.

Un sourire cruel se dessina sur le visage du comte Volger.

— Si vous voulez continuer à servir à bord de cet aéronef, *monsieur* Sharp, vous devez nous aider à nous enfuir. À moins que vous ne préfériez que je mette notre ami journaliste ici présent dans la confidence ?

Deryn avait la tête qui lui tournait. Elle avait vécu ce moment des centaines de fois dans ses cauchemars, et pourtant, il lui tombait dessus comme si elle venait d'être frappée par la foudre. Se faire démasquer par le comte Volger, nom d'une pipe en bois !

Deryn se mit soudain à détester les petits malins trop curieux.

Elle se mordit la lèvre et s'obligea à mettre de l'ordre dans ses idées. Elle était l'aspirant Dylan Sharp, officier décoré de l'Air Service de Sa Majesté, et non une jeune péronnelle sur le point de perdre la tête. Quoi qu'elle dise maintenant, elle pourrait toujours trouver un moyen de s'en dépêtrer plus tard.

— Très bien, cracha-t-elle. Je vous aiderai.

Volger tambourina avec ses doigts.

— Prévoyons cela pour demain soir, avant que le *Léviathan* ne quitte Istanbul pour de bon.

— Ne vous en faites pas. Je serai content d'être enfin débarrassé de vous !

Sur ces mots, elle entraîna Eddie Malone dans la coursive.

❂   ❂   ❂

Trois heures plus tard, Deryn se tenait dans la soute du *Léviathan*, au bord de la trappe béante, un gros sac à dos sur les épaules, à contempler les collines rocheuses qui défilaient en dessous.

Elle soupira. « Autant sauter tout de suite, sans s'embêter avec une foutue corde ! »

Elle avait beau retourner la question dans tous les sens, elle ne voyait aucun moyen de redresser la situation. Le comte avait deviné son secret, et devant un journaliste en plus ! Son premier commandement à peine commencé, sa carrière était déjà fichue.

— Ne vous en faites pas, lui glissa le bosco debout à côté d'elle. Ce n'est pas aussi haut que ça en a l'air.

Elle hocha la tête. Cette descente en glissade était le cadet de ses soucis. On pouvait vaincre la gravité : il suffisait d'un peu d'hydrogène, d'air chaud ou d'une corde. Mais être une fille constituait une épreuve insurmontable, et qui n'avait pas de fin.

— Je me sens bien, monsieur Rigby. Je suis impatient de sauter. Pas vous, les gars ? dit-elle en se tournant vers ses hommes.

Ces derniers tentaient de faire bonne figure mais sans parvenir à détacher les yeux du paysage en contrebas.

À l'approche du Sphinx, l'aéronef ralentit et vira face au vent violent qui soufflait de la mer. Mais les officiers ne pouvaient pas l'arrêter complètement sans risquer d'éveiller les soupçons du sultan et de sa suite.

Il fallait un certain toupet pour commettre un acte d'espionnage au nez et à la barbe d'un souverain étranger.

Le bosco consulta sa montre.

— Vingt secondes avant le saut.

— Bouclez vos mousquetons ! ordonna Deryn.

Son cœur battait à tout rompre à présent, balayant ses idées noires. Que Volger aille au diable avec ses menaces ! Elle pouvait toujours le jeter par le hublot de sa cabine.

Le terrain s'élevait sous l'aéronef ; les arbres cédèrent la place à des buissons et des rochers, puis à du sable. Le Sphinx se dressait sur leur droite, formation naturelle évoquant la statue érodée de quelque dieu païen.

— Préparez-vous, les gars ! cria-t-elle. Trois, deux, un…

… et elle sauta.

La corde chuintait à travers son mousqueton, rêche et brûlante dans la brise maritime. Deryn entendait ses compagnons descendre autour d'elle dans un concert de frottements.

Le terrain se rapprochait à vue d'œil, et Deryn boucla un deuxième mousqueton. La friction multipliée par deux la freina, avec une secousse, mais la roche et l'herbe rase continuaient à défiler sous elle – beaucoup trop vite à son goût.

Et puis, elle sentit la corde mollir ; l'aéronef venait de perdre encore un peu de vitesse. Emportée par son élan,

UNE DESCENTE RISQUÉE.

elle se balança légèrement vers l'avant, puis revint vers l'arrière, de sorte qu'elle se retrouvait presque immobile par rapport au sol.

— Maintenant ! cria Deryn, avant de décrocher son deuxième mousqueton.

Elle descendit d'un coup, et atterrit brutalement sur le sable et les rochers plats qui s'effritèrent sous ses bottes. L'impact lui remonta dans toute la colonne vertébrale ; elle trébucha en avant mais réussit à garder l'équilibre. Le bout de la corde s'arracha du mousqueton et lui cingla les doigts au passage, puis rasa la plage en direction du couchant.

Alors que le *Léviathan* s'éloignait et que le bourdonnement de ses moteurs était peu à peu noyé dans le fracas des vagues, Deryn sentit sa mélancolie reprendre le dessus, nourrie par un fort sentiment d'abandon.

Elle se retourna et compta trois silhouettes sur la crête. Au moins, aucun de ses hommes n'avait été entraîné dans la mer.

— Tout le monde va bien ? lança-t-elle.

— Oui, monsieur ! répondirent dans le crépuscule deux voix, suivies d'un gémissement.

C'était Matthews, à une dizaine de yards, qui ne s'était pas relevé. Deryn courut jusqu'à lui et le trouva plié en deux.

— C'est ma cheville, monsieur, lâcha-t-il entre ses dents serrées. Je me la suis retournée.

— Allons bon. Voyons si vous pouvez tenir debout.

Deryn fit signe aux deux autres, puis se débarrassa de son sac à dos. Elle s'agenouilla et vérifia le bocal qui contenait les anatifes vitrioliques ; il ne s'était pas cassé.

Quand les aviateurs Spencer et Robins les eurent

rejoints, elle leur demanda de soulever Matthews. Mais à peine eut-il tenté de s'appuyer sur sa jambe droite qu'il poussa un cri de douleur.

— Reposez-le, ordonna-t-elle, avant de soupirer.

L'homme s'était foulé la cheville. Jamais il ne pourrait parcourir deux miles dans la rocaille de la péninsule et rentrer ensuite.

— Vous allez devoir nous attendre ici, Matthews.

— À vos ordres, monsieur. Mais quand viendra-t-on nous chercher ?

Deryn hésita. Des quatre, elle était la seule à savoir à quel moment exact le *Léviathan* retournerait au Sphinx. De cette façon, si ses hommes tombaient entre les mains des Ottomans, ces derniers ne pourraient pas tendre un piège à l'aéronef.

Quant à Deryn, eh bien, elle était un héros décoré, n'est-ce pas ? Les Ottomans ne lui arracheraient pas un mot.

— Je n'ai pas le droit de vous le dire, Matthews. Attendez ici, et ne vous montrez pas. Faites-moi confiance, le commandant ne nous laissera pas tomber.

L'homme grimaça de douleur.

Deryn, Robins et Spencer s'agenouillèrent pour répartir entre eux trois le contenu des quatre sacs à dos et laisser à Matthews de l'eau ainsi qu'un peu de viande en conserve. Ensuite ils descendirent la crête en direction du détroit après l'avoir abandonné derrière eux.

Son premier commandement n'avait débuté que depuis quelques minutes, et elle avait déjà perdu un homme.

VINGT-QUATRE

Ces deux miles ne lui avaient pas semblé bien longs sur la carte, mais l'arrivée sur Gallipoli se révéla une autre affaire.

La péninsule était striée de crêtes abruptes, comme une montagne calcaire qu'une patte géante aurait lacérée à coups de griffes. Ses vallons étaient envahis par une broussaille sèche et cassante. Et chaque fois que Deryn et son groupe s'arrêtaient, des fourmis sortaient du sol sablonneux et leur mordillaient les chevilles.

Pour ne rien arranger, les cartes de la Royal Navy ne leur servaient à rien car elles n'indiquaient qu'une partie des crêtes et des ravins. Deryn gardait un œil rivé sur sa boussole et sur les étoiles au-dessus d'eux, mais le terrain accidenté l'obligeait à zigzaguer en permanence.

Minuit était passé depuis longtemps quand ils parvinrent enfin de l'autre côté de la péninsule.

— Je crois que c'est Kilye Niman, monsieur, déclara Spencer en laissant tomber son sac à dos.

Deryn scruta la plage à travers ses jumelles de campagne. Deux rangées de bouées barraient le détroit, ballottées par les vagues. Ces énormes tonneaux de métal étaient hérissés de pointes et de bombes au phosphore. Les filets anti-krakens devaient pendre dessous, invisibles, bardés de crochets et d'explosifs.

Deux grandes tours émergeaient des vagues à chaque extrémité des filets et balayaient lentement la surface de l'eau avec leurs projecteurs. Deryn passa en revue les fortifications qu'elle apercevait – avec au moins une douzaine de canons de douze pouces au sommet des falaises, dans des bunkers taillés à même le calcaire.

Un navire ne pouvait pas espérer forcer le passage mais le béhémoth parviendrait à se faufiler sous l'eau.

— La Navy nous devra une fière chandelle après ce coup-là, monsieur, déclara Robins.

— Oui, mais ce sont surtout les Russes qui nous diront merci, répondit Deryn, repérant un navire marchand qui attendait la lumière du jour pour louvoyer entre les filets. Avoir accès à ce passage est une question de vie ou de mort pour eux.

Quand elle avait parlé du *Goeben* et du *Breslau* à Volger, il avait convenu que le plan des Allemands consistait à fermer le détroit des Dardanelles. Affamer l'ours russe valait bien qu'on offre deux cuirassés au sultan.

Elle sortit des sacs son équipement de plongée et s'agenouilla dans les buissons pour l'enfiler. Il s'agissait d'un respirateur Spottiswoode, le premier équipement de plongée sous-marine mis au point à partir de créatures fabriquées. Il était composé de peau de salamandre et de carapace de tortue. Le respirateur en lui-même était pratiquement une créature à part entière, un jeu de branchies fabriquées que l'on conservait dans l'eau en permanence.

En bref, la combinaison représentait le pire cauchemar d'un philoluddite. Deryn elle-même eut la chair de poule au moment de se glisser à l'intérieur, en sentant cette peau reptilienne se coller à la sienne. Au moins Spencer et Robins étaient-ils aussi mal à l'aise qu'elle ; ils préférèrent détourner la tête pendant qu'elle s'équipait. Même de nuit, il aurait été risqué de se retrouver en sous-vête-ments devant deux aviateurs.

Quand Deryn fut prête, Spencer et elle descendirent en catimini sur la plage après avoir abandonné les sacs à la sur-veillance de Robins. Au bord de l'eau, les vagues avaient formé une berge de sable de un yard de haut. Ils se cachèrent der-rière et attendirent le passage des projecteurs puis traversèrent la bande scintillante de sable humide pour patauger dans les eaux froides du détroit.

Spencer tendit le respirateur à Deryn.

— Tenez, monsieur. Je vous attendrai ici, au bord de l'eau.

— Surtout ne vous faites pas voir, dit-elle en mouil-lant son masque avant de l'enfiler. Si je reste absent plus de trois heures, ne m'attendez pas et retournez vous occuper de Matthews. Je me débrouillerai pour rentrer.

— À vos ordres, monsieur.

Spencer salua et regagna la plage. Quand il fut hors de vue, Deryn déballa enfin les bocaux d'anatifes vitrioliques. Fidèle aux ordres du commandant, elle ne les avait pas montrés aux hommes.

Voyant revenir le projecteur, elle s'immergea jusqu'au cou en plaquant le respirateur contre sa bouche.

Comme dans le bureau du Dr Busk quelques heures plus tôt, elle éprouva une sensation étrange et vaguement répugnante. Les cils de la créature s'enfoncèrent dans sa bouche, à la recherche d'une source de gaz carbonique. Un goût de poisson se répandit sur sa langue, et l'air qu'elle respirait devint chaud et salé, comme à bord du *Léviathan* quand le cuisinier faisait frire des anchois.

Deryn fléchit les genoux et s'enfonça sous la surface.

Le projecteur passa au-dessus de sa tête, puis tout redevint noir. Elle resta un moment accroupie sur le sable et s'obligea à respirer avec lenteur et régularité.

Quand elle eut fini de grelotter, Deryn se propulsa vers la première ligne de filets en restant juste sous la surface. Elle avait souvent nagé dans la mer, mais jamais de nuit. La noirceur environnante lui paraissait grouiller de formes gigantesques, et le goût étrange du respirateur lui rappelait en permanence qu'elle n'appartenait pas à ce monde froid d'un noir d'encre. Elle se souvint de son premier exercice d'assaut marin à bord du *Léviathan*, quand elle avait vu un kraken pulvériser un schooner en quelques secondes.

Mais il n'y avait aucun kraken dans le détroit, pas encore. Elle se trouvait en territoire clanker où les pires créatures étaient les requins et les méduses, dont elle n'avait pas grand-chose à craindre dans sa combinaison *Spottiswoode*.

Après avoir longtemps nagé, elle atteignit une première bouée qui rebondissait sur les vagues comme un oursin de métal. Deryn s'accrocha avec prudence à l'une des pointes. Celles-ci étaient suffisamment effilées pour transpercer le cuir d'un kraken, et munies de bombes au phosphore réglées pour exploser quand l'animal tenterait de se libérer.

Elle s'y cramponna un moment avant de replonger. Elle allait devoir placer les anatifes vitrioliques à une certaine profondeur pour que les crustacés ne détruisent pas aussitôt les bouées, au risque de trahir leur présence trop tôt.

Quand Deryn eut repris son souffle, elle se laissa couler, jusqu'à ce que le dernier reflet de lune disparaisse au-dessus d'elle. Le filet fut facile à trouver, même dans le noir, avec ses câbles épais comme le bras et bardés de crochets de la taille d'une gaffe. En revanche, elle eut bien du mal à ouvrir les bocaux à l'aveuglette avec ses gants en peau de salamandre, et il lui fallut de longues minutes pour déposer six bestioles à quelques pieds l'une de l'autre. Elles devaient se trouver assez proches pour fonder une colonie, lui avait expliqué le Dr Barlow, mais pas trop, pour ne pas déclencher les hostilités.

Deryn battit des jambes pour remonter à la surface, en partie pour s'orienter et en partie pour échapper au froid des profondeurs. Elle contempla, découragée, la rangée de bouées qui s'étirait sur un demi-mile jusqu'à la rive opposée. Elle aurait besoin d'une douzaine de plongeons, au bas mot.

La nuit promettait d'être longue et glaciale.

◉ ◉ ◉

Quand le dernier anatife fut en place, Deryn ne sentait plus ses doigts. Le froid s'était infiltré jusque dans ses os, et elle réalisa qu'il s'agissait de sa deuxième nuit blanche en trois jours.

En plus du froid et de l'épuisement, le respirateur lui donnait l'impression de sucer lentement son énergie. Comme si elle n'avait pas pris une seule vraie goulée d'air depuis qu'il lui avait enfoncé ses cils dans la bouche. Alors, quand elle remonta pour la dernière fois, Deryn décida d'ignorer les projecteurs et de nager en surface.

Le respirateur résista un peu quand elle l'arracha, comme un gros morceau de caramel mou qui colle aux dents. Mais cette sensation désagréable lui valut de pouvoir enfin respirer de l'air frais. Elle se mit à nager vers la rive, et plongeait sous l'eau chaque fois que les projecteurs revenaient vers elle.

À mi-chemin du rivage, elle entendit une détonation retentir dans le détroit.

Sa fatigue s'envola d'un coup, et Deryn s'enfonça dans l'eau jusqu'à ne laisser affleurer que ses yeux. Une grande masse noire se traînait sur la plage, à une vingtaine de yards de l'endroit où elle avait laissé Spencer.

C'était un mécanopode, une machine en forme de scorpion, avec six pattes et deux pinces à l'avant. Sa longue queue s'incurvait au-dessus de lui et braquait un projecteur à son extrémité.

À mesure qu'elle s'approchait, Deryn entendit des cris et un nouveau coup de feu. Le projecteur suivait une silhouette solitaire en combinaison de vol britannique, qu'une douzaine d'hommes pourchassaient sur le sable. Le projecteur de la tour la plus proche interrompit son balayage pour revenir brusquement vers la plage, obligeant Deryn à replonger sous la surface.

Elle se fourra le respirateur dans la bouche, puis remonta au ras de l'eau, le cœur battant. L'un de ses hommes s'était fait prendre, de toute évidence, mais l'autre était peut-être parvenu à se cacher. Si elle réussissait à le trouver, ils pourraient s'enfuir à la nage en se partageant le respirateur.

À quelques yards de la plage, Deryn leva la tête au-dessus de l'eau et se laissa porter par la houle. Elle eut beau scruter les ombres derrière la bande de sable, elle n'aperçut personne. Elle rampa lentement hors de l'eau, pareille à quelque animal primitif faisant ses premiers pas sur la terre ferme.

Le projecteur du scorpion revint vers la ligne des arbres et dévoila une autre silhouette en combinaison de vol allongée par terre. Deux soldats ottomans se tenaient à proximité, le fusil braqué dans sa direction.

Deryn jura en silence – ses deux hommes avaient donc été pris. Elle se tapit derrière la bande de sable, légèrement désorientée. Le mécanopode se déplaçait à présent ; elle sentait le sable trembler sous ses genoux. Comment pouvait-elle affronter un scorpion géant et une vingtaine de soldats sans autre arme que son couteau de gabier ?

Elle dressa la tête. Les deux Ottomans soulevèrent l'homme allongé et le mirent debout sur le sable. Il boitait du côté droit…

Deryn fit la grimace. Il s'agissait de Matthews, qu'elle avait laissé près du Sphinx. Les Ottomans l'avaient capturé. Était-ce lui qui les avait conduits ici ? Ou avaient-ils simplement deviné que l'objectif des saboteurs étrangers était les filets anti-krakens ?

Et où son troisième homme se trouvait-il ?

Le projecteur pivota de nouveau, et une rafale de mitrailleuse partit de la queue du scorpion pour balayer les arbres le long de la plage. Les branches s'agitèrent furieusement sous la grêle de balles, et du sable vola.

La mitrailleuse se tut enfin, et un groupe de soldats s'enfonça dans les fourrés. Un instant plus tard, ils en ressortirent en traînant derrière eux un corps flasque, blanc comme un linge à l'exception des taches rouges sur sa combinaison de vol.

Deryn avala sa salive. Les hommes placés sous ses ordres s'étaient fait tuer ou capturer jusqu'au dernier.

Dans un grincement de rouages, le scorpion s'approcha du cadavre. L'une de ses énormes pinces descendit vers le sable puis souleva le corps sans vie. Les Ottomans emportaient ses hommes quelque part, sans doute pour interroger les survivants et examiner de plus près leur uniforme et leur équipement.

Ils ne tarderaient pas à deviner que le groupe d'intervention venait du *Léviathan*, à supposer qu'ils n'aient pas déjà arraché cet aveu à Matthews. Mais ses hommes ne savaient rien des anatifes vitrioliques, et même si les Ottomans inspectaient les filets, ils ne remarqueraient pas quelques crustacés de plus parmi les millions qui proliféraient déjà sur les câbles.

Avec un peu de chance, ils croiraient à une simple mission de reconnaissance – et à un échec complet. Les Ottomans adresseraient probablement une plainte au capitaine du *Léviathan*, mais pour ce qu'ils en sauraient, cette opération n'était pas un acte de guerre. Deryn était la seule à connaître la vérité.

UN ARTHROPODE OTTOMAN AVEC SA PROIE.

Elle devait absolument leur glisser entre les doigts si elle ne voulait pas tout compromettre. Il n'était pas question de tenter un sauvetage héroïque de ses hommes, ni de retourner au Sphinx. Les Ottomans allaient à coup sûr multiplier les patrouilles dans toute la péninsule à compter de maintenant.

Il ne lui restait plus qu'un endroit où aller.

Deryn regarda les eaux noires, où le navire qu'elle avait repéré plus tôt attendait de franchir le détroit. Quand le jour se lèverait, il ferait route vers Istanbul.

— Alek, murmura-t-elle doucement.

Puis elle se glissa dans la mer.

VINGT-CINQ

Les minarets de la mosquée Bleue s'élevaient au-dessus des arbres, six hautes tours évoquant des crayons, pointe en l'air. L'arc gracieux de la coupole se détachait en gris foncé sur le ciel brumeux, où le soleil scintillait sur les rotors des gyroplanes et des aéroplanes.

Alek était assis à la terrasse du café où Eddie Malone l'avait emmené la veille. La rue était tranquille, et il sirotait son café noir en étudiant sa collection de pièces ottomanes. Il avait commencé à apprendre leur nom en turc, et il savait maintenant lesquelles cacher aux boutiquiers s'il ne voulait pas se faire rouler.

Avec les Allemands qui exhibaient partout les photos de Bauer et de Klopp, Alek était le seul à pouvoir faire les courses. Il avait beaucoup appris à déambuler seul dans les rues d'Istanbul. Comment marchander, comment se faufiler dans les quartiers allemands sans attirer l'attention, comment savoir l'heure qu'il était rien qu'aux appels à la prière des muezzins du haut des minarets.

Plus important, il avait compris quelque chose à propos de cette ville – le destin avait voulu qu'il soit là.

C'était là que le sort de la guerre se déciderait, en faveur des clankers ou de leurs ennemis. Un mince bras d'eau miroitait à distance, sillonné de bateaux qui faisaient mugir leur corne de brume. Ce passage de la Méditerranée à la mer Noire était vital pour l'armée russe, comme pour la cohésion des puissances darwinistes. Voilà pourquoi la providence l'avait conduit ici à travers la moitié de l'Europe.

Alek se trouvait là pour mettre un terme à la guerre.

Il en avait profité également pour acquérir quelques notions de turc.

— *Nasilsiniz*[1] ? s'entraîna-t-il à dire.

— *Iyiyim*[2], lui répondit une voix depuis la cage à oiseau couverte sur sa table.

— Chut !

Alek jeta un regard inquiet autour de lui. Les animaux fabriqués n'étaient peut-être pas illégaux à proprement parler mais il ne servait à rien d'attirer l'attention. Par ailleurs, il trouvait insupportable que la créature possède un meilleur accent que lui.

Il rectifia le tombé du tissu sur la cage avant de refermer l'entrebâillement qui avait permis à la créature de l'observer. Mais celle-ci boudait déjà dans son coin. Elle montrait une capacité stupéfiante à déchiffrer l'humeur d'Alek, dominée pour l'instant par l'agacement.

Où donc était passé Eddie Malone ? Il avait promis d'être là une demi-heure plus tôt, et Alek avait un autre rendez-vous juste après.

---

1. Comment allez-vous ?
2. Bien.

Il était sur le point de partir quand la voix de Malone s'éleva derrière lui.

Alek se retourna et s'inclina avec horreur.

— Ah, vous voilà enfin.

Malone haussa les sourcils.

— Enfin ? Vous êtes pressé ? On vous attend quelque part ?

Alek ignora la question.

— Avez-vous vu le comte Volger ?

— Oui, je l'ai vu.

Malone fit signe à un serveur et commanda un déjeuner après avoir consulté la carte. Il prit tout son temps.

— Un engin fascinant, ce *Léviathan*. La petite promenade du sultan s'est révélée beaucoup plus passionnante que je ne m'y attendais.

— Je suis heureux de l'entendre. Mais je m'intéresse surtout à ce que le comte Volger a pu vous dire.

Malone sortit son calepin et prépara son crayon.

— Il m'a dit beaucoup de choses... dont je n'ai pas compris la moitié. Je serais curieux de savoir si vous connaissez le garçon qui m'a fait entrer dans sa cabine. Un certain Dylan Sharp.

— Dylan ? répéta Alek, surpris. Bien sûr, que je le connais. C'est l'un des aspirants du *Léviathan*.

— Auriez-vous remarqué quelque chose de bizarre, chez lui ?

Alek secoua la tête.

— Comment ça, bizarre ?

— Eh bien, quand le comte Volger a entendu votre message, il a décrété que ce serait une bonne idée de vous rejoindre. Je l'ai trouvé plutôt imprudent, de parler d'évasion en présence d'un membre de l'équipage.

Mais ensuite, il a carrément ordonné à M. Sharp de l'aider.

— Ordonné ?

Malone opina du chef.

— On aurait presque dit qu'il le menaçait. Ça m'avait tout l'air d'une sorte de chantage. Savez-vous de quoi il pouvait être question ?

— Eh bien... pas vraiment, reconnut Alek.

Dylan avait certes commis quelques actions répréhensibles qu'il n'aimerait pas voir portées à la connaissance de ses officiers – avoir gardé pour lui les petits secrets d'Alek, par exemple. Mais Volger ne pouvait pas s'en servir contre lui sans dévoiler aux darwinistes la véritable identité d'Alek.

— Cela me semble étonnant, monsieur Malone. Vous avez peut-être mal entendu.

— Eh bien, vous allez pouvoir l'entendre vous-même.

Le reporter prit son crapaud perché sur son épaule, le posa sur la table et le chatouilla sous le menton.

— OK, Rusty. Répète.

Un instant plus tard, la voix du comte Volger sortait de la bouche du crapaud.

— Monsieur Sharp, j'espère que vous comprenez que ceci complique singulièrement les choses, fit l'animal, avant de poursuivre avec la voix de Dylan : Que diable voulez-vous dire ?

Alek jeta un regard autour de lui, mais les autres clients de la terrasse ne semblaient pas s'intéresser à eux. Ils regardaient plus loin, à distance, comme s'ils voyaient tous les jours des crapauds qui parlent. Pas étonnant que Malone ait choisi cet établissement comme lieu de rendez-vous.

Le crapaud imita ensuite un hululement strident, rappelant le klaxon du *Léviathan*, avant de reproduire une discussion confuse où différentes voix tentaient vainement de se faire entendre par-dessus la sirène.

La voix du comte Volger finit par émerger du brouhaha.

— Peut-être, mais si vous refusez de nous aider, je me verrai contraint de révéler votre petit secret.

Alek fronça les sourcils, perplexe. Volger faisait allusion à des leçons d'escrime. Dylan commençait par bredouiller qu'il ne comprenait pas, mais sa voix tremblait, comme s'il se retenait de pleurer. Pour finir, il acceptait d'aider Hoffman et le comte à s'échapper, et, après un dernier coup de sirène, le crapaud se tut.

Eddie Malone ramassa le batracien et le reposa délicatement sur son épaule.

— Peut-être pourriez-vous éclairer ma lanterne ?

— Je crains que non, s'excusa Alek.

C'était la pure vérité. Il n'avait jamais entendu une panique pareille dans la bouche de Dylan. Le garçon avait risqué la corde pour lui. Quelle menace Volger avait-il proférée qui puisse l'effrayer à ce point ?

Mais il ne servait à rien de s'interroger à voix haute devant ce journaliste. L'homme en savait déjà beaucoup trop long.

— Laissez-moi vous poser une question, monsieur Malone. Dylan et Volger savaient-ils que cette abomination mémorisait chacune de leurs paroles ? demanda Alek en indiquant le crapaud.

L'homme haussa les épaules.

— Je n'ai jamais prétendu le contraire.

— Cette franchise vous honore.

— Je ne leur ai pas menti, insista Malone. Et je peux vous promettre que Rusty n'est pas en train de mémoriser notre conversation. Il ne le fait que si je le lui demande.

— Ma foi, qu'il nous écoute ou non, je ne vois pas ce que je pourrais ajouter.

Alek fixa l'animal et repensa à la voix de Dylan. On aurait presque dit qu'il s'agissait d'une personne différente.

Avec l'aide de Dylan, bien sûr, Volger et Hoffman avaient beaucoup plus de chances de s'échapper.

— Volger a-t-il précisé quand il comptait faire sa tentative ?

— Ce sera forcément ce soir, répondit Malone. Les quatre jours se terminent. À moins que les Britanniques aient vraiment l'intention de faire cadeau du *Léviathan* au sultan, ils vont devoir quitter Istanbul demain.

— Excellent, dit Alek, qui se leva et tendit la main au journaliste. Merci d'avoir transmis nos messages, monsieur Malone. Je suis désolé, mais il me faut prendre congé.

— Un rendez-vous avec vos nouveaux amis, peut-être ?

— Je laisse cela à votre imagination, répliqua Alek. Soit dit en passant, j'espère que vous ne vous précipiterez pas pour écrire votre article. Volger et moi déciderons peut-être de rester encore un peu à Istanbul.

Malone s'adossa à sa chaise avec un sourire.

— Oh, n'ayez pas peur, je ne viendrai pas me mettre

en travers de vos plans. De mon point de vue, cette histoire commence tout juste à devenir intéressante.

⊙ ⊙ ⊙

Alek laissa le reporter en train de griffonner dans son calepin, prenant sans doute note de leur conversation. À moins qu'il n'ait menti et que le crapaud n'ait tout mémorisé pour lui. C'était de la folie de se fier à la discrétion d'un reporter, sans aucun doute, mais Alek était prêt à courir ce risque pour retrouver Volger.

Il aurait bien voulu que le comte soit à ses côtés pour son rendez-vous suivant. Zaven devait le présenter à d'autres membres du Comité Union et Progrès. Zaven lui-même était un homme éduqué, plutôt amical, mais ses compagnons révolutionnaires ne se montreraient peut-être pas aussi accueillants. Il ne serait pas facile à un aristocrate clanker de gagner leur confiance.

— Tu as été très sage, murmura Alek à la créature enfermée dans la cage alors qu'il s'éloignait. Si tu continues, je t'achèterai des fraises.

— *Monsieur* Sharp, répondit la créature, avant de glousser.

Alek se renfrogna. Ces paroles provenaient de la conversation répétée par le crapaud. La créature n'imitait pas les voix, mais le ton sarcastique de Volger était nettement reconnaissable.

Alek se demanda pourquoi la créature avait retenu ces deux mots en particulier parmi tous ceux qu'elle avait entendus.

— *Monsieur* Sharp, répéta-t-elle encore, apparemment très satisfaite d'elle-même.

Alek lui intima de se taire et sortit de sa poche un plan tracé à la main. Les indications de Zaven, dans une écriture raffinée, le conduisirent au nord-ouest de la mosquée Bleue, vers le quartier dans lequel il s'était égaré deux nuits plus tôt.

Les bâtiments se firent progressivement plus hauts, tandis que l'influence des clankers devenait de plus en plus forte. Des rails de tramway sillonnaient le pavé, et les murs étaient barbouillés de suie, presque aussi noirs que les tours d'acier de Berlin ou de Prague. Des machines de fabrication allemande passaient en souf-flant et en haletant ; leurs lignes épurées, fonctionnelles, avaient quelque chose d'étrange après tous ces mécano-podes en forme d'animaux. Les graffitis contestataires se multipliaient également – on retrouvait sur les murs le mélange d'alphabets et de symboles religieux, marque des nombreuses petites nations qui composaient l'Empire ottoman.

Le plan de Zaven entraîna Alek au milieu d'un dédale d'entrepôts, où des bras mécaniques se dressaient au-dessus des quais de chargement. Les murs de pierre montaient de part et d'autre des rues étroites, si haut qu'ils semblaient se rejoindre au-dessus d'Alek. Le soleil ne dispensait qu'une lumière grisâtre à travers le voile de pollution.

On voyait peu de piétons par ici, et Alek commença à se méfier. Avant hier, il n'avait jamais marché seul dans une grande ville et il ne savait pas quels quartiers étaient sûrs et lesquels ne l'étaient pas.

Il fit une halte et en profita pour poser la cage et consulter une fois de plus le plan de Zaven. Tout en plissant les yeux pour déchiffrer son écriture flamboyante, Alek aperçut une silhouette du coin de l'œil. Il s'agissait d'une femme voilée vêtue de longues robes noires. Courbée par l'âge, elle portait plusieurs pièces d'argent cousues dans sa coiffe. Il avait vu beaucoup de Bédouins de ce genre dans les rues d'Istanbul, mais jamais une femme seule. Elle se tenait immobile devant un entrepôt, le regard baissé sur le pavé.

Alek ne l'avait pas remarquée quand il était passé devant ce bâtiment quelques instants plus tôt.

Il replia son plan en vitesse, ramassa la cage et se remit en marche. Puis il jeta un coup d'œil en arrière.

La vieille femme le suivait.

Alek fronça les sourcils. Depuis combien de temps se trouvait-elle dans les parages ?

Il continua son chemin, légèrement anxieux. Il n'était plus très loin de l'adresse que lui avait fournie Zaven, et il n'était pas question de conduire cette étrangère jusqu'à ses nouveaux alliés. Istanbul grouillait d'espions et de révolutionnaires, mais aussi d'agents de la police secrète.

Il devait bien être capable de distancer une vieille femme. Il souleva la cage plus haut, pressa le pas et allongea peu à peu ses foulées sans prêter attention aux protestations qui s'échappaient de la cage.

Pourtant, quand il se retourna, sa poursuivante était toujours là, glissant avec grâce sur le pavé ; ses longues robes ondoyaient comme une eau noire.

Cette femme n'était pas si vieille après tout. Ce n'était peut-être même pas une femme.

Alek porta la main à sa ceinture, et jura tout bas. Il avait, pour seule arme, le couteau qu'il avait acheté au

Grand Bazar le matin même. Sa lame d'acier courbe lui avait paru aussi redoutable qu'exotique sur son étal de velours rouge. Mais elle aurait eu besoin d'être affûtée, et Alek n'avait jamais appris à manier une arme de ce genre.

Il tourna un dernier coin, presque à l'adresse indiquée sur le plan. Brièvement hors de vue de sa poursuivante, il piqua un sprint et s'engouffra dans une ruelle.

— Chut, murmura-t-il en se penchant sur la cage.

La créature émit un gémissement, contrariée de se voir ballottée de nouveau, puis se tut.

Alek posa la cage sur le sol et jeta un œil à l'extérieur.

La silhouette noire apparut. Elle marchait lentement désormais. Soudain, elle s'arrêta devant un quai de l'autre côté de la rue. Alek fronça les sourcils en reconnaissant le symbole peint sur le quai.

C'était celui que Zaven avait tracé sur son plan.

Était-ce une coïncidence ? Ou bien sa poursuivante savait-elle depuis le début où se rendait Alek ?

La silhouette en robes noires bondit en souplesse sur le quai, confortant Alek dans son idée qu'il ne s'agissait pas d'une femme. L'individu se recula dans l'ombre mais ses robes, animées par le vent, demeuraient visibles.

Alek resta caché dans la ruelle, le dos plaqué contre la pierre froide. À cause d'Eddie Malone, il avait déjà une demi-heure de retard. S'il attendait que son poursuivant se lasse et finisse par s'en aller, cela risquait de durer une éternité. Que penseraient de lui ses nouveaux alliés s'ils le voyaient arriver à leur réunion secrète plusieurs heures après l'heure du rendez-vous ?

Bien sûr, s'il leur amenait cet espion, ils pourraient être favorablement impressionnés...

Un mécanopode allemand à six pattes remontait la rue, un train de chariots derrière lui – la diversion idéale.

Alek s'agenouilla pour glisser à la créature dans sa cage :

— Je reviens tout de suite. Ne fais pas de bruit.

— Pas de bruit, marmonna la créature en guise de réponse.

Alek attendit que le train de chariots passe en brinquebalant entre son poursuivant et lui. Puis il sortit de la ruelle, courut le long du convoi, se faufila entre deux chariots et se retrouva de l'autre côté de la rue.

Dos à l'entrepôt, il se glissa à pas de loup vers le quai. Son long couteau à lame courbe lui paraissait étrange dans sa main, et il se demanda si l'homme l'avait repéré.

Mais il était trop tard pour les questions. Alek se rapprocha encore...

Soudain, un rire démentiel s'éleva de l'autre côté de la rue, précisément dans la ruelle où il avait laissé sa cage !

Il se figea sur place. La créature aurait-elle des ennuis ?

Un instant plus tard, la silhouette en robes noires bondissait dans la rue. Elle s'avança prudemment en direction du rire et traversa la rue pour jeter un œil dans la ruelle.

Alek saisit sa chance et s'avança sans bruit et colla sa lame contre la gorge de son poursuivant.

— Rendez-vous, monsieur ! J'ai l'avantage.

L'homme était plus petit qu'il ne l'avait cru – et plus vif. Il pivota sous la main d'Alek, et tous deux se retrouvèrent face à face.

À COUTEAUX TIRÉS.

Alek plongea son regard dans d'immenses yeux bruns encadrés par des bouclettes brunes. Il ne s'agissait pas d'un homme, ça alors !

— L'avantage, mon œil ! dit la fille dans un allemand parfait. À moins que tu ne tiennes à mourir avec moi.

Alek sentit une pression, et baissa les yeux.

Elle appuyait la pointe de son propre couteau au creux de son ventre.

Décontenancé, Alek avala sa salive. C'est alors que la porte de l'entrepôt se souleva dans un fracas de chaînes et de poulies.

Les deux adversaires levèrent la tête, sans relâcher leur étreinte mortelle.

Zaven se tenait sur le seuil, à les dévisager tous les deux avec un grand sourire.

— Alek, vous voilà enfin ! Et je vois que vous avez déjà fait connaissance avec ma fille !

VINGT-SIX

— Tu aurais dû me laisser le tuer, bougonna la fille de Zaven alors qu'ils montaient le grand escalier à l'intérieur de l'entrepôt.

La créature gloussa dans sa cage, et Alek se demanda pourquoi.

Zaven fit claquer sa langue avec tristesse.

— Ah, Lilit. Tu es la digne fille de ta mère.

— Il a parlé avec le journaliste !

Alek réalisa que Lilit s'exprimait en allemand, pour qu'il comprenne la conversation. Il trouvait cela plutôt gênant, d'être menacé par une fille. Presque aussi embarrassant que de l'avoir prise pour un homme.

— Nene sera d'accord avec moi, prédit Lilit, en fixant Alek d'un regard froid. Et là, nous verrons bien qui aura l'avantage.

Il leva les yeux au ciel. Comme s'il allait avoir le dessous face à une fille ! Tout était la faute de la créature. Elle l'avait distrait. La cage lui paraissait plus pesante que jamais, et cet escalier interminable. Allaient-ils continuer à grimper encore longtemps ?

— M. Malone m'apportait un message de mon ami

à bord du *Léviathan*. Je ne lui ai rien dit de votre comité ! expliqua-t-il.

— Peut-être pas, concéda Lilit. Mais je t'ai suivi pendant une heure avant que tu me remarques. La naïveté peut être aussi dangereuse que la traîtrise.

Alek inspira profondément, regrettant une fois de plus que Volger ne soit pas avec lui.

Mais Zaven ne fit qu'en rire.

— Haha ! Il n'y a pas de honte à se faire surprendre par ma fille, Alek. Elle se fond dans les ombres mieux que personne. Elle a suivi l'enseignement d'un maître !

Il se frappa la poitrine.

— C'est vrai, je ne vous avais pas repérée, admit Alek en se tournant vers Lilit. Mais avais-je quelqu'un d'autre à mes basques ?

— Non. Je l'aurais vu.

— Très bien. Je n'ai donc pas conduit la police secrète du sultan jusqu'à vous, n'est-ce pas ?

Lilit renifla avec dédain et continua à monter.

— Hum ! Nous verrons bien ce qu'en dit Nene.

— De toute manière, lui lança Alek, si les Allemands me retrouvent, ils ne se donneront pas la peine de me suivre. Ils me feront tout simplement disparaître.

Sans se retourner, Lilit grommela :

— C'est toujours bon à savoir.

◉　◉　◉

L'escalier n'en finissait plus, faiblement éclairé par une colonne de fenêtres grillagées par lesquelles filtrait un jour grisâtre. Quand Zaven les conduisit au-dessus des fumées d'échappement qui noyaient la rue, la lumière se renforça. De petites touches d'humanité apparurent sur les murs – portraits de famille, ou croix à trois branches de l'Église orthodoxe.

— Zaven, demanda Alek, est-ce ici que vous vivez ?

— Un as de la déduction, ironisa Lilit.

— Nous avons toujours habité au-dessus de l'entre-prise familiale, répondit Zaven, devant une porte en bois à double battant ornée de bronze. Qu'il s'agisse d'une boutique de chapeaux ou d'une usine de mécanique. À présent que la révolution est devenue une affaire fami-liale, nous habitons au-dessus du comité !

Alek fronça les sourcils. En quoi ce comité consis-tait-il précisément ? L'entrepôt était plus silencieux qu'une église ; la peinture s'écaillait sur les murs, et l'escalier était vétuste.

En tournant la clé dans la serrure, Zaven avertit sa fille :

— Pas de déguisement à la maison.

Lilit lui jeta un regard agacé, mais enleva ses habits de Bédouin. Elle portait en dessous une robe de soie rouge vif qui descendait jusqu'au sol.

Une fois de plus, Alek nota la profondeur de ses yeux bruns, ainsi que son incroyable beauté. Quel imbécile il avait été, de la confondre avec un homme !

Zaven repoussa les deux battants et ils s'avancèrent au milieu d'une débauche de couleurs. Les divans et les fauteuils de l'appartement étaient recouverts de soie chatoyante, les lampes électriques ornées de vitraux translucides de toutes les teintes de l'arc-en-ciel. Un vaste tapis persan étalait sur le sol ses entrelacs géomé-triques de toutes les nuances des feuilles d'automne. Le soleil qui pénétrait par un grand balcon semblait enflammer la mosaïque.

Le mobilier avait connu des jours meilleurs, cependant, et le tapis était élimé par endroits.

— Plutôt cosy, commenta Alek, pour un repaire de révolutionnaires.

— Nous faisons de notre mieux, dit Zaven en parcourant la pièce d'un regard las. Un hôte digne de ce nom commencerait par vous offrir du thé. Mais nous sommes en retard.

— Nene a horreur d'attendre, renchérit Lilit.

Alek lissa son veston. Ce fameux Nene était à l'évidence le chef de leur groupe. Mieux valait rectifier sa tenue avant de se présenter devant lui.

On le conduisit devant une deuxième porte à double battant. Lilit frappa quelques coups légers, patienta un moment, puis entra.

Au contraire de la première salle, celle-ci était sombre, imprégnée d'une forte odeur d'encens où se mêlaient des relents de vieux tapis. La lumière trouble d'une lampe à huile à l'ancienne nimbait l'ensemble de la pièce de reflets vineux. Une douzaine de récepteurs sans fil étaient alignés dans l'ombre ; leurs tubes luisaient, et le crépitement d'un télégraphe emplissait l'air.

Contre le mur du fond se dressait un immense lit à baldaquin entouré d'une moustiquaire. Il reposait sur quatre pieds sculptés, ornés de replis de peau, comme les pattes d'un reptile. Derrière la moustiquaire, on distinguait une silhouette menue enveloppée dans des draps blancs. Ses yeux scintillaient sous un halo de cheveux gris.

— Voilà donc ton jeune Allemand, fit une voix chevrotante. Celui que tu as sauvé in extremis.

— Il est autrichien, corrigea Zaven. Mais oui, mère, c'est un clanker.

Lilit se pencha pour embrasser la vieille dame sur le front avant d'ajouter :

— Et un espion, Nene. Je l'ai vu parler avec un journaliste avant de venir ici !

Alek relâcha doucement sa respiration. Le redoutable Nene n'était autre que la mère de Zaven ? Ce comité ne proposait-il rien de plus qu'une manière originale de passer le temps en famille ?

Il posa sa cage à oiseau et s'inclina.

— Bonjour, madame.

— Tu as un accent autrichien, c'est vrai. Mais il y a beaucoup d'Autrichiens qui travaillent pour le sultan, ajouta-t-elle dans un allemand irréprochable.

Ces Ottomans semblaient tous maîtriser cinq ou six langues

Alek désigna Zaven.

— Votre fils a dû vous raconter que j'étais poursuivi par les Allemands.

— Oui, il paraît qu'ils t'ont rabattu direct vers l'un de nos mécanopodes, dit Nene. Une façon idéale de te présenter, en somme.

— J'ignorais complètement que cette machine allait m'attraper quand je suis tombé, fit valoir Alek. J'aurais très bien pu mourir.

— Ça peut encore t'arriver, grommela Lilit.

Sans faire attention à elle, Alek s'agenouilla près de la cage pour défaire les cordons de son voile. Quand il se releva, il brandit la cage pour la montrer à Nene.

— Un agent du sultan se promènerait-il avec ceci ? demanda-t-il, avant d'ôter le voile qui couvrait la cage.

La créature les scruta tour à tour de ses grands yeux ronds. Elle examina chaque visage, absorbant la surprise de Zaven, les soupçons de Lilit et enfin le regard froid et lumineux de Nene.

— Qu'est-ce que c'est que cette chose, au nom du ciel ? demanda Nene.

— Une créature du *Léviathan*, à bord duquel j'ai servi en tant que mécanicien ces deux dernières semaines.

La vieille dame rit doucement.

— Un clanker, sur le *Léviathan* ? Allons, c'est ridicule. Tu as probablement acheté cette bête dans je ne sais quelle arrière-boutique du Grand Bazar.

Alek se redressa.

— Certainement pas, madame. Elle a été fabriquée par le docteur Nora Darwin Barlow en personne.

— Un Darwin, travailler sur une jolie petite peluche comme ça ? Soyons sérieux. À quoi servirait-elle à bord d'un bâtiment de guerre, de toute façon ?

— C'était un cadeau pour le sultan, expliqua Alek. Un moyen de convaincre les Ottomans de rester en dehors du conflit. Mais il a éclos... heu... plus tôt que prévu.

La vieille dame haussa les sourcils.

— Tu vois, Nene ? C'est un menteur ! s'écria Lilit. Et un imbécile, de croire que nous allons gober son histoire !

— Croire, dit la créature.

Un grand silence s'abattit sur la pièce. Zaven fit un pas en arrière.

— Elle *parle* ?

— Pas plus qu'un perroquet, lui dit Alek. Ou un lézard messager qui répéterait des mots pris au hasard.

La vieille dame fixa la créature d'un œil critique.

— Je ne connais pas cette bête, mais c'est la première fois que j'en vois une. Je voudrais bien l'examiner de plus près.

Alek ouvrit la cage, et la bestiole en sortit pour lui grimper sur l'épaule. Il se rapprocha du lit et tendit le bras. La créature le descendit prudemment, en soutenant le regard hostile de Nene avec ses grands yeux ronds.

Alek vit l'expression de la dame se radoucir, comme celle de Klopp ou de Bauer chaque fois qu'il leur confiait la créature. Quelque chose dans ses gros yeux et son visage chafouin semblait inspirer l'affection. Même Lilit ne disait plus rien.

Nene prit les mains d'Alek dans les siennes.

— Tu n'as jamais travaillé pour gagner ton pain, c'est certain. Mais tu as encore des traces de cambouis sous les ongles. Et tu pratiques l'escrime, n'est-ce pas ?

Alek fit oui de la tête. Il était impressionné.

— Dis-moi quelque chose à propos du *Léviathan* qu'un menteur ne saurait pas, ordonna-t-elle.

Alek réfléchit un moment, tâchant de se rappeler toutes les merveilles qu'il avait vues à bord de l'aéronef.

— On y trouve des chauves-souris à fléchettes, des bêtes volantes fabriquées à partir de méduses et des faucons équipés de serres en acier.

— On a pu lire cela dans tous les journaux cette semaine. Essaie autre chose.

Alek se renfrogna. Il n'avait jamais lu un journal de sa vie, et ignorait ce qui pouvait être de notoriété publique

LA FAMILLE DE NENE.

à propos du *Léviathan*. Il doutait fort que les darwinistes lui aient montré le moindre secret militaire.

— Eh bien, nous avons combattu le *Goeben* et le *Breslau* avant d'arriver ici.

Il y eut un long silence. À en juger par l'expression de ses hôtes, la nouvelle avait semble-t-il échappé aux journaux.

— Les nouveaux jouets du sultan ? demanda Nene. Quand cela exactement ?

— Il y a huit jours. Nous sommes tombés sur eux par hasard au sud des Dardanelles.

Nene acquiesça lentement de la tête. Ses yeux glissèrent en direction de l'un des récepteurs sans fil.

— C'est possible. Il est certain qu'il se passait quelque chose lundi dernier.

— Ç'a été une chaude bataille, raconta Alek. Le canon Tesla du *Goeben* a bien failli nous précipiter à la mer !

Les trois échangèrent un regard, puis Zaven répéta :

— Le canon Tesla ?

Alek sourit. Enfin quelque chose qui semblait capter l'intérêt de ces révolutionnaires.

— L'engin qu'il porte sur le pont arrière ressemble peut-être à une tour de transmission sans fil, mais en réalité il s'agit d'une arme électrique. Elle génère de la foudre. Je sais que cela peut paraître absurde, mais...

Nene le fit taire d'un geste.

— Pas du tout. Viens donc faire quelques pas avec moi, mon garçon.

— Quelques pas ? demanda Alek.

Il avait cru la dame invalide.

— Sur le balcon, ordonna-t-elle.

Soudain, le son délicat d'un mécanisme d'horlogerie résonna dans la pièce et l'un des pieds fripés du lit s'avança.

Alek bondit en arrière, tandis que Lilit s'esclaffait. La créature remonta sur son épaule où elle fit écho au rire de la jeune fille.

— Serait-ce la première fois que tu vois une tortue se déplacer ? demanda Nene avec un sourire.

Alek recula encore d'un pas, pour laisser le lit continuer pesamment son chemin vers la porte à double battant.

— Non, mais je n'avais jamais imaginé qu'on puisse dormir dessus.

— Tu t'endors tous les soirs sur une tortue, mon garçon. Le monde lui-même repose sur le dos d'une tortue.

Alek sourit.

— Ma mère aussi me racontait cette histoire de bonnes femmes quand je n'étais qu'un enfant.

— Une histoire de bonnes femmes ! s'écria Nene, dont la voix se fêla. La notion est parfaitement scientifique. Le monde repose sur une tortue, laquelle se tient sur le dos d'un éléphant !

Alek se retint de pouffer.

— Et sur quoi repose l'éléphant, madame ?

— N'essaie pas de jouer au plus fin avec moi, jeune homme. Sur un autre éléphant, bien sûr, et ainsi de suite jusqu'en bas !

Le lit chemina lentement vers la grande porte du balcon. Alek le suivit avec prudence, émerveillé par la perfection du dispositif. Les mécanismes d'horlogerie faisant appel à des ressorts plutôt qu'à un moteur à vapeur ou à essence, les mouvements du lit restaient lents et mesurés, l'idéal pour une invalide.

Mais la femme allongée dans ce lit devait être un peu folle, avec son discours sur les éléphants. D'ailleurs, Alek trouvait ces trois personnes vraiment bizarres, à vrai dire. Ils lui faisaient penser à ses parents pauvres, des aristocrates tombés dans la misère mais qui conservaient une très haute idée de leur propre importance.

La nuit précédente, Zaven avait prétendu qu'ils avaient participé au soulèvement des Jeunes-Turcs six ans plus tôt. Mais cette étrange famille représentait-elle une menace réelle pour le sultan, ou se contentait-elle de commémorer sa grandeur passée ?

Bien sûr, le mécanopode de Zaven n'était pas à dédaigner.

Sur le balcon, Alek put se rendre compte que l'appartement de la famille était construit sur le toit de l'entrepôt, qui les entourait de toutes parts, comme une parcelle de terrain. Drôle d'endroit pour vivre, mais qui procurait un point de vue imprenable sur la ville. D'aussi haut, on pouvait aussi bien admirer la mer de Marmara que les eaux scintillantes de la Corne d'Or. Et là, comme Eddie Malone l'avait dit, Alek découvrit le *Goeben* amarré le long du quai. Ses gigantesques bras anti-krakens travaillaient au-dessus de la surface pour le chargement de marchandises.

Nene indiqua les quais d'un doigt flétri.

— Où as-tu appris ce que tu sais de ce canon Tesla ?

— Il nous a tiré dessus, expliqua Alek. L'aéronef a bien failli s'enflammer.

— Mais comment connais-tu son *nom*, mon garçon ? Je doute que tu l'aies deviné.

Alek hésita.

— Ah. L'un de mes hommes est un maître de mécanique. Il avait déjà vu des modèles expérimentaux de ce type.

Nene secoua la tête avec incrédulité.

— Tes hommes connaissent les armes secrètes des Allemands, et tu voudrais me faire croire que vous servez à bord du *Léviathan* ? Dis-moi qui tu es en réalité. Tout de suite !

Ignorant le sourire froid de Lilit, Alek prit une grande inspiration.

— Je suis un aristocrate autrichien, madame. Mon père était opposé à cette guerre, et les Allemands l'ont tué pour cela. Mes hommes et moi nous cachions dans les Alpes quand le *Léviathan* a fait un atterrissage forcé devant nous.

— Et les darwinistes vous ont invités à bord ?

— Nous les avons aidés à s'enfuir. Notre Sturmgänger était endommagé, et leurs moteurs étaient détruits. Alors nous avons uni nos efforts de manière à pouvoir échapper aux Allemands. Mais une fois en l'air, il est devenu clair qu'ils nous considéraient comme des prisonniers de guerre. Nous avons dû leur fausser compagnie. Et nous voilà, à la recherche d'alliés dans ce conflit.

— Alliés, répéta la créature.

— Je veux me venger des Allemands, dit Alek. Tout comme vous.

Il y eut un long silence, puis Nene secoua la tête.

— Je ne sais pas quoi penser de toi, mon garçon. Des moteurs clankers sur un souffleur d'hydrogène ? C'est ridicule. Et pourtant... un agent du sultan n'oserait jamais nous servir une histoire aussi invraisemblable.

— Attendez, dit Lilit en prenant la main de sa grand-mère. Vous rappelez-vous quand le *Léviathan* a survolé la ville, hier ? Et que nous avons trouvé curieux de voir ses moteurs fumer, comme ceux des engins clankers ? Ce qui ne veut pas dire que je le crois, ajouta-t-elle en lançant un regard méfiant à Alek.

Nene secoua la tête une fois de plus.

— Ce garçon les a vus aussi, sans doute, et c'est ce qui lui aura inspiré cette histoire incroyable.

— Madame, je n'apprécie guère qu'on me traite de menteur, déclara Alek d'un ton ferme. Que je connaisse aussi bien les secrets des clankers que ceux des darwinistes ferait de moi un allié précieux. J'ai une formation militaire, et de l'or. Mes hommes et moi savons piloter des mécanopodes et aussi les réparer. Vous avez tout intérêt à nous accepter dans vos rangs – à moins que vous ne *jouiez* les révolutionnaires pour passer le temps ! Lilit bondit sur ses pieds, la mâchoire serrée. Zaven demeura silencieux, mais sa main se porta à son couteau. Nene parla très calmement.

— Jeune homme, tu n'as aucune idée de ce que cette lutte a pu coûter à notre famille – notre fortune, notre statut au sein de la société, ainsi que la mère de cette pauvre enfant, dit-elle en prenant la main de Lilit. Comment oses-tu nous traiter d'amateurs ?

Réalisant qu'il était allé trop loin, Alek fit la grimace.

— Je doute que tu puisses nous aider, poursuivit Nene. Je sais reconnaître un aristocrate quand j'en vois un. Et les enfants gâtés tels que toi n'aident jamais personne d'autre qu'eux-mêmes.

Ces mots firent à Alek l'effet d'un coup de pied dans le ventre – voilà pourquoi il passait toujours pour un imbécile élevé dans la soie, malgré tous ses efforts. Ses genoux se dérobèrent et il dut s'asseoir au bord du lit.

— Je regrette d'avoir parlé comme un idiot, dit-il. Et je suis désolé pour votre mère, Lilit. J'ai perdu mes parents moi aussi. Je cherche un moyen de me battre, c'est tout.

— Tu as perdu tes deux parents ? dit Nene, d'une voix radoucie. Qui es-tu, mon garçon ?

Alek plongea son regard dans les yeux de la vieille dame et comprit qu'il avait le choix – soit il se fiait à elle, soit il repartait seul. Sans alliés, ses hommes et lui n'auraient plus qu'à fuir la ville pour se cacher en rase campagne.

Mais ce n'était pas cela qu'il était venu faire à Istanbul.

— Qui croyez-vous que je sois ? souffla-t-il.

— Un noble autrichien, certainement. Peut-être le fils d'un archiduc ?

Il hocha la tête, en soutenant son regard sévère.

— Dans ce cas, tu dois connaître le nom de jeune fille de ta mère. Et si tu en oublies une seule syllabe, ma petite-fille te jettera du haut de ce toit.

Alek prit une respiration, puis récita :

— Sophie Maria Joséphine Albina, comtesse Chotek de Chotkow et Wognin.

Le visage de la vieille dame se détendit enfin.

— C'est la providence qui m'a guidé jusqu'à vous, dit Alek. Je peux vous aider, Nene, je le jure.

De manière inexplicable, Lilit éclata de rire. Zaven laissa échapper un petit rire, et la créature se joignit à lui.

— Quel charmeur, dit Lilit. Il t'a déjà adoptée, Nene !

Alek réalisa son erreur. « Nene » n'était pas un nom mais simplement un mot affectueux pour dire « grand-mère », comme « Oma » en allemand.

— J'ai bien peur que mon arménien laisse à désirer, madame.

La vieille dame sourit.

— Ne t'en fais pas. À mon âge, on n'a jamais trop de petits-enfants. Même si certains ne sont que des idiots.

Alek respira bien à fond, et réussit à tenir sa langue.

— C'est peut-être à cause de mon grand âge, mais je commence à te croire, dit Nene. Naturellement, si tu es bien qui tu prétends, tu dois savoir piloter un mécano-pode…

— Montrez-m'en un, et je vous le prouverai.

Elle hocha la tête, puis fit un geste de la main.

— Zaven ? Je crois qu'il est temps de présenter Son Altesse Sérénissime au comité.

VINGT-SEPT

Lilit et Zaven le conduisirent d'un côté du balcon, d'où l'on dominait une cour immense entre les murs de plusieurs entrepôts. Les fenêtres des bâtiments voisins étaient murées, et la cour entière couverte d'un filet qui la dissimulait depuis le ciel.

Cinq mécanopodes se tenaient dans la pénombre.

Alek s'agenouilla devant la balustrade et regarda en bas. Au cours des derniers jours, il avait pu apercevoir dans la rue plusieurs des mécanopodes de combat qui gardaient les ghettos d'Istanbul. Ces cinq-là portaient les éraflures et les bosses de nombreuses batailles, et leur blindage était orné d'une multitude de symboles – croissants, croix, une étoile de David et d'autres qu'il voyait pour la première fois.

— Un comité de golems de fer, murmura-t-il.

Zaven leva un doigt.

— Golems de fer, c'est seulement leur nom juif. Les Valaques les appellent loups-garous, et nos frères grecs, Minotaures.

Il indiqua le mécanopode qui avait rattrapé Alek dans sa chute deux nuits plus tôt.

— Je crois que vous avez déjà fait la connaissance de Şahmeran, ma machine personnelle. C'est une déesse du peuple kurde.

— Et tous sont réunis en un même lieu.

— Quel don d'observation, décidément ! marmonna Lilit.

— Ça suffit, jeune fille, intervint Nene qui les rejoignait lentement dans son lit. Voilà trop longtemps que nous nous satisfaisons de contrôler nos propres quartiers en abandonnant le reste de l'empire au sultan. Mais les Allemands et leur *mekanzimat* nous ont rendu un fier service – ils nous ont enfin unis.

Zaven s'agenouilla à côté d'Alek.

— Les machines que vous voyez ne sont qu'un échantillon de celles dont nous disposons. Nous nous servons de celles-là pour nous entraîner, afin qu'un Kurde sache piloter un loup-garou, et un Arabe, un golem de fer.

— Pour que vous puissiez combattre tous ensemble, devina Alek.

— Absolument. Ma fille a appris à les piloter tous les cinq !

— Une fille, aux commandes d'un mécanopode ? C'est tout à fait…

En voyant l'expression de Lilit, Alek s'éclaircit la gorge :

— Hum ! Tout à fait extraordinaire.

— Bah, ce n'est pas aussi étrange que vous semblez le croire, dit Zaven, en levant le poing. Après la révolution, les femmes deviendront les égales des hommes en tout !

Alek se retint de s'esclaffer. Une autre preuve de la

folie familiale, semblait-il, à moins qu'il ne faille y voir l'influence de Nene et sa volonté de fer sur son fils.

— Comment fonctionne le canon Tesla ? demanda Lilit.

— Maître Klopp prétend qu'il s'agit d'un générateur de foudre.

Alek se remémora les explications de Klopp quelques jours après leur rencontre avec le *Goeben*.

— Nikola Tesla est un Américain, mais ce sont les Allemands qui ont financé ses travaux. Ils étudiaient ce canon depuis un moment déjà. Par qui en aviez-vous entendu parler ?

— Peu importe, dit Nene. Peut-il stopper nos mécanopodes ?

— J'en doute. Il est surtout conçu pour abattre les souffleurs d'hydrogène. Mais le *Goeben* a toujours ses canons ordinaires, et des mécanopodes comme ceux-là lui offriraient des cibles idéales.

Alek regarda au sud-est, où des panaches de fumée s'élevaient au-dessus du palais du sultan – non loin de l'eau. Tant que les bâtiments de guerre allemands resteraient à proximité, le palais n'aurait pas à craindre une attaque de mécanopodes.

— C'est pour cela que les cuirassés allemands sont là, n'est-ce pas ? Pour maintenir le sultan au pouvoir ?

— Et pour affamer les Russes. On peut enfoncer plusieurs clous avec le même marteau. Tu as reçu une formation militaire, je vois.

— Une formation très poussée, en ce qui concerne les mécanopodes, dit Alek en redressant les épaules. Confiez-moi le plus difficile à manier de tous ceux que vous avez, et je vous le prouverai.

Nene acquiesça ; un sourire s'étala lentement sur son visage.

— Tu as entendu le garçon, jeune fille. Conduis-le à Şahmeran.

◉   ◉   ◉

Alek fléchit les doigts en examinant les commandes. Les cadrans comportaient des symboles plutôt que des mots, mais la plupart n'avaient rien de mystérieux. Température du moteur, pression hydraulique, niveau de carburant – rien qu'il n'ait déjà vu à bord de son Sturmgänger.

Les manettes, en revanche, étaient très différentes. Elles sortaient du plancher de la cabine de pilotage comme d'énormes leviers. Les poignées ressemblaient aux gantelets métalliques d'un chevalier du Moyen Âge.

— Je suis censé marcher avec cela ? demanda-t-il.

— Bien sûr que non. Ce sont les commandes des bras. Les jambes se contrôlent avec les pédales, gros nigaud.

— Gros nigaud, répéta la créature avec un petit rire.

— Ton animal te connaît bien, à ce que je vois, commenta Lilit en caressant son pelage. Comment s'appelle-t-il ?

— Il n'a pas de nom. Les créatures fabriquées n'en ont jamais. À l'exception des grands aéronefs, naturellement.

— Eh bien, il faut en donner un à celle-ci. Est-ce un mâle ou une femelle ?

Alek réfléchit à la question, puis se renfrogna.

— Je n'en ai pas la moindre idée. Peut-être ni l'un ni l'autre.

— D'où sort-elle, dans ce cas ?

— D'un œuf.

— Oui, mais d'où sort l'œuf ?

Alek haussa les épaules.

— Pour ce que j'en sais, la savante l'a tiré directement de son chapeau melon.

Lilit étudia la créature de plus près pendant qu'Alek contemplait les commandes. Il n'avait encore jamais piloté un mécanopode équipé de bras. Cette Şahmeran risquait de lui poser plus de problèmes que prévu.

Mais si une fille était capable de piloter cette monstruosité, cela ne pouvait pas être bien compliqué.

— Comment savoir ce que font les bras ? Je ne les vois même pas de mon siège.

— On *sent* simplement où ils sont, comme s'ils faisaient partie de soi. Mais puisque c'est ta première fois…

Lilit tourna une manivelle, et la moitié supérieure de la cabine commença à se soulever dans un chuintement de pneumatiques.

— … Tu n'as qu'à essayer en mode « parade ».

— En mode « parade » ?

— Celui qu'on emploie quand Şahmeran participe aux processions religieuses kurdes.

— Ah, ce genre de parade, dit Alek. Étrange pays que le vôtre. Les mécanopodes y sont autant des symboles que des machines.

— Şahmeran n'est pas un symbole. C'est une déesse.

— Une déesse. Bien sûr, rétorqua Alek en bougonnant. Il y a décidément beaucoup de femmes dans cette révolution.

Lilit leva les yeux au ciel tout en mettant le moteur en marche. La machine s'anima sous leurs pieds avec un grondement, que la créature imita aussitôt avant de bondir de l'épaule d'Alek pour jeter un coup d'œil derrière le tableau de commandes.

— Votre animal ne craint rien ? s'inquiéta Lilit.

— Oh, il n'a pas le vertige, lui assura Alek. Pour nous enfuir du *Léviathan*, nous avons dû ramper sous un câble tendu au-dessus d'un vide beaucoup plus impressionnant.

— Pourquoi l'avoir volé ? Pour prouver que vous étiez à bord de l'aéronef ?

— Je n'ai rien volé du tout, se défendit Alek en plaçant soigneusement ses bottes sur les pédales. C'est lui qui a insisté pour venir.

La créature se retourna vers eux et parut adresser un sourire à Lilit.

— Parfois, je suis presque tentée de te croire, avoua cette dernière d'une voix douce. Allez, mon mignon, montre-nous tes talents. Commence par la marche, c'est la partie la plus facile.

— Je doute que cela présente beaucoup de difficultés, dit Alek, en regardant les écrans s'allumer autour de lui.

Quand les indicateurs de pression furent stabilisés, il enfonça les pédales, d'un geste lent et régulier.

La machine réagit et s'avança en souplesse, ses jambes arachnéennes bougeant tour à tour selon une séquence automatique. Il relâcha légèrement la pression sur la pédale de gauche afin de faire virer le mécanopode.

— C'est encore plus facile à conduire que ma vedette

quadripode ! s'exclama-t-il. J'aurais pu la piloter quand j'avais douze ans !

Lilit lui adressa un regard en coin.

— Tu avais ton propre mécanopode ? À l'âge de douze ans ?

Alek tendit les mains vers les manettes.

— Il appartenait à ma famille. Et les garçons ont un talent naturel pour la mécanique, après tout.

— Un talent naturel pour la vantardise, tu veux dire.

— Nous allons voir lequel de nous deux se vante.

Alek enfila la main droite dans le gant de métal et ferma le poing. Une immense paire de pinces claqua sur le flanc droit de la machine.

— Doucement, le prévint Lilit. Şahmeran est beaucoup plus forte que toi.

Alek agit sur la manette et observa comment le bras du mécanopode réagissait. Long et sinueux, il ressemblait à un serpent ; le bruit de ses écailles glissant l'une contre l'autre évoquait celui d'une douzaine de sabres tirés du fourreau.

— L'astuce consiste à oublier son propre corps, conseilla Lilit. Fais comme si les mains du mécanopode étaient les tiennes.

Les manettes se révélaient étonnamment sensibles, et les bras géants reproduisaient les moindres gestes d'Alek, quoique au ralenti. Il calqua sa vitesse sur celle de la machine, et bientôt, il eut l'impression de mesurer vingt mètres de haut, comme s'il portait un immense costume au lieu de piloter.

— Et maintenant, la partie la plus délicate. Ramasse cette charrette, là-bas, ordonna Lilit.

Une vieille charrette renversée se trouvait à l'autre

bout de la cour. Ses flancs en bois étaient éraflés et creusés de sillons profonds, comme un jouet d'enfant qu'on aurait maltraité.

— Cela ne me paraît pas si difficile, dit Alek, en guidant sa machine entre les formes immobiles des autres mécanopodes.

Il tendit la main droite et la machine lui obéit. Sur le tableau de commandes, la créature imita les chuintements et les crissements métalliques qui résonnaient contre les murs de la cour.

Alek referma la main avec précaution, et les doigts mécaniques enserrèrent la charrette.

— Bien, approuva Lilit. Doucement, maintenant.

Alek hocha la tête. Il se rappelait le conseil de Volger sur la manière de tenir un sabre – comme un petit oiseau, assez fort pour ne pas le laisser s'échapper, mais pas trop, pour ne pas l'étouffer.

La charrette glissa dans le poing de Şahmeran et menaça de lui échapper.

— Tourne le poignet, lui dit Lilit, très vite. Mais ne serre pas !

Alek actionna vers le haut, pour garder la charrette au creux de sa paume métallique. Mais elle bascula sur ses roues et se mit à rouler.

— Attention ! s'écria Lilit.

Et la créature répéta ce mot.

Alek tordit la manette, pour essayer de retourner la charrette sur le flanc. Mais celle-ci refusait de rester tranquille et roulait comme une bille au creux d'un bol. Elle atteignit le bord de la paume où elle oscilla en équilibre ; Alek serra un peu plus fort...

PETITE SÉANCE D'EXERCICES SUR LE TERRAIN.

Les doigts métalliques claquèrent, et on entendit un craquement. Des esquilles volèrent dans toutes les directions ; Alek se baissa juste à temps pour éviter un gros débris. De minuscules échardes le cinglèrent au visage.

En rouvrant les yeux, il vit les restes de la charrette s'écraser par terre sur le pavé. Il regarda la main du mécanopode avec une grimace gênée.

Lilit se redressa sur son siège à côté de lui. Elle avait quelques échardes dans ses cheveux bruns. La créature regarda Alek depuis le sol de la cabine, en imitant un bruit de craquement.

— Avoir entre ses mains le pouvoir d'une déesse, c'est une sacrée responsabilité, dit Lilit à voix basse en faisant bouffer ses cheveux. Tu ne crois pas, mon mignon ?

Alek hocha la tête, tourna le poignet et regarda la main géante pivoter sur son axe. Il ressentait encore cette connexion entre la machine et lui.

— Vous n'auriez pas une autre charrette ? demanda-t-il. Je crois que j'ai compris l'astuce.

VINGT-HUIT

La nuit tombait enfin.

Deryn avait passé la journée à étouffer entre les caisses empilées sur le pont, cachée de l'équipage comme du soleil implacable. Elle se trouvait à bord du bateau qu'elle avait repéré de la plage de Kilye Niman, un bateau à vapeur allemand qui transportait de grosses bobines de fil de cuivre et des pales de turbine aussi grandes que les ailes d'un moulin à vent.

Le bateau avait patienté devant les filets anti-krakens jusqu'au matin, puis avait mis presque toute la journée à remonter jusqu'à Istanbul. Après les sept semaines qu'elle venait de passer à bord d'un aéronef, Deryn trouvait une telle lenteur particulièrement exaspérante. Et le fait qu'elle n'ait rien mangé depuis la veille sinon un vieux biscuit retrouvé entre les caisses n'arrangeait rien. Pour boire, elle avait dû se contenter d'un peu de rosée récupérée sur la toile d'un canot de sauvetage.

Bien sûr elle restait mieux lotie que ses hommes, lesquels étaient soit morts, soit détenus par les Ottomans. Pendant le long trajet de retour, elle eut le temps de se repasser mille fois la scène de la plage, en se demandant

297

ce qu'elle aurait pu faire différemment. Mais contre un mécanopode scorpion et deux douzaines de soldats, elle n'aurait réussi qu'à se faire capturer elle aussi.

Le navire marchand n'avait pas que des inconvénients, cependant. L'équipage passait le plus clair de son temps sous le pont, et il avait laissé du linge à sécher au soleil sur un fil. Deryn trouva un ensemble qui lui allait à peu près.

Quand le soleil serait couché, elle nagerait jusqu'au rivage.

Les lumières d'Istanbul s'allumaient déjà devant elle. L'éclairage électrique était plus cru que la bioluminescence de Londres et de Paris, et les scintillements fantomatiques qu'elle apercevait depuis l'aérodrome devenaient éblouissants à cette distance. La ville se parait de lumière comme pour un carnaval, étincelant de mille feux.

Même le palais du sultan était richement illuminé sur sa colline, avec ses deux mosquées autour de lui qui dardaient leurs minarets vers le ciel. Deryn avait décidé de nager vers cette partie de la ville, là où les bâtiments anciens se mêlaient aux constructions plus modernes.

Mais après avoir effectué quelques mouvements d'assouplissement pour se mettre à l'eau, Deryn fut rattrapée par le doute. Il y avait plus d'une centaine de bateaux à l'ancre dans le port d'Istanbul, dont plusieurs bâtiments civils battant pavillon britannique. Si elle nageait jusqu'à l'un d'entre eux, il pourrait la ramener en Méditerranée, où attendait la Royal Navy ; ou dans le Nord, vers les Russes de la mer Noire, qui étaient au moins des darwinistes.

Mille difficultés se pressèrent aussitôt dans sa tête –

les Ottomans devaient sans doute fouiller les bateaux britanniques avec le plus grand soin. Et pourquoi le capitaine accepterait-il de croire qu'elle était un officier décoré de l'Air Service, et non un vulgaire passager clandestin ? Et si, sans son uniforme et au milieu d'une pleine cargaison de bestioles, quelqu'un se rendait compte qu'elle était une fille ?

Quand bien même elle réussirait à rejoindre le *Léviathan*, qu'adviendrait-il si Volger n'avait pas pu s'échapper ? Il n'avait qu'un mot à dire pour ruiner sa carrière.

Mais ce n'étaient pas toutes ces raisons qui l'avaient décidée, et Deryn le savait bien. Alek se trouvait là, dans cette ville, et il avait besoin d'elle. Peut-être était-ce idiot de courir autant de risques pour un satané prince, un garçon qui ne savait même pas qu'elle était une fille. Mais pas plus idiot qu'Alek quand il avait traversé un glacier pour porter secours à un aéronef ennemi en détresse ?

Quand l'eau fut devenue totalement noire, comme un ciel renversé sur lequel scintillaient les lumières de la ville, Deryn sortit de sa cachette. Elle fourra sous sa combinaison de plongée les vêtements qu'elle avait volés et se faufila à l'avant. Elle enjamba la main courante, se laissa descendre le long de la chaîne d'ancre et se glissa dans l'eau sans une éclaboussure.

◎　◎　◎

Elle rampa sur le rivage et se mit à l'abri d'un ponton. Même en pleine nuit, les quais grouillaient d'activité, et une foule d'hommes et de mécanopodes allait et venait sous les bras mécaniques géants qui déchargeaient une demi-douzaine de navires en crachant de la fumée. Les projecteurs découpaient des ombres noires qui dansaient et se balançaient.

Deryn se faufila au milieu d'un dédale de caisses et de pièces métalliques, où elle trouva rapidement un endroit tranquille pour ôter sa combinaison Spottiswoode. Elle éprouva une légère contrariété au moment d'enfiler les habits volés sur le bateau allemand – passer du statut d'officier de l'Air Service à celui de simple matelot ! Sans compter que si les Ottomans l'arrêtaient maintenant, sans son uniforme, elle serait à coup sûr pendue comme espionne.

Il fallait à tout prix faire disparaître sa combinaison. Deryn ne garda que ses bottes et son couteau de gabier, et dissimula tout le reste au fond d'une énorme bobine de fil de cuivre. Selon toute vraisemblance, la plupart des dockers ne sauraient que penser de cette tenue en carapace de tortue et peau de salamandre. Peut-être croiraient-ils qu'une sirène s'était rendue à terre.

Il n'était pas bien difficile de rester cachée parmi les innombrables caisses empilées, contenant assez de pièces de montage pour reconstruire entièrement Istanbul, se dit Deryn. Toutes les étiquettes étaient rédigées en allemand.

Deryn, en quête d'eau et de nourriture, s'enfonça dans ce sombre dédale pour rejoindre les rues animées de la ville. À la sortie cependant elle se trouva bloquée devant une palissade. Haute de seize pieds, la grille était surmontée de barbelés. La seule porte en vue était fermée par une grosse chaîne.

— C'est bien ma veine, grommela-t-elle.

Elle avait mis les pieds dans une portion interdite du front de mer.

Il aurait été assez simple de se remettre à l'eau pour reprendre pied un peu plus loin, mais Deryn était affaiblie par la faim. L'idée de replonger dans cette eau noire et glaciale lui donnait des frissons. Qu'y avait-il de si important dans ces fichues caisses, de toute façon ? En longeant la palissade en catimini, à la recherche d'une porte non verrouillée, elle les examina d'un peu plus près.

Il n'y avait pas que des pièces mécaniques, également des composants électriques : de gigantesques rouleaux d'isolant en caoutchouc, ainsi qu'une rangée de batteries en verre, le même genre d'accumulateurs voltaïques dont se servaient les projecteurs du *Léviathan* ; mais celles-ci avaient la taille de latrines ! Deryn se remémora les pales de la turbine à bord du cargo. Les Allemands seraient-ils en train de construire une usine électrique ici même, à Istanbul ?

Elle entendit des voix et se tapit dans l'ombre. Une douzaine d'hommes approchaient, dont un qui faisait tournoyer un trousseau de clés dans sa main. Parfait ! ils allaient lui montrer la sortie.

Deryn les suivit jusqu'à une grande porte grillagée, sous laquelle des rails s'enfonçaient dans la nuit. Quand le meneur du groupe eut déverrouillé la porte, les hommes se répartirent sur toute sa largeur et la poussèrent sur le pavé dans un crissement de métal.

Une masse immense attendait de l'autre côté du grillage, soufflant et crachant de la vapeur dans l'air froid. Puis elle s'ébranla, colossale. Sa chaudière avait la forme d'une tête de dragon, tandis que ses bras se repliaient sur son dos comme des ailes noires. Des panaches de vapeur s'échappaient de sa gueule béante.

— Nom d'une pipe en bois, souffla Deryn, quand elle réalisa qu'elle avait déjà vu des photos de cette locomotive dans les journaux…

Il s'agissait de l'Orient-Express.

Le grand train avança, et Deryn dut reculer entre les piles de caisses. Mais elle ne parvenait pas à détacher les yeux de la majestueuse machine.

L'Express empruntait à la fois à l'esthétique ottomane et aux lignes germaniques. La chaudière évoquait une tête de dragon, avec sa longue langue qui pointait entre ses crocs. Mais les pelles mécaniques qui équipaient ses wagons de marchandises étaient sans fioritures, et se déployaient avec autant de fluidité que les ailes d'un faucon.

Les bras s'étendirent au-dessus des caisses et se mirent à soulever des pièces métalliques, des rouleaux de fil de cuivre et des isolateurs de verre en forme de cloches gigantesques. Le train se chargeait tout seul, comme un monstre avide qui pillait un trésor.

Soudain, l'œil unique du dragon s'alluma et projeta un faisceau aveuglant. Éblouie, Deryn trébucha en arrière et se retrouva en pleine lumière.

Un cri retentit par-dessus le ronflement des moteurs de l'Express :

— *Wer ist das ?*

Deryn connaissait suffisamment l'allemand pour comprendre que cela voulait dire : « Qui est-ce ? »

On l'avait repérée.

Elle pivota et prit ses jambes à son cou, à moitié aveuglée, en se cognant dans une pile de tubes en plastique. Ceux-ci roulèrent sous ses pieds et elle s'étala de tout son long sur le pavé. Elle se releva avec une grimace et s'éclipsa dans l'obscurité, où elle s'accroupit derrière une bobine de fil de cuivre. Son genou lui faisait mal, et elle s'était éraflé les mains dans sa chute. Un vertige la prit – ses vingt-quatre heures sans manger ou presque commençaient à se faire sentir. Son cœur cognait faiblement dans sa poitrine, comme un petit oiseau affolé.

Jamais elle ne réussirait à semer ses poursuivants à la course – elle allait devoir se montrer plus maligne qu'eux.

Elle décida d'ignorer la douleur et repartit à quatre pattes en direction de l'Express, en se faufilant dans les recoins les plus étroits. Restait à espérer qu'ils n'avaient pas eu le temps de s'apercevoir qu'ils pourchassaient une fille menue et maigre comme un clou.

Leurs voix l'entouraient ; elles résonnaient entre les piles de caisses et de pièces métalliques. Deryn continua à ramper vers les lumières du train. Les hommes la dépassèrent, croyant qu'elle fuyait toujours...

Puis une ombre s'abattit sur Deryn – celle d'un grand bras métallique qui fondait sur elle. Elle se laissa tomber à plat ventre, et une main à trois doigts la frôla pour se refermer sur une bobine de câble de la taille d'un hippoesque.

La machine s'arrêta quelques secondes, le temps d'assurer sa prise sur la bobine, et Deryn saisit sa chance. Elle escalada cette dernière et se glissa à l'intérieur.

Avec une secousse, la pelle les souleva toutes les deux dans les airs.

UNE PARTIE DE CACHE-CACHE.

Deryn baissa les yeux : elle vit le sol qui défilait sous elle, et les torches électriques de ses poursuivants qui se dispersaient à travers le dédale de caisses. Mais aucun n'eut l'idée de lever la tête vers la cargaison qui passait au-dessus d'eux.

Les doigts de métal accentuèrent leur pression, et Deryn sentit le câble se resserrer autour d'elle. L'opérateur du bras l'aurait-il repérée ? Avait-il décidé de l'écraser ?

Mais la main géante ne faisait que rectifier sa prise. Bientôt, elle déposait la bobine en douceur parmi une douzaine d'autres.

Deryn attendit que le bras s'éloigne, puis sortit de sa cachette et grimpa dans un wagon de marchandises découvert. Ses rebords étaient à peine plus hauts qu'elle ; elle n'eut aucun mal à se hisser pour jeter un œil à l'extérieur.

D'autres hommes étaient venus se joindre aux recherches. Avec des chiens – dont deux bergers allemands qui tiraient furieusement sur leur laisse, en flairant partout. Par chance, son saut à bord d'un bras mécanique avait dû brouiller la piste. Mais elle devait sortir de ce wagon pour ne pas être aplatie sous les prochaines caisses.

Deryn se dirigea vers l'avant, où se trouvait une voiture couverte dotée d'une élégante porte vitrée à son extrémité. Elle escalada le rebord du wagon, se laissa retomber sur la voie puis força la porte vitrée avec son couteau de gabier.

Elle se faufila à l'intérieur, referma derrière elle et brandit son couteau.

— *Hallo ?* lança-t-elle à voix basse, en espérant que son accent clanker était crédible.

Personne ne lui répondit. Alors que ses yeux commençaient à s'habituer à l'obscurité, Deryn laissa échapper un petit sifflement.

Elle se trouvait dans une voiture-salon tout à fait somptueuse. Des tables étaient alignées d'un côté. La main courante en laiton rutilait, et le plafond voûté était tapissé de cuir. Les fauteuils semblaient incroyablement massifs, surtout quand on les comparait au mobilier arachnéen du *Léviathan*. Chacun d'eux était muni d'un repose-pieds. Un serveur mécanique coiffé d'un fez se tenait dans l'ombre derrière le bar.

Deryn fit quelques pas dans la voiture, pour en prendre la mesure. Même vide et plongé dans la pénombre, l'endroit sentait le luxe et la jeune fille s'attendait presque à voir entrer un homme en smoking qui aurait froncé le nez devant sa tenue.

Elle s'assit à l'une des tables et jeta un œil à travers les rideaux. Les torches électriques de ses poursuivants s'agitaient dans la nuit, mais s'éloignaient en éventail en direction de l'eau. Ils continuaient à croire qu'elle avait fui loin de l'Orient-Express. Des cris et des aboiements se répondaient au-dehors, mais ici, à bord du train, on éprouvait une sensation de sécurité, comme si un bon repas était sur le point d'être servi...

— Un bon repas, murmura Deryn, en bondissant sur ses pieds.

Elle passa derrière le bar, entreprit de fouiller les étagères. Elle n'y trouva que des tire-bouchons, des serviettes et des bouteilles de brandy et de vin. Il s'agissait uniquement d'un salon, séparé de la salle à manger – elle ne trouverait aucune nourriture ici !

Elle découvrit pourtant un tiroir rempli de pâtisseries enveloppées dans du tissu. Un membre du personnel avait dû les mettre de côté et les oublier.

Deryn s'assit par terre pour engloutir les petits gâteaux. Ils étaient un peu ramollis, mais Deryn n'avait jamais rien savouré de meilleur depuis son entrée dans l'Air Service. Elle les fit descendre avec une gorgée d'eau prise dans un seau à glace en argent, puis s'offrit une rasade de brandy qu'elle but au goulot.

— Pas mauvais du tout, murmura-t-elle, avant de roter.

À présent que la faim ne lui donnait plus le vertige, Deryn commença à se demander ce que les clankers manigançaient sur ces quais. Où donc emportaient-ils tout ce matériel ? À en croire les étiquettes, il arrivait d'Allemagne. Alors pourquoi le charger à bord de l'Express, qui allait repartir pour Munich ?

Deryn regarda de nouveau par la fenêtre : les recherches semblaient avoir cessé. Ses poursuivants se tenaient probablement au bord de l'eau, où ils devaient croire qu'elle avait replongé.

Les bras mécaniques achevaient de charger les dernières machines – d'énormes batteries en verre et des isolateurs – et les moteurs du train se mirent en marche avec un grondement.

Et s'il se rendait simplement dans un endroit tout proche, d'où il pourrait revenir avant le matin ? Personne ne remarquerait qu'il avait quitté la ville pendant la nuit, pas plus qu'on ne s'imaginerait que l'Orient-Express puisse servir à convoyer de vulgaires éléments industriels.

PETITS FOURS ET BRANDY À LA LUEUR DES TORCHES.

Le train s'ébranla, et Deryn se rappela qu'elle n'était pas là pour espionner les clankers. Elle était là pour aider Alek, non pour percer à jour les secrets de l'Empire ottoman.

Le train franchissait déjà la palissade, à présent, rien ne l'empêchait plus de sauter en marche et de s'éclipser discrètement.

Deryn retourna au bar et choisit la plus belle bouteille de brandy qu'elle put trouver. C'était un vol pur et simple, mais il lui fallait quelque chose à échanger contre un peu d'argent et un bon repas. Ce vieux brandy ferait parfaitement l'affaire.

L'Express traversait Istanbul à petite vitesse, sans susciter beaucoup d'intérêt. La voie longeait le front de mer, devant des entrepôts sans lumière et des portails d'usines fermés. Deryn ouvrit la porte et se tint entre les deux voitures, guettant le bon moment pour sauter.

Quand le train ralentit dans une courbe, elle en descendit aussi tranquillement qu'une touriste à l'arrivée en gare. Elle se laissa glisser sur le ballast et s'y accroupit jusqu'au passage du dragon à vapeur. Après quoi elle s'engagea dans les rues obscures.

Malgré l'heure tardive, les lumières de la ville brillaient encore à l'horizon, mais Deryn avait davantage besoin de sommeil que de nourriture pour l'instant. Elle choisit donc la ruelle la plus noire et la plus sale qu'elle put trouver et s'y roula en boule pour dormir quelques heures.

VINGT-NEUF

On la réveilla avant l'aube à coups de balai dans les côtes.

Il s'agissait d'un jeune homme en combinaison de travail, qui s'acquittait de sa mission sans enthousiasme particulier. Voyant Deryn se relever à toute vitesse, il se remit à balayer la ruelle sans dire un mot. Bien sûr, il ne devait pas s'attendre à ce qu'elle parle le turc. Le port d'Istanbul regorgeait probablement de marins étrangers qui s'endormaient en étreignant une bouteille de brandy.

On entendait des tambours dans le lointain, ainsi que des chants vigoureux. Cela semblait un peu tôt pour faire un raffut pareil. Le trio de chats avec lequel elle avait partagé la ruelle ne parut pas s'en émouvoir, néanmoins, et se rendormit aussitôt après le passage du balayeur.

Deryn déambula au hasard jusqu'à ce qu'elle repère la forêt de minarets à proximité du palais du sultan. On devait sûrement y trouver des restaurants pour les touristes. Au creux de son estomac, les petits fours avaient cédé la place à une faim dévorante et elle avait besoin d'avoir les idées claires si elle voulait retrouver Alek dans cette ville tentaculaire.

Arpenter Istanbul à pied n'était pas du tout la même chose que de la contempler du ciel ou du haut d'un éléphant. Les odeurs se faisaient plus fortes à hauteur d'homme – l'air était lourd de senteurs d'épices, de gaz d'échappement des mécanopodes et de l'odeur délicieuse des charrettes à bras chargées de fraises qui passaient, poursuivies par des chiens faméliques. Une douzaine de langues parvenaient aux oreilles de Deryn ; les kiosques à journaux affichaient un méli-mélo d'alphabets. Heureusement, on voyait aussi quelques signaux gestuels simples au milieu de tout ce babélisme. Elle ne devrait pas rencontrer trop de difficultés à se faire comprendre.

Quand des hommes habillés en marins lui criaient un salut, Deryn leur répondait en clanker. Elle avait appris quelques formules de politesse auprès de Bauer et d'Hoffman, ainsi que plusieurs jurons choisis. Un peu de pratique ne pouvait pas lui faire de mal.

Elle trouva une vitrine remplie de bouteilles d'alcool, épousseta son brandy et pénétra à l'intérieur. Au début, le propriétaire lorgna d'un mauvais œil ses vêtements froissés et il faillit la jeter dehors quand il comprit qu'elle était là pour vendre et non pour acheter. Mais quand il vit l'étiquette sur sa bouteille, son attitude changea du tout au tout. Il lui offrit une pile de pièces, qu'il augmenta de moitié après qu'elle lui eut retourné un regard noir.

La plupart des restaurants étaient fermés, mais Deryn trouva rapidement un hôtel. Quelques minutes plus tard, elle s'installait devant un petit déjeuner, composé de fromage, d'olives, de concombre, d'un café et d'un petit bol d'une substance blanchâtre appelée yogourt, qui se trouvait à mi-chemin entre le fromage et le lait caillé.

Tout en mangeant, Deryn réfléchit au moyen de retrouver Alek. Dans son message à Volger, il avait dit que son hôtel portait le même nom que sa mère. Cela semblait un indice assez facile, sauf qu'Alek ne lui avait jamais dit comment s'appelait sa mère. Elle connaissait son grand-oncle, bien sûr, l'empereur François-Joseph, et se rappelait que son père s'appelait lui aussi François quelque-chose. Mais les épouses atteignaient rarement la célébrité de leurs maris.

Elle vit passer un groupe de marins et se demanda s'il y avait des Autrichiens parmi eux. Eux sauraient lui dire le nom de l'archiduchesse assassinée, si seulement Deryn réussissait à se faire comprendre.

Puis elle se rappela la deuxième partie du message d'Alek, racontant qu'il avait les Allemands à ses trousses. Un marin en habits clankers qui poserait des questions en anglais à propos d'un prince fugitif ne ferait qu'éveiller les soupçons.

Elle devait trouver la réponse toute seule. Par chance, Alek descendait d'une famille illustre. Ses membres devaient tous figurer dans les livres d'histoire.

Il lui suffisait de mettre la main sur un arbre généalogique...

◉　◉　◉

Une heure plus tard, Deryn se tenait au pied d'un grand escalier de marbre, un carnet de croquis flambant neuf à la main. Devant elle, s'il fallait en croire la demi-douzaine de conversations qu'elle avait eues en signaux gestuels et en allemand de cuisine, se dressait la plus grande et la plus moderne des bibliothèques d'Istanbul. Ses immenses colonnes de bronze étincelaient au soleil, et un flot ininterrompu de visiteurs entrait et sortait par ses portes à tambour actionnées à la vapeur. Au moment de franchir la porte, Deryn éprouva le même frisson que dans la voiture-salon de l'Orient-Express. Elle se sentait mal à l'aise au milieu d'une pareille splendeur, et l'omniprésence des machines lui donnait le vertige.

Le plafond était tapissé de tubes en verre dans lesquels de petits cylindres filaient comme l'éclair. Des machines à calculer couvraient les murs, en agitant leurs petits doigts cliquetants qui évoquaient les cils du *Léviathan* quand la bête était nerveuse. Des mécanopodes de la taille de cartons à chapeau allaient et venaient sur le sol de marbre, chargés de livres.

Une petite armée de bibliothécaires patientait derrière une rangée de bureaux, mais Deryn s'avança directement dans la grande salle, vers les étagères surchargées. Il semblait y avoir des *millions* de livres dans cet endroit. On devait pouvoir en dénicher quelques-uns en anglais.

Toutefois, elle se heurta à une balustrade en fer forgé qui barrait la salle d'un bout à l'autre. Des écriteaux y étaient fixés tous les deux ou trois pas, répétant le même message dans deux douzaines de langues différentes :
INTERDIT AU PUBLIC – ADRESSEZ-VOUS À LA RÉCEPTION
Deryn retourna à l'accueil, prit son courage à deux mains et se dirigea vers celui des bibliothécaires qui lui

parut le plus aimable. Il portait une longue barbe grise, un fez, un lorgnon, et il la regarda approcher avec un sourire perplexe. Deryn devina que les marins ne devaient pas être nombreux à passer leur temps de permission à la bibliothèque.

Elle s'inclina devant lui, puis arracha deux pages à son carnet de croquis et les posa devant lui sur son bureau. Sur la première, elle avait dessiné le blason des Habsbourg qui figurait sur le blindage du Sturmgänger d'Alek. Sur l'autre, elle avait esquissé un arbre généalogique, comme celui des grandes bêtes volantes que M. Rigby s'échinait à leur faire apprendre par cœur. Les clankers dessinaient sans doute leurs arbres généalogiques d'une façon différente, mais un bibliothécaire devrait être capable de saisir le concept.

L'homme remonta son lorgnon sur son nez, examina les dessins, puis adressa à Deryn un regard interrogateur.

— Vous êtes autrichien ? lui demanda-t-il dans un allemand irréprochable.

— Non, monsieur. Amérique, répondit-elle, en allemand elle aussi, mais en s'efforçant d'imiter l'accent d'Eddie Malone. Mais je vouloir… comprendre la guerre.

L'homme hocha la tête.

— Très bien, jeune homme. Un instant, s'il vous plaît.

Il se tourna face à une sorte de clavier à piano intégré dans son bureau, dont il enfonça quelques touches. Aucune musique n'en sortit, mais quand il eut fini de taper, une carte perforée jaillit d'une fente de son bureau. Il la remit à Deryn et tendit le doigt.

— Bonne chance.

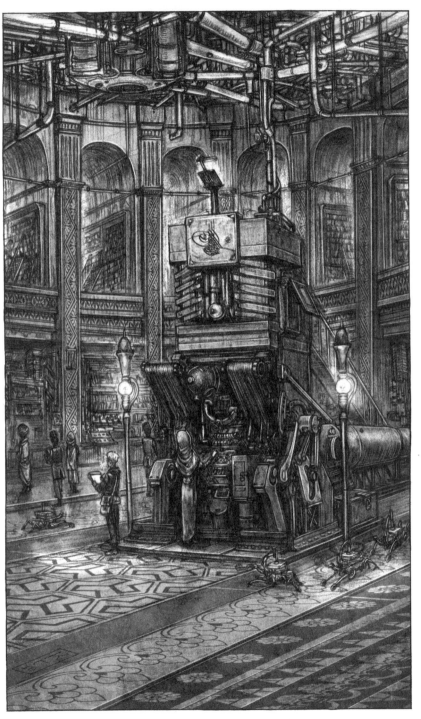

LE CATALOGUE DE LA BIBLIOTHÈQUE.

Deryn accepta la carte avec une courbette puis suivit la direction de son geste. Il indiquait un kiosque au centre de la salle. Elle s'en approcha, en regardant une autre visiteuse s'en servir devant elle. Elle vit la femme glisser sa carte perforée dans ce qui ressemblait à un métier à tisser miniature. La carte glissa sous une sorte de peigne, dont les minuscules dents métalliques descendirent toucher la carte comme pour en reconnaître les perforations.

À l'issue d'un long examen, la machine recracha la carte. Un mécanopode émergea du sommet du kiosque, descendit jusqu'au sol puis partit en direction des étagères.

Deryn, décontenancée par la logique clanker du processus, s'approcha néanmoins de l'appareil. Quand sa carte en ressortit, elle s'aperçut qu'on y avait tamponné un chiffre. Après une brève exploration de la salle, Deryn découvrit une rangée de petites tables numérotées. Elle s'assit à celle portant le même numéro que sa carte et ouvrit son carnet de croquis.

Tout en dessinant, elle prêta l'oreille au bruissement et au cliquetis des machines autour d'elle. Ces sons se mêlaient comme un grondement de vagues dans le lointain. Deryn se demanda comment s'y prenaient les clankers pour traduire des questions en simples perforations sur un bout de papier. Chaque bribe d'information se voyait-elle attribuer un numéro ? Le système était probablement plus rapide que si elle avait dû fouiner parmi les étagères qui s'élevaient jusqu'au plafond, mais quels autres livres auraient-elles pu découvrir, si elle avait cherché par elle-même ?

Elle regarda les machines à calculer alignées le long des murs et se demanda à quoi elles pouvaient bien servir. Enregistraient-elles toutes les questions que l'on posait aux bibliothécaires ? Et si oui, qui consultait les résultats ? Deryn se souvint des yeux qu'elle avait aperçus derrière les grilles dans la salle du trône, et se mit à tambouriner sur la table avec les doigts.

Au milieu de ce tumulte d'informations, il semblait peu probable que l'on remarque une question anodine à propos de la tragédie qui avait déclenché cette fichue guerre.

Sa machine revint enfin, comme un chien qui ramène un os. Elle portait une demi-douzaine de livres, tous énormes et reliés en vieux cuir craquelé.

Elle en prit quelques-uns et feuilleta les pages dorées sur tranche. Certains étaient rédigés en allemand, d'autres dans l'écriture fluide qu'elle avait vue sur de nombreuses enseignes à l'extérieur, mais l'un d'eux ne comportait pratiquement que des noms, des dates et des armoiries. Le blason des Habsbourg figurait sur la couverture, avec une devise en latin que Deryn avait entendue lors de la première rencontre entre Alek et le Dr Barlow.

Bella gerant alii, tu felix Austria nube.

« Les autres font la guerre », signifiait la première partie.

— Nom d'une pipe en bois ! jura Deryn à voix basse.

Il existait une *légion* de Habsbourg. Le livre était assez épais pour assommer un hippoesque, et les branches de l'arbre généalogique remontaient huit cents ans en arrière. Mais Alek n'avait que quinze ans ; il se trouvait forcément tout au bout.

Elle tourna les dernières pages et le trouva : « Aleksandar, prince de Hohenberg », avec sa date de naissance et les noms de ses parents – François-Ferdinand et Sophie Chotek.

— Sophie, murmura Deryn, en s'adossant à sa chaise avec un sourire.

Elle abandonna ses livres sur la table et repartit en direction des portes à tambour. Au bas des immenses marches de marbre, elle s'approcha d'une rangée de taxis à six pattes qui ressemblaient à des scarabées géants. Elle chercha dans sa poche l'argent qui lui restait.

— Hôtel Sophie ? demanda-t-elle.

« Hôtel » se prononçait de la même façon en anglais qu'en clanker.

Le pilote fronça les sourcils, puis demanda :

— L'hôtel Hagia Sophia ?

Deryn acquiesça de la tête. Le nom semblait assez proche à l'oreille – c'était forcément celui-là.

Le pilote du taxi examina sa poignée de pièces, puis lui indiqua le siège arrière d'un coup de pouce. Deryn grimpa à bord, appréciant pour une fois le grondement d'un moteur clanker sous ses fesses. Après avoir localisé Alek dans une ville de un million d'habitants, elle avait bien mérité de se faire transporter.

TRENTE

L'hôtel Hagia Sophia était un véritable palace.

Deryn secoua la tête. Elle aurait dû s'attendre à trouver Alek dans un endroit pareil. Le hall d'accueil à lui seul avait une hauteur de trois étages ; il était éclairé par deux chandeliers à gaz et par un dôme géant en verre fumé. Des grooms en uniforme guidaient leurs portebagages mécanisés à travers la foule. Des escaliers de marbre montaient jusqu'aux mezzanines et aux balcons, tandis que des ascenseurs s'élevaient dans les airs en crachant un panache de vapeur.

Même si Alek était descendu dans cet hôtel parce que son nom faisait penser à celui de sa mère, Deryn se demanda s'il n'aurait pas pu choisir un autre indice et trouver un établissement un peu moins… princier. Les Allemands le recherchaient toujours, après tout.

Bien sûr, cela voulait dire qu'Alek ne s'était pas enregistré sous son vrai nom. Alors, comment lui faire parvenir un message ?

Deryn se planta là, espérant apercevoir Alek, Bauer ou maître Klopp parmi les clients. Mais elle ne vit que des visages inconnus, et bientôt, elle sentit peser sur elle le regard soupçonneux d'un groom aux gants blancs. Ses vêtements volés étaient fripés, tout sales après la nuit qu'elle avait passée dans la ruelle, et elle détonnait dans la foule comme une bouse de vache sur une assiette en porcelaine. Et il ne lui restait qu'un peu de monnaie, certainement pas de quoi se payer une chambre ; pas ici en tout cas.

Mais peut-être pouvait-elle s'offrir un café et quelque chose à grignoter. À en juger par ce qu'elle avait englouti au petit déjeuner, il y avait pire point de chute qu'Istanbul pour un naufragé affamé.

Deryn s'installa à une petite table dans la salle à manger de l'hôtel d'où elle pouvait garder un œil sur la porte d'entrée. Le serveur ne parlait pas un mot d'anglais, et son allemand était à peine meilleur. Il revint néanmoins avec une tasse de café fort et un menu, et bientôt, Deryn festoyait de nouveau, cette fois-ci d'agneau aux noix et aux raisins secs, nappé d'une gelée aux prunes aussi sombre qu'une vieille ecchymose.

Elle mangea en prenant tout son temps, sans quitter des yeux la porte de l'hôtel.

Des gens allaient et venaient, principalement de vieux clankers à la mise soignée. L'homme installé à la table voisine, portant un monocle et une moustache en guidon de vélo, était plongé dans la lecture d'un journal allemand. Après son départ, Deryn ramassa le journal et se mit à le feuilleter, une façon de faire durer son repas sans attirer l'attention.

La dernière page était tout entière occupée par des photos – articles de mode, domestiques mécanisés dernier cri, et dames très bien habillées sur une piste de patin à roulettes. Rien de fascinant, jusqu'à ce que Deryn pose les yeux sur les trois clichés en bas de page. L'un montrait le *Léviathan* qui survolait la ville, un autre le *Dauntless* à genoux dans la rue après sa course folle, et le dernier, deux hommes sous bonne garde...

Il s'agissait de Matthews et de Spencer, les rescapés de son premier commandement à l'issue si désastreuse.

Elle fit la grimace devant les sous-titres et regretta qu'Alek ne lui ait pas appris à lire le clanker. Ces trois photos bout à bout ne pouvaient pas constituer une bonne nouvelle. Le *Léviathan* allait quitter Istanbul aujourd'hui sous un ciel bien menaçant.

À moins que les Ottomans soient tellement fâchés qu'ils lui aient déjà ordonné de vider les lieux.

Deryn fronça les sourcils. Le comte Volger n'avait-il pas prévu de s'échapper la nuit dernière ? Après la folle nuit qu'elle avait passée, elle l'avait complètement oublié.

Elle baissa son journal, en étudiant plus attentivement les vieux clankers dans le hall d'accueil. Aucun n'avait la haute stature de Volger, sa carcasse décharnée ou sa moustache grise. Mais le comte n'aurait pas eu besoin d'effectuer un détour par la bibliothèque pour connaître le nom de la mère d'Alek. Hoffman et lui se trouvaient peut-être quelque part dans les étages, en train de boire un thé en compagnie d'Alek et des autres !

À cet instant précis, Deryn vit un couple passer la porte de l'hôtel. Tous deux étaient habillés à la turque ; la jeune fille pouvait avoir dix-huit ans et elle était assez belle, avec de longs cheveux bruns rassemblés en tresses.

Deryn s'étrangla : le garçon n'était autre qu'Alek ! On le reconnaissait à peine sous sa tunique et son fez. Elle ne s'attendait pas à le voir déambuler dans Istanbul en uniforme de pilote autrichien, mais elle n'aurait jamais cru qu'il puisse avoir l'air aussi... ottoman.

Alek s'arrêta, le temps de balayer la salle du regard, mais Deryn releva prestement son journal devant elle. Qui était cette étrangère ? L'une parmi les *alliés* qu'il s'était trouvés ? Tout à coup, ce mot revêtit une signification entièrement nouvelle dans l'esprit de Deryn.

Un instant plus tard, Alek et sa compagne se dirigèrent vers les ascenseurs et Deryn bondit sur ses pieds. Quelle que soit cette fille, Deryn ne pouvait pas se permettre de laisser passer l'occasion. Elle plaqua sur la table les pièces qui lui restaient et leur emboîta le pas.

Un ascenseur s'ouvrit devant les deux jeunes gens, et le groom les fit entrer. Deryn agita son journal pour lui faire signe de retenir la porte. Alek et la fille discutaient en clanker et firent à peine attention à elle quand elle monta dans la cabine.

Pendant que la porte se refermait, Alek ouvrit son journal et fit mine de le lire.

— Belle journée pour la saison, déclara-t-elle en anglais.

Alek se tourna vers elle et afficha une expression ahurie. Il ouvrit la bouche, mais aucun son n'en sortit.

— Dylan, lui rappela-t-elle poliment. Au cas où vous l'auriez oublié.

— Sang du Christ ! C'est bien vous. Mais que faites-vous donc...

— C'est une longue histoire, l'interrompit Deryn avec un coup d'œil à la fille. Plutôt secrète, en fait.

— Ah, bien sûr, des présentations s'imposent,

323

reconnut-il, avant de se rappeler la présence du groom. Ou s'imposeront… très bientôt.

Ils firent le reste du trajet sans prononcer un mot.

◉ ◉ ◉

Alek les invita à entrer par une porte à double battant qui donnait sur un grand salon, décoré de soie et de glands dorés, avec son propre balcon ainsi qu'un panneau de commandes en laiton rutilant. Il n'y avait aucun lit en vue, seulement deux portes à la française qui s'entrouvraient sur une deuxième pièce.

En voyant la jeune fille écarquiller les yeux, Deryn ressentit une pointe de soulagement. C'était apparemment la première fois qu'elle venait ici, elle aussi.

— C'est presque aussi confortable que votre château, dit Deryn.

— Et le service est bien meilleur ! Dylan, il y a ici quelqu'un que j'aimerais vous faire rencontrer. *Guten Tag*, Bovril ! lança-t-il après d'être retourné.

— *Guten Tag !* répondit une voix sortie de nulle part.

Tout à coup, une bestiole émergea des rideaux en trottinant. On aurait dit un croisement entre un singe et une peluche, avec ses yeux immenses et ses petites mains agiles.

— Nom d'une pipe en bois ! souffla Deryn, qui avait complètement oublié la bestiole disparue. Est-ce que c'est bien ce que je pense ?

— *Monsieur* Sharp, fit la créature d'un ton sarcastique.

Elle cligna des paupières.

— Comment diable peut-elle savoir qui je suis ?

— Je me pose la même question, avoua Alek. On

dirait que Bovril nous a écoutés pendant qu'il était encore dans l'œuf. Il est vrai qu'il a aussi entendu votre voix reproduite par l'horrible crapaud de ce journaliste.

— Vous voulez dire que le saligaud nous avait enregistrés ?

Alek hocha la tête, et Deryn jura tout bas. Dans quelle mesure le fameux Rusty avait-il répété les menaces de Volger ?

L'étrangère ne parut pas du tout étonnée de voir la créature. Au contraire, elle sortit de sa poche un sachet de cacahuètes que la bestiole s'empressa de venir grignoter.

Deryn se souvint de sa conversation avec le Dr Barlow à bord du yacht volant du sultan. La savante s'était montrée plutôt évasive concernant la raison d'être de cette créature. Deryn ne savait toujours pas ce qu'elle entendait par « perspicace », et il y avait cette affaire de fixation à la naissance, qui n'était pas très claire, même si les canetons la pratiquaient aussi.

Elle allait devoir garder un œil sur cette bestiole.

— Vous l'avez appelée Bovril ? demanda-t-elle à Alek.

— En fait, c'est moi, intervint la fille en anglais, en prenant soin de détacher chaque syllabe. Cet idiot s'obstinait à l'appeler « la créature ».

— Mais on ne donne jamais de nom aux créatures fabriquées ! Si on s'attache à elles, on ne peut plus s'en servir correctement.

— S'en *servir* ? s'indigna Lilit. Quelle affreuse manière de parler d'un animal.

Deryn leva les yeux au ciel. Alek se serait-il acoquiné avec des philoluddites ?

— C'est ça, ma jolie, et bien sûr vous n'avez jamais mangé de viande ?

La fille se renfrogna.

— Bien sûr que si. Mais c'est tout à fait différent.

— Simple question d'habitude. Et pourquoi diable l'avoir appelé Bovril, d'ailleurs ? C'est le nom d'une pâte à tartiner à base d'extrait de bœuf !

La fille haussa les épaules.

— J'ai pensé qu'il lui fallait un nom anglais. Et le Bovril est la seule chose que j'aime chez les Anglais.

— En fait, c'est une marque écossaise, bougonna Deryn.

— À propos de nom, je suis impardonnable. Lilit, je vous présente l'aspirant Dylan Sharp.

— L'aspirant ? demanda la fille. Vous devez être du *Léviathan*.

— Oui, reconnut Deryn, avec un regard noir à l'adresse d'Alek. Même si j'aurais préféré garder ça confidentiel.

— Confidentiel, répéta Bovril avec un gloussement.

— Ne vous en faites pas, dit Alek. Lilit et moi n'avons pas de secrets l'un pour l'autre.

Deryn lui lança un regard dur, espérant avoir mal entendu. Il n'avait tout de même pas raconté à cette fille qui étaient ses parents, si ?

— Où est Volger ? s'étonna Alek. Je suppose que vous avez dû vous échapper ensemble.

— Je ne me suis pas échappé, imbécile. Je suis là en… en mission secrète. J'ignore complètement où peut se trouver votre foutu comte.

— Pourtant, le crapaud disait que vous l'aideriez à s'enfuir !

Deryn haussa les sourcils, curieuse de savoir ce que le crapaud avait répété d'autre. Bien sûr, Eddie Malone n'avait pas saisi les allusions de Volger, et Alek ne les comprendrait pas davantage.

— *Monsieur* Sharp, répéta Bovril, en gloussant.

Deryn ignora la créature.

— Je comptais les aider, Hoffman et lui, mais on m'a confié une mission. Peut-être ont-ils réussi à filer par leurs propres moyens. Mais à mon avis, ils n'en ont pas eu le temps.

Deryn lui tendit le journal.

Alek le prit et lut à voix haute :

— « Le *Léviathan* s'était vu accorder le privilège de rester quatre jours supplémentaires dans la capitale, mais avant-hier dans la nuit, l'armée ottomane a mis la main sur des saboteurs darwinistes dans les Dardanelles. Les agents étrangers ont tous été tués ou capturés. Indigné par cet affront, Son Excellence le sultan a ordonné le départ immédiat de l'aéronef. »

Il baissa le journal.

— Oui, c'est bien ce que je craignais, dit Deryn. Volger pensait s'échapper hier soir, mais si l'aéronef a dû partir dans la journée…

— Il est sans doute toujours à bord, acheva doucement Alek.

Deryn réalisa soudain qu'elle aussi se retrouvait livrée à elle-même.

— Où vont-ils l'emmener ? À Londres ?

— Non. Ils vont regagner la Méditerranée, dit Deryn. En mission de surveillance.

Bien sûr, il s'agirait de toute autre chose qu'une simple mission de surveillance. L'aéronef attendrait l'arrivée du béhémoth. S'ensuivraient plusieurs semaines au cours desquelles l'équipage s'entraînerait à guider le monstre dans un détroit. Et Deryn était coincée dans cette ville inconnue, quasiment seule à l'exception d'Alek et de ses hommes, du loris perspicace et de cette étrangère.

— Mais Dylan, s'étonna Alek, si vous ne vous êtes pas échappé, que faites-vous ici ?

— Tu ne comprends pas ? intervint Lilit. Il est habillé en marin allemand – c'est un déguisement.

Elle se tourna vers Deryn.

— Vous faisiez partie des saboteurs, n'est-ce pas ?

Deryn se renfrogna. Cette fille était une fine mouche : pas d'erreur.

— Oui, je suis le seul à m'en être sorti. Les trois autres étaient sous mes ordres.

Alek se laissa tomber dans un fauteuil et lâcha un juron clanker.

— Je suis désolé pour vos hommes, Dylan.

— Oui, moi aussi. Et pour Volger, dit Deryn – sans trop savoir ce qu'elle entendait par là, car le comte était un peu trop malin à son goût. Il tenait tellement à vous rejoindre !

Alek baissa la tête. Un bref instant il parut plus jeune que ses quinze ans. Mais il se reprit bien vite et la regarda dans les yeux.

— Eh bien, je suppose que vous ferez l'affaire, Dylan. Vous êtes un bon soldat, après tout. Je suis sûr que le comité vous accueillera avec plaisir.

— De quoi parlez-vous ? Quel comité ?

— Le Comité Union et Progrès. Il vise à renverser le sultan.

Deryn lança un regard à Lilit, puis se retourna vers Alek, les yeux écarquillés. Renverser le sultan ? Et si le comte Volger avait vu juste ? Si Alek avait rejoint une bande d'anarchistes ? Et de philoluddites, par-dessus le marché ?!

— Alek, protesta doucement Lilit, tu ne peux pas dévoiler tous nos secrets à ce garçon. Pas avant qu'il ait rencontré Nene, au moins.

Alek balaya ses inquiétudes d'un revers de main.

— On peut faire confiance à Dylan. Il sait depuis longtemps qui étaient mes parents, et il ne m'a jamais trahi auprès de ses officiers.

Deryn en resta bouche bée. Alek avait déjà confié le secret de ses origines à cette jeune anarchiste ? Mais bon sang de bois, il ne se trouvait à Istanbul que depuis trois jours !

Elle se demanda soudain si elle ne ferait pas mieux de quitter cette suite sans attendre. Elle avait aperçu une douzaine de bateaux battant pavillon britannique. Elle pourrait sans doute en trouver un qui accepte de l'emmener en Méditerranée, loin de toute cette folie.

Comment diable avait-elle pu se dérober ainsi à ses devoirs pour un satané *prince* ?

— Par ailleurs, déclara Alek, qui se leva en posant la main sur l'épaule de Deryn, songez à la conjugaison d'événements qui ont conduit Dylan jusqu'ici, à Istanbul. Il est clair qu'il était *destiné* à nous aider !

Deryn et Lilit se regardèrent, et levèrent les yeux au ciel.

Alek ignora leur expression sceptique.

— Écoutez-moi, Dylan. Les darwinistes veulent tenir les Ottomans à l'écart du conflit, n'est-ce pas ? C'est bien pour cette raison que le Dr Barlow voulait venir ici.

UNE CONVERSATION À L'HÔTEL.

— Oui, mais tout a tourné en eau de boudin. Nous n'avons réussi qu'à pousser le sultan dans les bras des Allemands.

— Peut-être, concéda Alek. Mais s'il était renversé ? Depuis la dernière révolution, les rebelles ottomans se méfient des Allemands. Ils n'iraient jamais s'engager au côté des clankers.

— Les Britanniques ne valent pas mieux, intervint Lilit. Toutes les grandes puissances cherchent à profiter de nous. Mais il est vrai que nous nous moquons bien de votre guerre. Tout ce que nous voulons, c'est le départ du sultan.

Deryn toisa la fille. Pouvait-on lui faire confiance ? Alek semblait le croire, puisqu'il lui avait raconté tous ses secrets. Mais s'il se trompait sur elle ?

Eh bien, dans ce cas, il aurait d'autant plus besoin d'une alliée *vraiment* digne de confiance.

— Grandes puissances, marmonna Bovril, avant de se remettre à grignoter ses cacahuètes.

Deryn soupira. Elle était à Istanbul pour Alek, après tout, et il venait précisément de lui demander son aide. Mais cette affaire dépassait tout ce qu'elle avait imaginé.

Si le sultan se faisait chasser de son palais, le détroit des Dardanelles resterait ouvert et l'armée russe ne mourrait pas de faim. Le maître plan des clankers pour étendre leur influence en Asie s'en trouverait stoppé net.

Elle tenait là une occasion unique, non seulement d'aider Alek, mais aussi d'infléchir le cours de cette fichue guerre. Peut-être que son devoir lui commandait de rester, après tout.

— Très bien, trancha-t-elle. Je ferai mon possible.

TRENTE ET UN

— J'ai tout à fait l'air d'un Turc, non ? dit Klopp en examinant son reflet dans le miroir.

Alek hésita un moment. L'homme n'avait rien d'un Turc ; il ressemblait plutôt à un zeppelin enveloppé de soie bleue avec un fez à gland sur la tête.

— Peut-être sans le fez, monsieur, suggéra Bauer.

— Je crois que vous avez raison, Hans, dit Alek. Un turban lui irait mieux.

— Fez ! proclama Bovril, perché sur l'épaule de Dylan où il mangeait des prunes.

— Le fez est bien, approuva Dylan, dont l'allemand s'améliorait mais qui manquait encore de vocabulaire.

— Comment noue-t-on un turban ? demanda Klopp.

Personne n'en avait la moindre idée.

Bauer et Klopp étaient enfermés à l'hôtel depuis une semaine maintenant, et cet emprisonnement commençait à les rendre fous. Une cage restait une cage, fût-elle dorée. Ils allaient enfin pouvoir sortir, cependant, pour se rendre dans l'entrepôt de Zaven afin d'examiner les mécanopodes du comité.

Toute la difficulté consistait à les y conduire sans éveiller l'attention.

Alek et Dylan avaient fait de leur mieux pour leur acheter des déguisements au Grand Bazar, mais le résultat n'était pas tout à fait concluant. Bauer paraissait trop propre sur lui – on aurait dit l'un des grooms de l'hôtel –, quant à Klopp, ses vêtements amples lui donnaient l'apparence d'un ballon à air chaud.

— Inutile de nous faire passer pour des Ottomans, dit Alek. Il nous suffit de traverser le hall, de grimper dans un taxi et de nous rendre directement à l'entrepôt. Personne ne fera attention à nous.

— Dans ce cas, pourquoi ne pas vous habiller en digne prince des Habsbourg, jeune maître ? dit Klopp en ôtant son fez. Puisque ces anarchistes savent déjà qui vous êtes.

— Ce ne sont pas des anarchistes, répéta Alek pour la centième fois. Les anarchistes veulent abattre tous les gouvernements. Le comité vise simplement à remplacer le sultan par un parlement élu.

— Cela revient au même, insista Klopp. Il s'agit toujours d'éliminer ses maîtres. Auriez-vous oublié les bombes lancées par ces jeunes Serbes sur vos parents ?

Alek se hérissa à cette impertinence, mais parvint à se maîtriser. Klopp avait une piètre idée des révolutions d'une manière générale, et le discours de Lilit à propos de l'égalité des sexes n'avait sans doute rien arrangé.

Mais la rencontre avec Zaven et ses golems de fer ne manquerait pas de le dérider. Rien ne le réjouissait davantage que la vue d'un nouveau mécanopode.

— Ces attaques étaient orchestrées en sous-main par les Allemands, maître Klopp. Et nous rallier au comité est notre seule manière de leur rendre la monnaie de leur pièce.

— Je suppose que vous avez raison, jeune maître.

— J'ai raison, déclara Alek avec fermeté.

Il se tourna vers Bauer, qui s'empressa d'acquiescer de la tête.

Dylan, par contre, se révéla plus difficile à convaincre. Il avait tout de suite détesté Lilit, et refusait d'aborder avec Alek la question de sa mission à Istanbul, sous prétexte qu'elle était trop secrète pour en faire part à une « foutue bande d'anarchistes ».

Néanmoins, il était bon d'avoir Dylan à ses côtés, prêt à l'aider. Sa confiance rafraîchissante rappelait à Alek que la providence était de son côté.

— Nous devrions emmener la bestiole, affirma Dylan en anglais, en enfilant son gilet en soie.

Ses habits lui allaient à la perfection ; il avait passé une heure enfermé avec le tailleur pour les faire ajuster.

— Le Dr Barlow a dit qu'elle pouvait être utile.

— Pourquoi ? Elle ne fait que répéter des mots sans queue ni tête, protesta Alek, en passant autour de son épaule son bien le plus précieux – une petite sacoche étonnamment lourde. A-t-elle expliqué comment elle était censée nous aider ?

Dylan ouvrit la cage, et Bovril bondit à l'intérieur.

— Elle a seulement dit que nous devrions l'écouter. Parce qu'elle est très... perspicace.

Alek fit la grimace.

— J'ai bien peur de ne pas connaître la signification de ce mot.

— C'est la même chose pour moi.

Dylan glissa la main dans la cage pour chatouiller la créature sous le menton.

— Tu es quand même bien mignonne, pas vrai ?

— Perspicace, répondit la créature.

◉ ◉ ◉

Quand Klopp fut enfin prêt, Alek se servit du panneau de commandes pour appeler un ascenseur à vapeur. Quelques minutes plus tard, ils atteignirent tous les quatre le rez-de-chaussée et traversaient le hall.

L'hôtel bouillonnait d'activité, et personne ne fit particulièrement attention à leur tenue ni ne prit la peine de leur demander ce qu'ils comptaient faire de leurs caisses à outils. Alek déposa la clé de leur suite à la réception, et le groom les salua bien bas avant de leur ouvrir la porte. Il fallait reconnaître qu'à Istanbul, les gens savaient se mêler de leurs affaires.

Plusieurs taxis scarabées attendaient devant l'hôtel, et Alek choisit le plus grand. Il comportait deux banquettes passagers, dont celle du fond était assez large pour accueillir l'imposant postérieur de Klopp. Alek grimpa devant avec Dylan, puis glissa quelques pièces au pilote en lui donnant le nom du quartier où se trouvait Zaven.

L'homme hocha la tête, et le taxi s'ébranla.

Par-dessus le vacarme de la rue, Alek entendit un grondement qui émanait de la cage : c'était Bovril qui imitait le moteur du mécanopode. Il se pencha pour lui dire de se taire, et en profita pour glisser sa sacoche sous la banquette.

— On voit beaucoup de soldats, remarqua Bauer. Est-ce toujours ainsi ?

Alek leva la tête et fronça les sourcils. Le mécanopode descendait un grand boulevard bordé d'arbres. Des soldats ottomans étaient alignés de part et d'autre sur deux rangs. La plupart portaient le grand uniforme.

— Je ne crois pas, dit-il. Ils se préparent peut-être pour une parade.

Le taxi ralentit à mesure que la circulation se faisait plus dense. Devant eux, un mécanopode en forme de buffle d'eau se mit à crachoter une fumée noire, et Klopp lâcha un commentaire peu amène sur les conséquences d'un mauvais entretien. De gros nuages de vapeurs s'élevaient des machines avoisinantes, et bientôt, les quatre furent tous en train d'épousseter leurs nouveaux habits.

— Monsieur, murmura Bauer, il se passe quelque chose là-bas.

Alek regarda au-delà des gaz d'échappement. Une centaine de mètres plus loin, une escouade de soldats contrôlait tous les véhicules.

— Un barrage, dit Alek.

— Les étrangers sont censés avoir un passeport dans ce pays, observa Klopp à voix basse.

— Et si nous descendions ici ? suggéra Alek.

Klopp secoua la tête.

— Cela ne ferait qu'exciter leur curiosité. Nous avons des caisses à outils... et une cage à oiseau, pour l'amour du ciel !

— C'est vrai, soupira Alek. Ma foi, nous sommes des touristes qui ont oublié leurs passeports à l'hôtel. Et si cela ne fonctionne pas, nous pourrons toujours essayer de leur graisser la patte.

— Et si cela ne fonctionne pas non plus ? demanda Klopp.

Alek se renfrogna. Ils étaient trop chargés pour fuir en courant, et les soldats étaient trop nombreux pour forcer le passage.

— Laissez-moi deviner, intervint Dylan en anglais. Vous voulez les corrompre ? Ils refuseront. Aucun soldat n'acceptera jamais de pot-de-vin en présence d'autant de gradés.

Alek jura tout bas. C'était vrai – on voyait partout des officiers avec leur chapeau à grande plume.

— Savez-vous conduire cet engin ? demanda Dylan.

Alek étudia les commandes étrangères par-dessus l'épaule du pilote.

— Avec ses six pattes ? Non, mais Klopp peut piloter n'importe quoi.

Dylan lui adressa un grand sourire.

— Assez bavardé, dans ce cas. Quand je vous ferai signe, je balancerai le pilote dehors, et Bauer et vous n'aurez plus qu'à pousser Klopp sur le siège avant !

— Voilà qui a le mérite de la simplicité, convint Alek.

Mais bien sûr, les choses ne se déroulèrent pas aussi facilement.

Les cinq minutes suivantes leur parurent interminables. La file des véhicules s'écoulait avec la pesanteur d'une huile de vidange, tandis que Klopp énumérait dans sa barbe tous les désastres possibles et imaginables. Enfin, le buffle d'eau passa le barrage dans une dernière bouffée de fumée noire et le taxi scarabée s'avança à son tour.

Un soldat s'approcha et les dévisagea tour à tour d'un air perplexe. Puis il tendit la main et leur demanda quelque chose en turc.

— Je regrette, s'excusa Alek, mais nous ne parlons pas votre langue.

L'homme s'inclina poliment et rétorqua, dans un allemand irréprochable :

— Dans ce cas je voudrais voir vos passeports, s'il vous plaît.

— Ah, dit Alek en faisant mine de fouiller ses poches. J'ai peur d'avoir oublié le mien.

Klopp et Bauer l'imitèrent, en palpant leurs habits avec une mine renfrognée.

Le soldat haussa les sourcils, puis se tourna vers son escouade en levant la main.

— Oh, bon sang de bois ! s'écria Dylan, avant d'empoigner le pilote stupéfait par les aisselles et de le soulever de son siège. *Maintenant !*

Alors que Dylan projetait l'homme hors de son taxi, Alek aida Bauer à pousser Klopp à la place du conducteur. Le maître de mécanique leur parut peser une tonne, mais un instant plus tard, il se retrouvait assis à l'avant, les mains sur les commandes.

Le taxi se cabra comme un étalon sur ses pattes arrière, et tous les soldats s'écartèrent autour de lui. Puis il s'élança droit devant lui, en faisant jaillir des étincelles sous ses pattes en métal. Au-delà du barrage, le boulevard était dégagé et Klopp eut bientôt lancé la machine au grand galop.

Les soldats poussèrent des cris puis saisirent leurs fusils, et des balles se mirent à siffler autour du taxi. Alek baissa la tête, persuadé que ses dents allaient se déchausser sous les secousses. Dylan se cramponnait à Klopp pour les empêcher de tomber tous les deux. Bauer avait les mains sur les caisses à outils, et Alek se pencha pour empêcher sa petite sacoche de tressauter sur le plancher.

Le seul son émanant de la cage était le rire hystérique de Bovril.

— Accrochez-vous ! cria Klopp, avant d'engager le taxi dans un virage serré.

Les six pattes insectoïdes dérapèrent sur le pavé avec un bruit qui rappelait le crissement d'un sabre sur un mur de brique.

UN PASSAGE EN FORCE.

Alek dressa la tête. Ils avaient bifurqué dans une ruelle étroite, et les piétons s'égaillaient devant eux à l'approche du scarabée de métal.

— Surtout n'écrasez personne, Klopp ! hurla-t-il, à l'instant où le mécanopode se cognait la patte avant droite dans une pile de tonneaux, qui s'effondra. L'un des tonneaux se fracassa. Une forte odeur de vinaigre se répandit aussitôt. Au virage suivant, le taxi se remit à déraper et faillit verser dans la vitrine d'un boucher, mais Klopp parvint de justesse à en reprendre le contrôle.

— Où faut-il que j'aille ? cria-t-il.

Alek sortit de sa poche le plan de Zaven et procéda à une estimation rapide.

— Prenez à gauche dès que vous le pourrez, et ralentissez donc. Je ne vois personne derrière nous.

Klopp hocha la tête, et ramena la machine au petit trot. La rue suivante était bordée de boutiques de pièces mécaniques, et encombrée par un flot de mécanopodes de livraison. Personne ne prêta la moindre attention à leur taxi.

— J'ignore comment vous pouvez supporter ces saletés de machines, grommela Dylan en se rasseyant sur sa banquette. Ce sont des pièges mortels quand elles vont vite !

— Je croyais que c'était votre plan, lui rappela Alek.

— Eh bien, ça a marché, non ?

— Pour l'instant. Mais ils ne tarderont pas à nous retrouver.

Le taxi s'enfonça dans le quartier industriel ; Klopp se laissait guider par les indications d'Alek. Ils commencèrent à repérer les inscriptions du comité en plusieurs langues. Mais les plaques murales étaient rares dans ce quartier, et aucune ne correspondait aux rues que Zaven avait pris la peine de nommer sur son plan.

— Je crois reconnaître l'endroit, dit Alek à Klopp. Nous ne sommes plus très loin.

— Je pense à une chose, monsieur, intervint Bauer. N'avez-vous pas dit au chauffeur où nous allions ?

— Je lui ai seulement donné le nom du quartier.

— Les Ottomans ont dû l'interroger à l'heure qu'il est. Ils seront là d'un moment à l'autre.

— Vous avez raison, Hans. Il faut nous dépêcher.

Alek se tourna vers Klopp.

— L'entrepôt de Zaven domine toute la ville. Nous devrions pouvoir le repérer depuis les hauteurs.

Klopp opina du chef et se mit à prendre toutes les rues qui montaient. Le taxi s'arrêta enfin au sommet d'une colline, d'où Alek aperçut les entrepôts, dont celui de Zaven avec son appartement sur le toit.

— C'est là ! À moins de cinq cents mètres.

— Vous entendez ce bruit ? demanda Dylan.

Alek tendit l'oreille. Malgré le moteur du scarabée, il le perçut sans peine – un léger bourdonnement, à la limite de l'audible. Il regarda autour de lui mais ne vit rien de particulier à part des mécanopodes de livraison ainsi qu'un chariot messager automatique.

— Ça ne vient pas d'en bas, déclara Dylan d'une voix sourde, le nez en l'air.

Alek leva les yeux et le vit à son tour…

Un gyroplane en vol stationnaire, pile au-dessus de leurs têtes.

TRENTE-DEUX

— Mettez-vous à couvert ! cria Alek.

Klopp relança le taxi, et s'engouffra dans une ruelle.

Des murs de pierre s'élevaient loin au-dessus d'eux – le ciel n'était plus qu'une bande étroite où le gyroplane apparaissait par intermittence. Mais malgré tous les tours et détours de la ruelle, le bourdonnement de l'engin volant continuait à résonner aux oreilles d'Alek.

Les rues s'étaient vidées : sachant qu'il y avait une opération militaire en cours, les gens avaient préféré s'éclipser. On ne voyait plus que quelques chiens, qui jappaient devant le taxi.

Une lumière s'alluma au-dessus d'eux, suivie d'un long chuintement.

— Une fusée ! s'écria Dylan. Le pilote signale qu'il nous a retrouvés !

Alek entendit des sifflets droit devant.

— Klopp ! Ralentissez !

Alors qu'il tournait à l'angle de la ruelle, le taxi s'arrêta en dérapage – trop tard : une escouade de soldats les attendait, fusils en joue. Klopp tira d'un coup sec sur les manettes, et le taxi se cabra de nouveau. Alek entendit plusieurs balles tinter sur le ventre de la machine.

Klopp fit voleter le taxi sans reposer les pattes avant, et repartit pleins gaz par où ils étaient venus. Une autre salve crépita, arrachant une grêle de poussière et de débris aux murs alentour.

Le taxi bifurqua à la première intersection, mais les engrenages grinçaient sous le plancher et une odeur de métal chaud emplit l'habitacle.

— Le moteur est touché ! cria Bauer.

— Je connais un vieux truc pour parer à ça, répondit Klopp avec calme.

Il obliqua vers une petite place agrémentée d'une fontaine de pierre en son milieu, et fit avancer la machine dans l'eau. Un nuage de vapeur les enveloppa avec un bruit de Cocotte-Minute tandis que le moteur refroidissait.

— Nous n'irons plus très loin, prévint Klopp.

— Nous y sommes presque.

Penché sur son plan, Alek entendit un grondement qui émanait de la cage. Qu'imitait donc la créature, cette fois ?

Puis il perçut un bruit caractéristique par-dessus le sifflement de l'eau.

— Un mécanopode arrive ! cria Dylan. Par ici. Et il fonce !

— À l'oreille, c'est un gros. Mieux vaut encore retourner affronter les soldats.

— Ou bien filer par là, dit Dylan, en indiquant un escalier de pierre qui descendait de la place.

Alek secoua la tête.

— Trop raide.

— À quoi bon avoir des pattes si on ne peut même pas prendre une saleté d'escalier ? Il faut foncer !

Même sans comprendre l'anglais, Klopp saisit tout de suite de quoi ils parlaient : lui aussi avait les yeux fixés sur l'escalier. Il se tourna vers Alek, qui lui fit oui de la tête. Le vieil homme soupira, puis se pencha sur les manettes.

— Accrochez-vous ! cria Alek, en plantant une botte sur la sacoche à ses pieds.

La machine bascula lentement en avant, puis se mit à glisser, à dévaler les marches avec des crissements de métal contre la pierre. La poussière se mit à voler tandis que le taxi rebondissait contre les murs décrépits. Klopp maîtrisa la manœuvre, Dieu seul sait comment, et ils parvinrent au bas des marches où ils retrouvèrent le sol de plain-pied.

Le bruit d'une détonation fit sursauter Alek. Des soldats avaient pris position sur la place et leur tiraient dessus. Un mécanopode à deux pattes apparut au sommet de l'escalier.

Alek cligna des paupières : l'engin portait des cocardes ottomanes, mais il était de conception allemande, sans aucune ressemblance avec un animal.

— Couchez-vous ! cria-t-il. Et foncez, Klopp !

Le taxi repartit de l'avant, en émettant des craquements de protestation à chaque pas. Au moment d'emprunter une rue perpendiculaire, Alek jeta un œil derrière eux. Des soldats dévalaient l'escalier, mais le mécanopode s'était arrêté au sommet. Son équipage n'avait pas osé se risquer à descendre les marches sur deux pattes.

FONCEZ, KLOPP !

Alek se reporta à son plan.

— Nous y sommes presque, Klopp. Par là !

Le taxi claudiquait à présent ; l'une de ses pattes du milieu restait bloquée. Il parvint néanmoins à se traîner dans la rue de Zaven, en se déplaçant légèrement en biais, à la manière d'un crabe pris de boisson. Lilit et son père avaient entendu les coups de feu, bien sûr – ils les attendaient devant les portes béantes de l'entrepôt.

— Vite, Klopp ! cria Dylan en allemand. Le gyroplane !

Alek leva la tête. Il ne voyait pas l'appareil, mais il l'entendait se rapprocher. Ils devaient disparaître *tout de suite*.

Le taxi fit encore un pas en direction de l'entrepôt, avant de tousser et de s'immobiliser. Klopp eut beau actionner la manivelle, le moteur se contenta de siffler et de crachoter, comme une bûche humide sur le feu.

— Foutue mécanique ! s'écria Dylan.

— Lilit, s'il te plaît… ? fit Zaven d'une voix calme.

La jeune fille bondit aux commandes du bras mécanique sur le quai. Celui-ci s'anima avec un grondement et se déploya pour soulever le taxi et l'emporter à l'intérieur.

Les portes se refermèrent derrière eux. Zaven rentra le dernier, à l'instant où les deux battants se rejoignaient, plongeant tout le monde dans la pénombre.

Alek se pencha pour tâter le plancher – sa sacoche était toujours là.

Un instant plus tard, une ampoule électrique s'allumait.

— Vous avez soigné votre entrée, le complimenta
Zaven avec un grand sourire.

— Ne risque-t-on pas de vous dénoncer ? s'inquiéta
Alek, hors d'haleine, en regardant le mince éclat de jour
qui s'infiltrait sous la porte.

— Bah ! Ne vous en faites pas, lui assura Zaven. Nos
voisins sont des amis. Ils ont l'habitude de fermer les
yeux.

Il s'inclina bien bas.

— Maîtres Klopp, Bauer et Sharp, je vous salue.
Soyez les bienvenus au Comité Union et Progrès !

⊙ ⊙ ⊙

Les mécanopodes du comité dominaient leur petit
groupe telles cinq statues difformes et gigantesques.

— Quelle collection incroyable ! s'exclama Bauer. Je
n'avais jamais vu de semblables modèles.

— Certains ont combattu dans la première guerre des
Balkans, dit Klopp en montrant le Minotaure. Ils étaient
déjà démodés à cette époque.

— Guerre, répéta Bovril, sur l'épaule d'Alek.

Ce dernier fronça les sourcils. Lors de sa première
visite, il avait cru pouvoir attribuer les éraflures des
mécanopodes aux séances d'entraînement. Mais au
soleil de midi, on ne pouvait pas s'y méprendre – ces
machines étaient très anciennes.

— Vous allez pouvoir les réparer, n'est-ce pas ?
demanda-t-il.

— Peut-être, répondit Klopp.

— Bah ! Nous les retaperons ensemble ! claironna
Zaven.

Il semblait déjà considérer Klopp comme un grand frère longtemps perdu de vue.

— Vous maîtrisez peut-être la mécanique moderne, monsieur, mais nos mécaniciens possèdent des connaissances qui se transmettent exclusivement de père en fils – et en fille, bien sûr !

— Ces machines sont comme des parents pour nous, affirma Lilit.

Klopp posa sa boîte à outils.

— Hum... des grands-parents, je suppose.

Personne ne rit, à l'exception de Bovril qui se laissa glisser jusqu'au sol et traversa la cour ventre à terre pour aller renifler les sabots d'acier du Minotaure.

Depuis leur arrivée Dylan était resté silencieux, les bras croisés. Il intervint cette fois, dans son allemand hésitant, pour demander :

— Combien y en a-t-il ?

— Acquis à la cause de la révolution ? demanda Zaven avant de se frotter les mains avec entrain.

— Une demi-douzaine dans chacun des ghettos de cette ville. Presque cinquante en tout ; assez pour balayer les éléphants du sultan. Nous aurions pu le faire six ans plus tôt, mais nous étions divisés à ce moment-là.

— Et aujourd'hui, monsieur ? demanda Bauer.

— Unis comme les cinq doigts de la main ! dit Zaven, en rapprochant les deux poings. Même les Jeunes-Turcs nous ont rejoints, à force de croiser des Allemands à tous les coins de rue.

— Et aussi grâce à l'Araignée, lui rappela Lilit.

Alek se tourna vers elle.

— L'Araignée ?

— On leur montre ? demanda la jeune femme.

349

Sans attendre la réponse de son père, elle courut vers une grande porte métallique, et sauta très haut pour s'accrocher à une chaîne qui pendait sur le côté. À mesure qu'elle grimpait, son poids tirait la chaîne vers le bas, et la porte se mit à coulisser lentement vers le haut.

Une gigantesque machine se tenait tapie dans l'ombre.

Bien que n'ayant aucune idée de sa fonction, Alek vit tout de suite pourquoi Lilit l'avait appelée l'Araignée. Au-dessus d'une masse mécanique centrale se dressaient huit longs bras articulés ; un enchevêtrement de bandes transporteuses s'enfonçait dans ses entrailles, comme sur une moissonneuse.

— Est-ce un appareil de transport ? demanda Dylan en anglais.

— Ils l'ont baptisé l'Araignée, lui répondit Alek, avant de secouer la tête. Mais je n'ai pas l'impression qu'il puisse se déplacer.

— Il ne s'agit pas d'une vulgaire machine de guerre, déclara Zaven. Mais d'un outil de progrès beaucoup plus puissant. Lilit, fais donc une démonstration à nos invités !

Lilit franchit le seuil, et disparut presque dans l'ombre de l'énorme machine. Un panneau de boutons et de leviers s'alluma, devant lequel la silhouette de la jeune fille se découpait en ombre chinoise. Elle manipula quelques commandes et, un instant plus tard, les pavés de la cour se mirent à trembler sous les pieds d'Alek.

Les huit bras s'agitèrent, brassèrent l'air à la manière d'un chef d'orchestre et procédèrent à d'infimes réglages des bandes transporteuses et autres éléments de la machine avec leurs pinces.

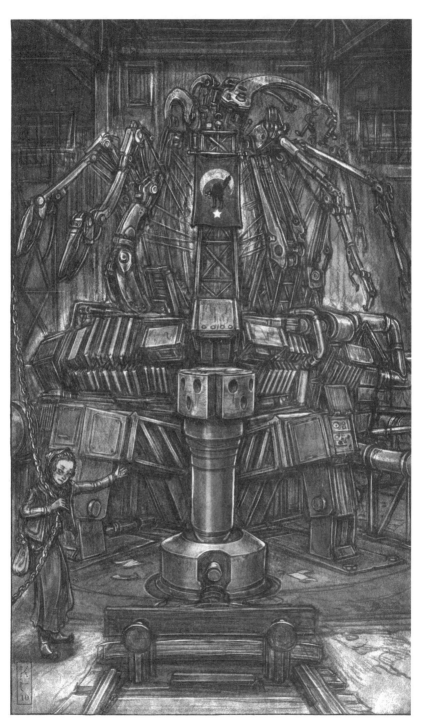

LE MÉCANOPODE IMMOBILE.

— Elle ressemble un peu à une araignée, c'est vrai, convint Dylan. Une araignée géante, comme celles qui tissent les parachutes.

Zaven hocha la tête avec vigueur, avant de lui répondre dans un anglais sans faille :

— C'est l'Araignée qui a tissé la trame de la révolution. Savais-tu, mon garçon, que le mot « texte » découle du mot latin pour désigner le tissage ?

— Texte ? répéta Alek. Quel rapport avec… ?

Il s'interrompit en apercevant un éclair blanc dans la pénombre. Un rouleau de papier se déroulait sur l'une des bandes transporteuses, avant de disparaître dans le ventre noir de la machine. Les bras tournoyèrent dans les airs, chargés de pièces métalliques sur des plateaux, versant des flacons d'un liquide noir, avant de couper et de plier le papier avec leurs doigts agiles.

— Nom d'une pipe en bois ! jura Dylan. C'est une presse d'imprimerie.

— Une Araignée qui dispense un venin redoutable, dit Zaven. La plume est plus efficace que l'épée !

La machine continua à trembler et tournoyer pendant une bonne minute, avant de ralentir et de finir par s'éteindre. Quand Lilit ressortit de l'ombre, elle portait une pile de feuillets soigneusement pliés, couverts de caractères inconnus.

Zaven en préleva un.

— Ah oui, mon article au sujet du droit de vote des femmes. Savez-vous lire l'arménien ?

Alek haussa les sourcils.

— Hélas, non.

— C'est dommage. Mais le vrai message se trouve là.

Zaven indiqua une rangée de symboles au bas de la

page – des étoiles, des croissants, des croix, qu'on semblait avoir mis là uniquement pour faire joli.

— Un code secret, murmura Alek en se remémorant les inscriptions sur les murs de la ruelle. Vu la profusion de journaux qui se vendait dans les rues d'Istanbul, celui-là avait toutes les chances de passer inaperçu. Mais pour qui connaissait le code...

Il sentit Bovril tirer sur la jambe de son pantalon. L'animal sautillait d'une patte sur l'autre.

Alek ferma les yeux, et perçut un frémissement à travers ses semelles.

— D'où vient ce grondement ?

— On dirait des mécanopodes, monsieur, répondit Bauer. Des gros !

— Croyez-vous qu'ils nous ont retrouvés ? s'inquiéta Alek.

— Bah ! Ce n'est que la parade du sultan, pour la fin du ramadan.

Zaven indiqua l'escalier d'un geste vague.

— Et si vous vous joigniez à nous sur le toit ? Depuis notre balcon, nous serons aux premières loges.

TRENTE-TROIS

Les éléphants de guerre ottomans défilaient au loin sur le boulevard bordé d'arbres, en laissant des empreintes profondes sur le pavé. Leurs drapeaux frappés du croissant flottaient au vent, et leurs trompes – terminées par une mitrailleuse – se balançaient entre leurs défenses hérissées de crochets. Ils tournèrent d'un bloc, avec la précision de soldats à l'exercice, puis continuèrent en direction des quais.

Deryn poussa un soupir de soulagement et rendit les jumelles à Alek.

— M. Zaven avait raison. Ils ne s'intéressent pas à nous.

— C'est sans doute la parade qu'ils préparaient, dit Alek, avant de tendre les jumelles à Klopp. *Was denken Sie, Klopp ? Hundert Tonnen je ?*

— *Hundert und fünfzig,* répondit le maître de mécanique.

Deryn marqua son assentiment d'un hochement de tête. Si elle avait bien compris, Klopp estimait le poids des éléphants de métal à cent cinquante tonnes chacun. Les tonnes clankers étaient un peu plus lourdes que les tonnes britanniques, se souvint-elle, mais l'essentiel était ailleurs.

Ces éléphants étaient bigrement imposants.

— *Mit achtzig-Millimeter-Kanone auf dem Türmchen*, ajouta Bauer, ce qui dépassait les connaissances linguistiques de Deryn.

Mais elle hocha la tête encore une fois, pour faire comme si elle comprenait.

— *Kanone*, répéta Bovril, assis sur l'épaule d'Alek.

— Eh oui, des canons, murmura Deryn en regardant scintiller le métal des tourelles sur le dos des éléphants.

C'était le mot le plus important, après tout.

Comme Klopp et Alek poursuivaient leur discussion en clanker, Deryn partit se dérouiller les jambes à l'autre bout du balcon. Elle avait encore le postérieur endolori après leur folle poursuite en taxi, bien plus inconfortable que le dos d'un cheval au galop. Elle ne comprenait pas comment les clankers pouvaient se déplacer toute la journée à bord de ces machines – rien que leur manière de bouger lui hérissait le poil.

— Vous êtes blessé ? lui demanda Lilit juste dans son dos.

Deryn sursauta. Cette fille la prenait toujours par surprise.

— Je vais bien, lui assura Deryn, avant d'indiquer les éléphants. Je me demandais simplement s'ils défilaient souvent comme ça, en broyant les pavés ?

La fille secoua la tête.

— D'ordinaire ils restent en dehors de la ville. Mais là, le sultan fait une démonstration de force.

— Ça, c'est certain. Pardonnez-moi, mademoiselle, mais vous n'avez aucune chance contre eux. Ces mécanopodes sont armés de canons, alors que les vôtres n'ont que leurs griffes et leurs poings. Autant emporter une paire de gants de boxe pour un duel au pistolet !

— Ma grand-mère dit toujours que le monde repose sur des éléphants. C'est une loi ancienne – nos mécanopodes n'ont pas le droit d'être armés, au contraire de ceux du sultan. Au moins nous lui avons fait peur. Son armée ne serait pas en train d'éventrer les boulevards s'il n'était pas nerveux !

— D'accord, il est nerveux, mais ça veut dire aussi qu'il est prêt à vous recevoir.

— La dernière révolution ne remonte qu'à six ans, rappela Lilit. Il se tient toujours prêt.

Deryn allait observer que ce n'était pas une idée très réconfortante quand elle entendit un étrange chuintement derrière elle. Elle se retourna, et vit un appareil étrange sortir sur le balcon. Sorte de croisement entre un reptile et un lit à baldaquin, il se dandinait sur ses jambes boudinées en bourdonnant comme un jouet à ressort.

— Mais nom d'une pipe, qu'est-ce que c'est que ça ?

— Ma grand-mère, répondit Lilit avec un sourire.

Alors qu'elles rejoignaient les autres, Deryn repéra une masse de cheveux gris au milieu des draps blancs. Il s'agissait d'une vieille dame, sans doute la redoutable Nene dont lui avait parlé Alek.

Bovril parut enchanté de la voir. Il délaissa l'épaule d'Alek, fila à travers le balcon puis grimpa sur l'avant du lit. Et il se tint posté là, le pelage ébouriffé par le vent, fier comme un amiral.

Alek s'inclina devant la vieille dame et lui présenta poliment maître Klopp et le caporal Bauer, en allemand.

Nene hocha la tête, puis tourna son regard perçant vers Deryn.

— Tu dois être le garçon du *Léviathan*, déclara-t-elle, avec un accent anglais aussi précieux que celui de Zaven. Ma petite-fille m'a parlé de toi.

Deryn fit claquer ses talons.

— Aspirant Dylan Sharp, à votre service, m'dame.

— D'après ton accent, je dirais que tu as grandi à Glasgow.

— Oui, m'dame. Vous avez une excellente oreille.

— J'en ai même deux, répliqua Nene. Et tu as une drôle de voix. Puis-je voir tes mains ?

Deryn hésita, mais quand la vieille dame claqua des doigts, elle se surprit à obéir.

— Je sens des cals, commenta Nene en lui palpant les mains avec attention. Tu as l'habitude de travailler dur, contrairement à ton ami le prince de Hohenberg. Tu dessines, et tu couds beaucoup pour un garçon.

Deryn s'éclaircit la gorge, en pensant à ses tantes qui lui apprenaient enfant à faire du piquage.

— Dans l'Air Service, les aspirants doivent repriser eux-mêmes leur uniforme.

— C'est admirable. Ma petite-fille me dit que tu n'as pas confiance en nous.

— Eh bien... C'est un peu délicat, m'dame. Je suis tenu au secret concernant ma mission ici.

— Ta mission ? Tu ne m'as pourtant pas l'air d'être en uniforme, rétorqua Nene en détaillant Deryn de la tête aux pieds.

— Je suis peut-être déguisé, m'dame, répondit Deryn, mais je reste un soldat.

— Déguisé, gloussa Bovril. *Monsieur* Sharp !

Deryn le fusilla du regard. Pourvu que cette maudite bestiole arrête de répéter ça.

— Ma foi, mon garçon, au moins tu ne fais pas mystère de tes soupçons.

Nene lui lâcha les mains pour se tourner vers Alek.

— Alors, que pensent tes hommes de nos mécanopodes ?

Alek lui répondit en clanker, et Klopp et Bauer commencèrent bientôt à bombarder leurs hôtes de questions.

Deryn ne suivit pas la moitié de la conversation, mais quelle que soit la langue utilisée, sans canons, cette révolution était condamnée d'avance. Zaven avait perdu la tête s'il se figurait le contraire.

Même Alek refusait de voir les choses en face. Il n'arrêtait pas de dire qu'il était destiné à aider la révolution, à se venger des Allemands et à mettre fin à la guerre. Pures fadaises, selon Deryn. Ce n'était pas la providence qui empêcherait les éléphants du sultan de mâcher les vieilleries du comité comme une poignée de caramels mous.

Elle sortit son carnet de croquis et reporta son attention sur le défilé. Les éléphants étaient alignés le long d'une jetée, le canon relevé, prêt à tirer une salve en l'honneur d'un bâtiment de guerre…

— Le *Goeben*, murmura Deryn.

Les couleurs ottomanes flottaient au mât du cuirassé, dont le canon Tesla étincelait au soleil.

Lilit avait raison – le sultan procédait à une démonstration de force. Même si le comité parvenait à l'emporter face à ces éléphants, il lui resterait encore à affronter les canons du *Goeben* et du *Breslau*.

Mais peut-être pas. Dans moins d'un mois désormais, le *Léviathan* reviendrait dans les Dardanelles, pour jeter une bête monstrueuse sur les cuirassés allemands. L'amiral Souchon avait peut-être déjà affronté des krakens, mais jamais rien qui ressemble à un béhémoth. Cette créature était assez forte pour engloutir en une demi-heure les deux nouveaux fleurons de la flotte du sultan.

Là, ce serait vraiment la nuit idéale pour déclencher une révolution.

Le problème, c'est que Deryn ne pouvait pas en parler au comité. Si l'un de ses membres était un agent clanker, lui dévoiler ce plan pouvait sceller le sort du *Léviathan*. Son devoir lui imposait donc le silence.

Un torrent de fumée s'échappa des canons des éléphants, un nuage énorme que la brise marine se chargea de disperser. Le son leur parvint après plusieurs secondes seulement, comme un coup de tonnerre lointain. Les canons du *Goeben* grondèrent en retour, dix fois plus fort.

Deryn soupira et se mit à croquer la scène – ce fichu puzzle comportait beaucoup trop de pièces. Le béhémoth pouvait couler les cuirassés allemands, mais il lui était impossible de grimper à terre et de s'occuper aussi des éléphants du sultan.

Derrière elle, la conversation devenait houleuse. Zaven haussait le ton en clanker tandis que Klopp secouait la tête, les bras croisés.

— *Nein, nein, nein,* s'entêtait à répéter le vieil homme.

Si seulement il existait un moyen simple d'éliminer la menace de cent cinquante tonnes d'acier…

Et puis soudain, elle eut une illumination :

— Attendez, monsieur Zaven. Peu importe que vos mécanopodes ne possèdent pas de canons. Nous pouvons remédier à cela !

Alek secoua la tête avec lassitude.

— Il n'y a rien à faire. D'après lui, l'armée impose un contrôle très strict sur les armes et les munitions.

— D'accord, mais nous pouvons très bien nous en passer, rétorqua Deryn. Lors de la prise du *Dauntless*, nos abordeurs se sont uniquement servis de cordes.

— La prise ? releva Nene. Je croyais que l'incident du *Dauntless* était dû à une erreur de pilotage.

Deryn renifla.

— Il ne faut pas croire tout ce que vous pouvez lire dans les journaux, m'dame.

Elle indiqua les éléphants blindés en contrebas.

— Chaque jambe possède son propre pilote, vous voyez ? Les abordeurs ont attrapé les nôtres au lasso et les ont jetés au sol, avant de grimper prendre leur place. Voilà comment on peut stopper ces monstres en métal.

Il suffit d'assommer quelques-uns de leurs pilotes, et ils ne pourront plus bouger !

— Peut-être à bord du *Dauntless*, où les pilotes sont installés à découvert, dit Zaven. Mais ceux-là sont bien protégés.

Deryn avait déjà réfléchi à la question.

— Protégés des cordes et des balles, sans doute. Mais leur habitacle doit forcément comporter une meurtrière, comme sur l'ancien Sturmgänger d'Alek. Et si un nuage d'épice s'y engouffrait ?

— Un nuage d'épice ? dit Nene.

— Mais oui.

Deryn sourit, et se tourna vers Alek.

— Je ne vous ai jamais raconté comment j'avais sauvé le *Dauntless*, n'est-ce pas ?

Alek secoua la tête.

Deryn prit le temps d'ordonner ses pensées, maintenant qu'elle était sûre d'avoir toute leur attention.

— C'était mon idée, en fait. Ces empotés de diplomates n'avaient pas une seule arme à bord, alors j'ai attrapé un gros sac d'épice et je l'ai lancé à la figure de l'un des abordeurs. L'odeur a fait basculer ce petit salopard à la renverse ! Dans un habitacle, ce serait encore pire. Imaginez-vous enfermé dans une cabine métallique au milieu d'un nuage d'épice !

— Épice, répéta Bovril d'une voix douce.

— Le pauvre pouvait à peine respirer, continua Deryn. Et mon uniforme était dans un sale état !

— L'armée n'impose aucun contrôle sur le piment rouge, murmura Nene, tandis qu'Alek commençait à traduire à l'intention de Klopp et Bauer.

Lilit se tourna vers son père.

— Crois-tu que cela pourrait fonctionner ?

— Même un fantassin pourrait arrêter un mécanopode avec cette technique, s'enthousiasma Zaven. Le comité va inonder les rues de révolutionnaires lanceurs d'épice !

— Oui, mais il faut voir plus grand, dit Deryn. Contrairement aux mécanopodes allemands, les vôtres ont tous des mains. Je suis sûr que votre Minotaure, là, pourrait jeter une bombe d'épice à un demi-mile !

— Et même plus loin, fit Lilit avec un sourire. À moins qu'Alek ne l'écrase au creux de son poing, évidemment.

Alek grommela une remarque indistincte.

— Klopp affirme pouvoir fabriquer quelque chose – une sorte de magasin dans lequel disposer les bombes à épice. Nous sommes au-dessus d'une usine de mécanique, après tout.

— Les pièces détachées ne poseront pas de problème, assura Zaven. Mais les épices les plus fortes se vendent par petits sachets. Et là, nous parlons d'en acheter des tonnes !

— Si je prends la dépense à ma charge, êtes-vous disposés à essayer ? demanda Alek.

Zaven et Lilit se tournèrent vers Nene. Elle haussa les sourcils, le regard braqué sur Alek.

— Cela représente une très grosse somme, Votre Altesse Sérénissime.

Sans répondre, Alek s'agenouilla pour ouvrir sa sacoche – celle qu'il avait traînée toute la journée. Il en sortit une sorte de brique enveloppée dans un mouchoir.

— *Junge Meister !* s'écria Klopp. *Nicht das Gold !*

Alek l'ignora, et défit le mouchoir pour dévoiler un

lingot. Sous le soleil, une flamme jaune pâle courut sur le métal.

Deryn se racla la gorge. Nom d'une pipe en bois, ce que les princes pouvaient être riches !

— Ainsi, c'est vraiment toi, n'est-ce pas ? murmura Nene.

On avait prélevé quelques copeaux sur le lingot, mais le sceau des Habsbourg restait bien visible.

— Bien sûr, madame, répondit Alek. Je suis un très mauvais menteur.

La conversation reprit de plus belle, en clanker cette fois-ci, pour permettre à Nene, Zaven et Klopp d'élaborer un plan tous ensemble.

Lilit se tourna vers Deryn, les yeux étincelants.

— De l'épice ! C'est génial. Absolument génial, dit Lilit en se jetant à son cou. Merci !

— Eh oui, je suis drôlement malin… parfois, dit Deryn, et elle s'empressa de se détacher de lui. Une chance qu'Alek ait pensé à emporter cet or avec lui.

Alek hocha la tête, mais une expression peinée assombrit son visage.

— C'était l'idée de mon père. Volger et lui avaient tout planifié.

— Oui, mais je voulais dire que c'est une chance que vous l'ayez emporté *aujourd'hui*, dit Deryn. Sinon, vous l'auriez perdu.

— Je vous demande pardon ?

— Cessez de jouer les *dummkopfs*, dit Deryn, agacée. Le pilote du taxi connaît votre hôtel. Et à la manière dont nous sommes habillés, vous pouvez être certain que la direction se souviendra de nous si la police vient lui poser des questions. Alors nous allons devoir rester ici. Nous avons perdu l'émetteur sans fil, mais nous avons les outils de Klopp, Bovril, et votre or. Bref, tout ce qui est important, non ?

Alek ferma les yeux avec une grimace, et sa voix se réduisit à un murmure.

— Presque tout.

— Nom d'une pipe en bois ! Ne me dites pas que vous aviez *deux* lingots d'or ?

— Non. Mais j'ai laissé une lettre là-bas.

— Indique-t-elle qui vous êtes ? s'enquit Lilit d'une voix douce.

— On ne peut plus clairement.

Alek se tourna vers Deryn et la fixa avec intensité.

— Je l'ai bien cachée. Si personne ne la découvre, nous pourrions retourner la récupérer !

— Eh bien, peut-être, oui.

— Dans une semaine, quand les choses se seront tassées. Je vous en prie, promettez-moi de m'aider !

— Vous me connaissez, toujours prêt à donner un coup de main, fit Deryn en lui décochant un coup de poing dans l'épaule.

Quoique, franchement, la démarche lui semblât bien inutile. Les Allemands savaient déjà qu'Alek se trouvait à Istanbul, alors pourquoi courir le risque de se faire capturer ?

Ce n'était qu'une fichue lettre, après tout.

TRENTE-QUATRE

— Espèce de... ! s'écria Deryn. J'étais en train de faire un rêve formidable !

— Il est temps d'y aller, s'excusa Alek.

Deryn geignit. Elle avait aidé Lilit toute la journée sur l'Araignée, à porter des pièces et des plateaux de caractères, et chaque muscle de son corps était endolori. Rien d'étonnant à ce que les clankers se montrent aussi grincheux – ce que le métal pouvait être lourd !

Dans son rêve, elle volait. Non pas à bord d'un aéronef ou d'un Huxley, mais grâce à des ailes, aussi légère que du tulle. La sensation était délicieuse.

— Ne pourrait-on pas remettre ça à une autre nuit ? Je suis éreinté.

— Cela fait une semaine que nous avons quitté l'hôtel, Dylan. C'est ce dont nous étions convenus.

Deryn soupira. Le jeune homme avait de nouveau cette lueur désespérée dans le regard. Il l'avait chaque fois qu'il parlait de sa fichue lettre, même s'il refusait toujours d'expliquer pourquoi elle était si importante.

Alek arracha la couverture, et Deryn bondit pour se couvrir. Mais elle avait dormi dans sa combinaison de mécanicien, comme elle le faisait toujours maintenant. Elle devait se montrer particulièrement vigilante ici. Les pilotes qui venaient s'entraîner dans l'entrepôt de Zaven étaient tous intrigués par cet étranger qui ne parlait aucune des langues de l'Empire ottoman. Deryn restait donc le plus souvent auprès de Lilit, à travailler sur l'Araignée, quand elle n'aidait pas Zaven à cuisiner, à apprendre des noms d'épices inconnues et à trancher l'ail et les oignons jusqu'à en avoir mal aux doigts.

— C'est bon ! s'écria-t-elle. Je me lève.

— Chut ! Je ne veux pas que les autres se posent des questions en nous entendant sortir.

— D'accord. Attendez-moi dehors une minute.

Il hésita, puis finit par la laisser seule.

Deryn enfila ses habits turcs en pestant contre les nombreux défauts d'Alek. Elle parlait de plus en plus toute seule, ces derniers temps : vivre parmi ces clankers la rendait folle. Au lieu du murmure des animaux et de la respiration régulière de l'aéronef, elle n'entendait plus que des claquements de rouages et de pistons. Et elle empestait l'huile de moteur.

De toutes les machines sur lesquelles elle avait travaillé au cours de cette semaine, l'Araignée était la seule à lui inspirer de l'affection. Le ballet de ses lames de coupe et de ses bandes transporteuses avait l'élégance d'un écosystème : un tourbillon d'encre et de papier y convergeait en jolis petits blocs d'information bien rangés, au-dessus desquels s'agitaient ses pattes énormes, comme les rameaux d'un vieil arbre. Cette mince suggestion de vie, toutefois, ne faisait qu'alimenter le regret que Deryn avait de son aéronef.

Et tout cela pour aider un satané *prince* !

Elle sortit dans la cour d'exercice, où se dressait le dernier lot de mécanopodes en attente de se voir installer leur lanceur d'épice. Un djinn dominait tous les autres, ses bras puissants croisés sur sa poitrine, la gueule de ses canons encore humide. En tant que musulmans, les Arabes bénéficiaient d'une dispense du sultan qui les autorisait à équiper leurs mécanopodes de canons à vapeur. Ces armes ne tiraient pas de projectiles, mais permettaient au djinn de disparaître en un clin d'œil dans un nuage de vapeur brûlante.

Le portail extérieur de la cour était entrebâillé. Deryn se faufila dehors pour retrouver Alek qui l'attendait dans la rue.

Lilit était là aussi, très élégante dans ses habits à l'européenne.

— Qu'est-ce qu'elle fait là ?

Alek haussa les sourcils.

— Je ne vous l'avais pas dit ? Nous aurons besoin de quelqu'un que le personnel de l'hôtel ne puisse pas reconnaître. Lilit a loué une suite là-bas hier.

— Et en quoi est-ce censé nous aider ?

— Ma chambre se trouve au dernier étage, comme celle qu'avait Alek, expliqua Lilit. À deux portes de distance. Et toutes les deux ont un balcon.

Deryn se renfrogna. Elle devait bien admettre que sauter d'un balcon à l'autre leur serait plus facile que de crocheter la serrure. Mais pourquoi n'avait-on pas pris la peine de lui expliquer ce plan ?

— Je sais me fondre dans l'obscurité aussi bien que vous, renchérit la jeune femme. Demandez donc à Alek avec quelle facilité je l'ai pris en filature.

— Oui, il n'arrête pas de me le raconter, soupira Deryn. C'est juste que...

Elle chercha quoi dire. Elle n'avait rien contre Lilit, au fond. La fille était douée en mécanique, et savait piloter aussi bien que n'importe quel homme. En un sens, elle avait réussi le même tour de force que Deryn – se comporter comme un homme – sans se travestir, et il fallait bien reconnaître là une forme d'anarchie tout à fait admirable.

Hélas, la jeune femme avait la fâcheuse habitude de surgir dès qu'Alek et Deryn se trouvaient ensemble, ce qui devenait bigrement agaçant.

Pourquoi Alek n'avait-il pas jugé utile de mentionner qu'elle viendrait ? Quelles autres cachotteries réservait-il encore à Deryn ?

— Est-ce parce que je suis une fille ? demanda Lilit avec raideur.

Deryn secoua la tête.

— Bien sûr que non. Je suis mal réveillé, voilà tout.

Lilit attendit la suite, un peu vexée. Mais Deryn se contenta de lui tourner le dos et de partir à pied en direction des beaux quartiers.

◉   ◉   ◉

L'hôtel Hagia Sophia était sombre et silencieux, éclairé par une unique lanterne à gaz au-dessus du porche. Deryn et Alek restèrent tapis dans l'ombre tandis que Lilit entrait dans l'hôtel, saluée au passage par le portier.

— Cela me paraît un peu exagéré, de nous glisser dans l'hôtel comme des voleurs, murmura Deryn. Vous croyez vraiment qu'on nous reconnaîtrait ?

— N'oubliez pas, lui rappela Alek, que s'ils ont mis la main sur ma lettre, il y aura une douzaine d'agents allemands dans le hall, de jour comme de nuit.

Deryn hocha la tête. C'était vrai – une trace du prince d'Autriche en fuite était assurée de faire davantage de bruit qu'un vulgaire vol de taxi.

— Elle doit nous retrouver derrière, dit Alek.

Il entraîna Deryn dans une petite ruelle, où les ordures s'amoncelaient à côté de la porte de la cuisine. Lilit et lui avaient passé beaucoup de temps à préparer cette affaire, semblait-il.

Deryn chassa la jalousie de son esprit. Elle était un soldat en mission, et non une jeune bécasse qui parade au bal de son village.

Elle s'approcha d'une fenêtre et colla l'œil au carreau. Il faisait sombre dans la cuisine, et les bras immobiles d'un automate laveur de vaisselle jetaient des ombres inquiétantes. Mais après quelques minutes, une silhouette silencieuse se faufila dans l'obscurité, et la porte s'ouvrit en grinçant.

— Il y a quelqu'un à la réception, murmura Lilit. Et un homme en train de lire dans le hall, alors ne faites pas de bruit.

Quand ils se coulèrent à l'intérieur, des odeurs de cuisine montèrent au nez de Deryn, aussi délicieuses que dans son souvenir. Des coupes emplies de dattes, d'abricots et de pommes de terre jaune pâle s'alignaient sur une table en bois brut, et des aubergines luisaient dans le noir avec des reflets violets, prêtes à se faire hacher menu.

L'odeur de paprika, en revanche, la fit grimacer.

Zaven avait préparé des bombes à épice toute la journée, et Deryn en avait encore les yeux larmoyants.

De la cuisine, Lilit les conduisit dans une salle à manger plongée dans le noir. Le couvert était mis, les serviettes pliées avec soin, comme si les convives étaient sur le point d'arriver, et Deryn éprouva la même sensation de gêne qu'elle ressentait chaque fois dans les endroits luxueux.

— Il y a un escalier de service, chuchota Lilit.

Elle se dirigea vers une petite porte dans le mur opposé.

L'escalier en question était étroit, obscur, et ses marches grinçaient à chaque pas. Le bois clanker paraissait toujours vieux et maussade, comme les tantes de Deryn par un matin d'hiver humide. « Voilà ce qu'il en coûte d'abattre des arbres au lieu de fabriquer son propre bois », se dit-elle.

Les trois grimpèrent lentement pour ne pas faire trop de bruit, et mirent plusieurs minutes avant de déboucher dans un vaste couloir familier.

Deryn fut saisie d'un frisson au moment de passer devant la chambre d'Alek. Et si on avait retrouvé sa lettre, et qu'une demi-douzaine d'agents clankers les attendaient à l'intérieur ?

Lilit s'arrêta deux portes plus loin et sortit une clé. Un instant plus tard, ils se tenaient tous dans une suite aussi luxueuse que celle d'Alek. Deryn se demanda une fois de plus ce qu'il pouvait y avoir de si important dans cette lettre. Valait-elle vraiment l'argent dépensé pour cette suite, de l'argent qui aurait pu servir à la réparation des mécanopodes du comité ?

Lilit pointa le doigt.

— Le balcon.

Deryn traversa la pièce et sortit dans la nuit fraîche. Au dernier étage, les balcons étaient presque aussi larges que les suites. Il serait facile de sauter de l'un à l'autre – le genre de bond qu'un aviateur effectuait tous les jours.

Elle se tourna pourtant vers Alek et lui chuchota :

— Si vous m'aviez parlé de votre fichu plan avant, j'aurais emporté une corde.

Il sourit.

— Ne me dites pas que vous avez le vertige ?

— Peuh !

Deryn posa un pied sur la rambarde, les bras écartés pour un meilleur équilibre.

Alek se tourna vers Lilit.

— Restez là. Il se peut qu'on nous attende de l'autre côté.

— Tu ne me crois pas capable de me battre ?

Deryn se figea pour écouter la réponse d'Alek. S'inquiétait-il davantage pour la sécurité de Lilit que pour la sienne ? Ou préférait-il ne pas se faire assister par une fille ?

Dans un cas comme dans l'autre, c'était bougrement contrariant.

— Je ne doute pas que vous sachiez vous battre, lui assura-t-il. Mais en cas d'arrestation, on pourrait vous reconnaître comme la fille de Zaven. Ce qui conduirait la police directement à l'entrepôt.

Deryn cligna des paupières – peut-être Alek faisait-il tout simplement preuve de bon sens ?

— Et si vous étiez arrêtés tous les deux ? rétorqua Lilit.

— Dans ce cas, vous n'auriez plus qu'à renverser le sultan pour nous faire libérer.

Lilit fulmina, mais finit par se résigner.

— Soyez prudents, surtout.

— Ne vous inquiétez pas, dit Deryn, avant de sauter. Elle se réceptionna sur le balcon suivant avec un léger bruit métallique, puis se retourna pour aider Alek. Il avait les traits crispés en bondissant au-dessus du vide, et sa main tremblait un peu quand elle l'attrapa pour l'aider à se relever.

— Ne me dites pas que vous avez le vertige ? lui souffla-t-elle.

— Je dois reconnaître que c'est assez haut.

Deryn renifla. Quand on avait gambadé à mille pieds d'altitude, six étages ne représentaient plus rien. Elle traversa le balcon, grimpa sur la balustrade et sauta de nouveau, sans même regarder en bas.

Elle fit signe à Alek de l'attendre pendant qu'elle jetait un coup d'œil à l'intérieur.

La suite, plongée dans le noir, paraissait inoccupée. Deryn releva le loquet avec la pointe de son couteau de gabier, repoussa les deux battants de la porte et tendit l'oreille – rien.

Elle se glissa à l'intérieur et s'approcha en catimini de la porte de la chambre à coucher. Le lit était vide, les draps et les oreillers impeccables. Si quelqu'un avait fouillé cette pièce, il avait fait le ménage derrière lui.

En fait, la suite était exactement telle que Deryn se la rappelait : avec ses plantes en pot, le tabouret favori de Bovril, le divan sur lequel elle avait dormi pendant qu'Alek ronflait dans le faste de sa chambre à coucher.

Un choc sourd la fit sursauter – Alek venait d'atterrir

sur le balcon. Il sortit un tournevis de sa poche et marcha jusqu'au panneau de contrôle mural en laiton rutilant.

— Je croyais que ce dispositif était relié à la réception ? s'inquiéta Deryn.

Au cours des deux jours qu'elle avait passés là, elle avait vu Alek se servir du panneau pour commander toutes sortes de repas délicieux, qui apparaissaient dans leur suite comme par magie.

— Oui, bien sûr. Mais je n'ai pas l'intention de le mettre en marche.

Il utilisa son tournevis, et décrocha bientôt la façade du panneau.

Il la posa avec soin sur le plancher et enfonça le bras dans le fouillis de câbles et de sonnettes. Il en sortit un long cylindre en cuir.

Deryn s'approcha pour l'examiner de plus près, les yeux plissés dans la pénombre.

— C'est ma lettre, expliqua Alek. Dans un étui à parchemin.

— Un étui à parchemin ? On vous envoie vos lettres dans des étuis à parchemin ?

Alek ne répondit pas. Il se contenta de remettre le tournevis dans sa poche.

— Oui, je sais – encore un de vos secrets, marmonna-t-elle en se dirigeant vers l'entrée de la suite. Autant repartir par le couloir. Vous m'avez suffisamment prouvé que vous n'aviez pas peur du vide.

Deryn colla son oreille à la porte – on n'entendait aucun bruit de l'autre côté. Mais quand elle se retourna vers Alek, elle vit qu'il n'avait pas bougé et la dévisageait d'un air songeur.

— Vous avez oublié autre chose ? chuchota-t-elle. Un deuxième parchemin ? Un lingot de platine ?

— Dylan, fit le jeune homme d'une voix douce, avant de rejoindre Lilit, je dois vous confier quelque chose.

Deryn se figea, la main sur la poignée de la porte.

— À propos d'elle ?

— Quoi, de Lilit ? Que voulez-vous que je…, commença Alek, avant d'afficher un large sourire. Ah, vous vous interrogez à son sujet.

— Plutôt, oui.

Alek rit doucement.

— Il faut reconnaître qu'elle est très belle.

— Plutôt, oui.

— Je me demandais quand vous finiriez par vous en apercevoir. Vous vous êtes comporté comme un *dumm-kopf*, vous savez ? Avec tout le mal qu'elle s'est donné pour vous ouvrir les yeux.

— Pour m'ouvrir les yeux ? Mais pourquoi… demanda Deryn, intriguée. Qu'êtes-vous en train de me dire, exactement ?

Alek leva les yeux au ciel.

— Vous continuez à jouer les simplets ! Vous n'avez donc pas remarqué qu'elle s'est entichée de vous ?

Deryn en resta bouche bée.

— N'ayez pas l'air aussi surpris, dit Alek. Elle vous a tout de suite apprécié. Vous pensiez que c'était pour vos talents de mécanicien qu'elle vous demandait de l'assister avec l'Araignée ?

— Mais – je croyais qu'elle et vous…

— Moi ? Elle me voit comme un aristocrate stupide et inutile. Vraiment, quel *dummkopf* vous êtes, parfois !

— Elle ne *peut pas* s'enticher de moi, protesta Deryn. Je suis… un aviateur, nom d'une pipe en bois !

— Oui, et je crois qu'elle trouve cela très romantique. Vous dégagez une certaine assurance virile, vous savez. Et vous êtes plutôt bien fait de votre personne.

— Oh, arrêtez !

— En fait, la première fois que je vous ai vu, je me suis dit : « Voilà comme je voudrais être – ou comme j'aurais voulu être, si je n'étais pas né prince. »

Deryn le fusilla du regard. Alek paraissait s'amuser infiniment ; ses yeux pétillaient de malice. Elle avait envie de lui décocher un coup de poing, et en même temps...

— Vraiment, vous me trouvez du charme ? demanda-t-elle.

— Mais certainement. Et maintenant que vous êtes devenu la tête pensante de la révolution, l'affection de Lilit ne connaît plus de bornes.

Deryn geignit, accablée. Elle devait mettre un frein à cette absurdité avant que la situation devienne ingérable.

— Mais nous discuterons de votre vie sentimentale une autre fois, ajouta Alek en brandissant l'étui à parchemin. Je dois vous parler de ceci.

Deryn le fixa d'un air stupide, encore perturbée par la nouvelle. Elle saurait régler le problème avec Lilit. Il lui suffisait de... pas de lui dire la vérité, c'est sûr, mais de lui parler avec un minimum de tact.

Après tout, c'était vrai que les femmes appréciaient la crânerie des aviateurs : M. Rigby le répétait sans arrêt. Il en fallait à tout soldat, à tout homme, en fait. Elle pourrait toujours raconter qu'une jeune fille l'attendait au pays...

— Très bien, parvint-elle à murmurer. Qu'y a-t-il de tellement important dans ce fichu parchemin ?

— Eh bien, voilà.

Alek prit une profonde inspiration.

— Après notre révolution ici, à Istanbul, je crois que cette lettre pourrait mettre fin à la guerre.

TRENTE-CINQ

Le garçon se contenta de le dévisager, une fois de plus abasourdi.

Debout dans le noir, Alek entendait battre son propre cœur. Proférer ces premiers mots lui avait coûté un énorme effort.

Mais à présent qu'il ne pouvait plus compter sur Volger, ce secret devenait trop lourd pour lui. Et Dylan lui avait prouvé sa loyauté à une douzaine de reprises.

— C'est une lettre du Saint Père.

Dylan mit un moment à réagir, mais ensuite il bredouilla :

— Vous voulez dire du *pape* ?

Alek hocha la tête.

— Elle modifie les termes du mariage de mes parents, en faisant de moi l'héritier de mon père. Je suppose que je vous ai menti – je ne suis pas seulement un prince.

— Vous êtes aussi… un archiduc ?

— Je suis l'archiduc d'Autriche-Este, prince royal de Hongrie et de Bohême. À la mort de mon grand-oncle, il se pourrait bien que je sois en mesure d'arrêter la guerre.

Dylan écarquilla les yeux.

— Parce que vous serez devenu l'empereur !

Alek soupira, et s'approcha du fauteuil aux bras ornés de glands qu'il avait préféré. Il se laissa tomber dedans, tout à coup épuisé.

Cette chambre d'hôtel lui avait manqué, avec sa splendeur levantine. Pendant la semaine qu'il y avait passée il s'était senti… aux commandes, pour la première fois de sa vie, sans tuteur ni mentor à écouter. Mais maintenant qu'il avait rejoint un comité de révolutionnaires, il devait tout discuter dans les moindres détails.

— C'est compliqué. François-Joseph a nommé un autre successeur, mais il avait désigné mon père en premier.

Alek regarda les clés croisées sur l'étui en cuir, symbole de l'autorité papale qu'aucun fidèle autrichien ne pouvait ignorer.

— Ce document pourrait remettre la succession en question, si la guerre prenait mauvaise tournure et que les gens *réclamaient* un changement. Comme mon père le disait toujours : « Un pays avec deux rois ne tarde pas à chanceler. »

— C'est vrai, reconnut Dylan en se rapprochant. Et s'il pouvait y avoir une révolution dans ce pays, l'Allemagne se retrouverait complètement isolée !

Alek sourit.

— Vous n'êtes pas si bête, en fin de compte !

Dylan s'assit sur le bras du fauteuil, l'air hébété et stupéfait.

— Je vous demande pardon, mon prince, mais tout ceci, c'est un peu trop pour moi. D'abord, vous me dites que Lilit… Et maintenant *ça* !

— Je regrette. Je n'avais pas l'intention de vous mentir, Dylan. Mais j'ai appris l'existence de cette lettre la nuit même où je vous ai rencontré. Je ne me suis pas encore tout à fait habitué à l'idée.

— Je vais avoir du mal, moi aussi ! admit Dylan, en se levant pour faire les cent pas dans la pièce. Mettre fin à une fichue guerre avec un simple bout de papier, même s'il s'agit d'un joli parchemin... Qui pourrait croire une chose pareille ?

Alek acquiesça de la tête. Il avait éprouvé les mêmes doutes quand Volger lui avait montré la lettre. L'objet semblait trop insignifiant pour entraîner un tel changement. Mais ici, à Istanbul, Alek avait commencé à comprendre ce qu'elle représentait vraiment. Ce n'était pas un hasard si le *Léviathan* l'avait trouvé dans les montagnes avant de l'amener jusqu'ici. C'était à lui, Aleksandar de Hohenberg, d'achever la guerre commencée par l'assassinat de ses parents.

— Volger prétend que le pape me soutiendra, pour peu que je garde cette lettre secrète jusqu'à la mort de mon grand-oncle. L'empereur a eu quatre-vingt-quatre ans la semaine dernière. Il peut décéder à tout moment.

— Bon sang de bois ! Pas étonnant que les Allemands tiennent tellement à vous mettre la main dessus !

— Exact. Cela rend la situation d'autant plus dangereuse, dit Alek tout en contemplant l'étui à parchemin. C'est pour cela que nous sommes revenus ici. Et que je suis prêt à donner l'or de mon père pour faire aboutir la révolution du comité. Ce que nous sommes en train d'accomplir ici pourrait *tout* changer.

Dylan cessa de marcher de long en large ; les poings serrés, il semblait lui aussi se débattre avec un secret.

— Je vous remercie pour votre confiance, Alek, ajouta le garçon, les yeux baissés. Je ne vous ai pas toujours rendu la pareille. Pas sur tous les sujets.

Alek se leva de son fauteuil, s'approcha et posa la main sur l'épaule du garçon.

— Vous savez que vous pouvez vous fier à moi, Dylan.

— Oui, bien sûr. Et il y a quelque chose que je devrais vous dire. Mais il faut me promettre de n'en parler à personne – ni à Lilit ni au comité. À personne.

— Je ne trahirai jamais aucun de vos secrets, Dylan.

Le garçon hocha la tête.

— Celui-ci est un peu plus délicat que les autres.

Il se tut de nouveau. Le silence se prolongea.

— C'est à propos de votre mission, n'est-ce pas ?

Dylan lâcha un long soupir, de soulagement et de fatigue.

— Eh bien, oui. Je commandais un groupe de saboteurs, envoyé détruire les filets anti-krakens dans le détroit. Tout ça faisait partie du plan du Dr Barlow depuis le début.

— Mais vos hommes se sont fait capturer.

Dylan secoua la tête.

— Ils ont été pris, mais seulement après que nous avons mené à bien notre mission. À l'heure actuelle, les filets doivent être à moitié rongés par des créatures fabriquées. Et le processus est si lent que les Ottomans ne s'en apercevront jamais avant qu'il soit trop tard.

— Si je comprends bien, vous autres Britanniques n'avez pas l'intention d'attendre que le sultan prenne position dans le conflit. Vous allez frapper les premiers.

— Oui, dans trois semaines. D'après le Dr Barlow, les filets devraient être en lambeaux à ce moment-là. La nuit de la nouvelle lune, le *Léviathan* guidera une créature dans le détroit. C'est celle qui accompagne l'*Osman*, le navire que lord Churchill a volé aux Ottomans. Un béhémoth, un monstre gigantesque, plus grand que tout ce que vous avez jamais vu ! Ces cuirassés allemands n'ont aucune chance devant lui.

Alek serra l'étui à parchemin entre ses doigts. Les cuirassés allemands constituaient depuis le début le maillon faible du plan du comité. Mais si une abomination de la Royal Navy se chargeait de les éliminer, voilà qui changeait considérablement la donne.

— Cela tombe à point nommé, Dylan. Il faut en parler au comité !

— Impossible, refusa le garçon. J'ai confiance en Zaven et sa famille, mais l'affaire implique des centaines de personnes. Et s'il y avait un agent allemand parmi elles ? Si les Allemands apprenaient que le *Léviathan* a l'intention de revenir, le *Goeben* pourrait s'embusquer n'importe où sur son chemin, avec son canon Tesla !

— Bien sûr, dit Alek, et il frissonna en se rappelant la foudre qui l'avait traversé. Mais que faites-vous du plan de Zaven ? Il a l'intention de lancer des mécanopodes armés de bombes à épice contre les cuirassés. Klopp pense que c'est de la folie.

— Oui, une pure folie, confirma Dylan. Mais ne le dites pas à Zaven ! Si l'attaque a lieu la nuit de la nouvelle lune, le *Goeben* sera coulé avant même qu'ils passent à l'action !

Alek hocha lentement la tête et réfléchit aux possibilités. Si la bataille s'étendait à la ville entière, le sultan lâcherait ses mécanopodes dans les rues et s'appuierait sur les cuirassés allemands pour défendre le palais. Mais si ces derniers gisaient au fond de la mer, la révolution pourrait triompher en une nuit. Des milliers de vies pourraient être épargnées.

Naturellement, une attaque de nuit supposait d'enseigner aux pilotes du comité à conduire dans le noir. Il avait déjà commencé à expliquer la technique à Lilit, et elle en avait rapidement maîtrisé les rudiments. Au pire, cela donnerait un avantage supplémentaire aux révolutionnaires.

— J'ordonnerai à Klopp de dire qu'il a changé d'avis, qu'une attaque à l'épice contre le *Goeben* aurait une chance de réussir après tout. Mais comment convaincre le comité de choisir cette nuit-là en particulier ?

— Klopp n'aura qu'à dire qu'il vaudrait mieux attaquer les cuirassés par une nuit bien sombre, répondit Dylan avec un haussement d'épaules. Après quoi, nous signalerons que le 19 septembre sera la nuit de la nouvelle lune et les laisserons décider par eux-mêmes.

Alek sourit.

— Sans oublier qu'avec votre charme viril, vous saurez certainement persuader Lilit de plaider en faveur de notre plan !

Dylan leva les yeux au ciel rouge comme une tomate.

— À propos de secret, j'espère que vous ne direz rien à Lilit de notre petite discussion, d'accord ? Ça ne ferait que compliquer les choses.

Alek gloussa. On lui avait toujours raconté que les darwinistes étaient souvent triviaux en ce qui concernait les affaires de biologie, au point même de se montrer vulgaires. Mais Dylan, qui était pourtant un soldat, semblait empoté comme un collégien.

Il trouvait cela très amusant.

— Je vous l'ai dit, vos secrets sont en sécurité avec moi.

— Oui, bon, tant mieux. Et… vous êtes bien certain qu'elle s'est entichée de moi, et non de vous ?

Alek rit.

— Je l'espère de tout cœur. Après tout, si c'était le

contraire, je serais contraint de prendre mes jambes à mon cou.

— Comment ça ?

— Pour l'amour du ciel, Dylan ! Lilit est une *roturière*, avec beaucoup moins de prétention à la noblesse que ma mère. J'ai grandi sans savoir si j'hériterais un jour, sans savoir qui j'étais vraiment. Persuadé que tout aurait été beaucoup plus facile pour tout le monde si je n'étais pas né. Je ne pourrais jamais infliger cela à mes enfants, pas pour un empire.

— Ce doit être dur, d'être un prince.

— Plus maintenant, grâce au ciel.

Alek donna une tape sur l'épaule à Dylan, heureux que son ami connaisse enfin son dernier secret.

— Allons-y. Nous avons une révolution à préparer.

◎　◎　◎

Lilit leur ouvrit avec une expression renfrognée.

— Vous avez mis le temps ! Je commençais à croire que vous aviez des ennuis.

— Nous avons eu une petite discussion, s'excusa Alek en adressant un clin d'œil à Dylan. Mais nous avons récupéré ceci.

Lilit contempla l'étui puis dévisagea les deux garçons avec un drôle d'air, et Dylan, tout gêné, se tourna vers l'escalier de service.

Alek haussa les épaules à l'intention de Lilit avant de lui emboîter le pas.

Pendant qu'ils descendaient l'escalier, l'hôtel commença à s'animer autour d'eux. Les ascenseurs à vapeur se mirent à gronder et à souffler, montant en pression pour le trafic du matin, et bientôt des bruits de vaisselle leur parvinrent d'en bas.

Dylan s'arrêta, la main levée.

— Les cuisiniers sont déjà au travail. Pas question de repartir par là.

— Sortons par la grande porte, dans ce cas, suggéra Lilit. Puisque personne n'a retrouvé votre lettre, il n'y a aucune raison pour que des agents allemands nous attendent dans le hall.

— Oui, mais certains d'entre nous sont des voleurs de taxi recherchés ! lui rappela Dylan.

Alek secoua la tête.

— Tout ira bien. Nous aurons franchi la porte avant que quiconque ne nous repère.

— Tâchez d'être naturels, les pria Lilit, avant de pousser la porte de la salle à manger.

Elle les entraîna entre les tables, aussi sûre d'elle que si l'hôtel lui appartenait. Un jeune homme coiffé d'un fez leva la tête de l'argenterie qu'il était en train de polir, fronça les sourcils, mais ne dit pas un mot.

Ils passèrent devant lui et traversèrent le hall désert, à l'exception d'un seul touriste à l'allure débraillée qui devait sans doute attendre une chambre…

L'homme baissa son journal, sourit et les salua de la main.

— Ah, prince Alek, lança-t-il. J'espérais bien vous trouver ici.

Alek se figea. Il s'agissait d'Eddie Malone.

TRENTE-SIX

— Je ne vous ai jamais pris pour un voleur de taxi, bien sûr, assura Eddie Malone. Mais le nom de l'hôtel a tout de suite retenu mon attention.

Alek se contenta de fixer sa tasse en silence, sans répondre. La surface du liquide noir tremblotait, sensible aux mouvements du théâtre d'ombres projeté sur l'écran derrière lui.

Le reporter les avait conduits dans un café à l'écart de l'hôtel pour plus de discrétion. Chaque table possédait sa propre machine de théâtre d'ombres. La salle était sombre, quasiment déserte, et les rares clients regardaient, fascinés, les images défiler. Mais Alek avait l'impression que les murs avaient des oreilles.

Peut-être était-ce à cause des yeux globuleux du crapaud qui le fixait par-dessus la table.

— Le nom de ma mère, murmura-t-il. Bien sûr.

Malone hocha la tête.

— Je n'arrêtais pas de chercher les enseignes des hôtels, en me demandant si c'était le bon. Le Dora ? Le Santa Pera ? L'Ange ? Et puis, j'ai entendu parler d'Allemands descendus au Hagia Sophia qui auraient volé un taxi. Et le nom de Sophie a agi comme un déclic.

— Mais pourquoi m'avoir tout de suite appelé « prince » ? demanda Alek. Je ne suis pas le seul Autrichien à avoir une mère prénommée Sophie.

— C'est aussi ce que j'ai pensé, jusqu'à ce que je commence à m'intéresser à votre ami le comte Volger. Votre père et lui étaient de vieux amis, n'est-ce pas ?

Alek acquiesça de la tête en fermant les yeux. Il était épuisé, et ils avaient encore une longue journée de travail devant eux – une révolution entière à repenser.

— Nous avons volé ce foutu taxi la semaine dernière ! s'écria Dylan. Ne me dites pas que vous êtes resté assis dans ce hall pendant tout ce temps ?

— Bien sûr que non, répondit Malone. Il m'a fallu trois jours de réflexion, puis trois jours de plus pour découvrir qui était ce fameux comte Volger. En fait, je venais pratiquement d'arriver.

Alek fit la grimace. Si seulement ils avaient récupéré sa lettre un jour plus tôt, ils auraient pu s'épargner cette rencontre.

— Mais quand toutes les pièces ont commencé à s'emboîter, je me suis mis à vous chercher d'arrache-pied ! Un prince fugitif, le garçon dont la famille avait déclenché la Grande Guerre ! Le meilleur article de tous les temps, s'exclama Malone, radieux.

— Faut-il le tuer tout de suite ? demanda Lilit.

Le journaliste lui adressa un regard intrigué ; de toute évidence, il n'avait pas compris sa question en allemand. Il sortit son calepin.

— Et vous, mademoiselle, puis-je savoir qui vous êtes ?

Lilit plissa les paupières, et Alek s'empressa de répondre à sa place :

— J'ai peur que ce ne soient pas vos affaires, monsieur Malone. Nous ne répondrons à aucune de vos questions.

— Je vais donc devoir publier mon article avec de nombreuses questions sans réponses... Et si tôt... Disons... demain...

— Seriez-vous en train de nous menacer, monsieur Malone ?

— Bien sûr que non. Simplement, j'ai horreur des articles qui brassent de l'air.

Alek secoua la tête avec un soupir.

— Écrivez ce que vous voulez. Les Allemands sont déjà au courant de ma présence à Istanbul.

— Intéressant, commenta Malone en notant quelques lignes sur son calepin. Vous voyez ? Nous progressons déjà. Ce qui m'intéresse surtout, c'est de voir le jeune Dylan à vos côtés. Les Ottomans seront surpris d'apprendre que l'un des saboteurs du *Léviathan* a réussi à s'échapper.

Du coin de l'œil, Alek vit Dylan serrer les poings.

Mais Malone avait tourné son regard vers Lilit.

— Il y a aussi la question de vos amis révolutionnaires. Là encore, voilà qui pourrait en surprendre plus d'un.

— Mon couteau est prêt, dit Lilit en allemand d'une voix douce. Tu n'as qu'un mot à dire.

— Monsieur Malone, plaida Alek, croyez-vous que nous pourrions vous convaincre de retarder la publication de votre article ?

THÉÂTRE D'OMBRES DANS UN CAFÉ À NARGUILÉS.

— Combien de temps vous faudrait-il ? demanda le journaliste, le crayon suspendu au-dessus de son papier.

Alek soupira. Indiquer une date précise à Malone équivaudrait à dévoiler une partie de leur plan. Pourtant, il fallait bien lui donner du grain à moudre. Si les Ottomans apprenaient qu'un saboteur darwiniste travaillait main dans la main avec des révolutionnaires, ici même, à Istanbul, ils risquaient de reconstituer le plan du Dr Barlow.

Alek quêta du regard le soutien de Dylan.

— Allons, monsieur Malone, intervint le garçon, vous ne voyez donc pas que si vous nous livrez, vous n'avez plus d'article ? Alors qu'il vous suffirait d'attendre encore un peu pour que l'histoire devienne beaucoup plus intéressante.

Malone se renversa en arrière dans son fauteuil et tambourina sur la table avec ses doigts.

— Vous avez un peu de temps devant vous de toute façon. J'envoie mes articles par sternes messagères. Il leur faut quatre jours pour traverser l'Atlantique ; et comme cela, les Allemands ne risquent pas d'intercepter mes messages grâce à leur nouvelle tour de communication sans fil.

— Quatre jours, ce n'est pas…, commença Alek, mais Dylan lui serra le bras.

— Excusez-moi, monsieur Malone, mais de quelle tour parlez-vous ?

— La grande qu'ils sont en train de terminer. Le chantier est censé être secret, mais la moitié des Allemands de cette ville travaillent dessus. Elle possède sa propre centrale électrique, à ce qu'on raconte.

Dylan ouvrit de grands yeux.

— Cette tour… Ne serait-elle pas située à proximité d'une voie ferrée ?

— Je crois qu'elle se trouve sur les falaises le long de la côte, près de l'ancienne ligne, effectivement. Pourquoi cette question ? demanda Malone en plissant les paupières.

— Nom d'une pipe en bois ! jura Dylan à voix basse. J'aurais dû comprendre la nuit même où j'ai posé le pied ici.

Alek dévisagea le garçon. Il se souvint de ce qu'il lui avait raconté au sujet de son arrivée à Istanbul. Dylan avait fait un petit tour à bord de l'Orient-Express, dont les Allemands se servaient pour sortir clandestinement de la ville des pièces détachées… des composants électriques. Les morceaux du puzzle commençaient enfin à se mettre en place.

— Équipée d'une centrale électrique ? insista Alek.

Eddie Malone hocha la tête. Son regard allait de l'un à l'autre.

Alek sentit un frisson glacé lui parcourir l'échine. Une simple tour de communication sans fil ne pouvait pas nécessiter une telle puissance. Le *Léviathan* courait droit au désastre.

— Pouvez-vous nous laisser un mois ? demanda-t-il à Malone.

— Un mois entier ? ricana le reporter. Mes éditeurs me feraient ramener au pays dans un sac en toile brune. Donnez-moi un minimum de *matière* pour mon article.

Dylan se redressa dans son fauteuil.

— Très bien, j'ai une histoire pour vous. Et plus tôt vous la publierez, mieux ce sera. Figurez-vous que cette tour de communication…

— Attendez ! l'interrompit Alek. J'ai mieux. Que diriez-vous d'une interview du prince de Hohenberg ? Je vous raconterai la nuit où je me suis enfui de chez moi, comment j'ai réussi à quitter l'Autriche avant de me réfugier dans les Alpes. Je vous dirai qui, selon moi, a tué mes parents, et pour quelle raison. Cela suffirait-il à occuper vos lecteurs un moment, monsieur Malone ?

L'homme faisait voler son crayon sur le papier, sans cesser d'acquiescer. Dylan fixait Alek d'un air éberlué.

— Seulement, j'y mets une condition. Vous ne mentionnerez aucun de mes amis, dit Alek. Vous n'aurez qu'à dire que je me cache quelque part dans les collines, seul.

Le journaliste hésita un moment, puis haussa les épaules.

— Tout ce que vous voudrez, pourvu que je puisse vous prendre en photo.

Alek frémit d'horreur – bien sûr, que le journal de Malone était de ceux qui publiaient des photos. Quelle vulgarité !

Mais il ne put qu'accepter.

— Monsieur Malone, intervint Dylan, il y a encore une chose…

— Pas ce soir, dit Alek. J'ai peur que nous soyons tous assez fatigués, monsieur Malone. Je suis sûr que vous comprenez.

Le journaliste se leva et s'étira.

— Vous n'êtes pas les seuls. J'ai passé la soirée entière dans ce hall d'hôtel. Retrouvons-nous demain au café habituel, d'accord ?

Alek fit oui de la tête. Malone ramassa ses affaires et partit, sans même offrir de payer son café.

◉ ◉ ◉

— C'est ma faute, s'excusa Lilit après le départ du journaliste. Je l'ai déjà vu le jour où je t'ai pris en filature. J'aurais dû le reconnaître en entrant.

Alek secoua la tête.

— Non. C'est moi qui ai commis la bêtise de mêler un journaliste à mes affaires.

— Peu importe, trancha Dylan, nous aurions dû lui parler de…

Il hésita, et jeta un regard en coin à Lilit.

Elle leva la main avec désinvolture.

— Le comité est au courant à propos de cette tour. Nous avons surveillé le chantier pendant des mois, inquiets de ce que nous mijotaient les Allemands. Jusqu'à ce qu'Alek arrive et nous dévoile le fin mot de l'histoire.

— Vraiment ? s'étonna Alek.

Il se souvint alors de la première fois qu'il était venu à l'entrepôt. Nene n'avait pas cru un mot de ce qu'il lui avait raconté… jusqu'à ce qu'il mentionne le canon Tesla. Son intérêt s'était éveillé d'un coup, et elle avait commencé à le bombarder de questions – pour savoir d'où venait le nom de cette arme, comment elle fonctionnait, et si on pouvait l'utiliser contre des mécano-podes.

— Bien sûr ! Mais je croyais que nous parlions du *Goeben*. Pourquoi m'avoir caché que le sultan possédait un deuxième canon Tesla ?

— Cela n'avait pas d'importance – tu avais dit qu'il était sans effet contre les mécanopodes.

Elle se renfrogna, et se tourna vers Dylan.

— Par contre, il peut abattre un aéronef, n'est-ce pas ?

Le garçon se racla la gorge, mais se contenta de hausser les épaules.

— Et vous avez pâli tous les deux quand l'idée vous a traversé l'esprit, continua Lilit.

— Oui, enfin, ces engins représentent un danger permanent pour un aviateur, concéda Dylan.

Lilit croisa les bras.

— Et vous étiez prêt à révéler à ce reporter la vraie nature de cette « tour de communication », pour prévenir vos amis darwinistes !

Elle s'adressa alors à Alek.

— Et vous, à dévoiler les secrets de votre famille juste pour éviter à Dylan de faire la une ! Il y a quelque chose qui m'échappe.

Alek soupira. Lilit pouvait parfois se montrer diablement intelligente.

— Faut-il que je demande à ma grand-mère de m'aider à démêler ce sac de nœuds ? Elle est très douée pour les énigmes.

Alek regarda Dylan.

— Nous devrions tout lui dire.

Le garçon jeta les mains en l'air en signe de reddition.

— Oui, ça n'a plus d'importance maintenant. Il faut stopper le déroulement de ce plan ! Racontez à Malone tout ce que vous savez du canon Tesla dès demain. Une fois que l'information sera dans le journal, l'Amirauté comprendra que cette opération est trop dangereuse.

— Impossible, rétorqua Alek. La révolution est vouée à l'échec sans l'intervention du *Léviathan*.

— Il ne passera jamais. Pour avoir besoin de sa propre centrale électrique, ce canon doit être gigantesque ! Alek ouvrit la bouche, mais les mots ne lui vinrent pas. Il ne voyait aucun moyen d'amener un aéronef au-dessus d'Istanbul à présent, pas avec un canon Tesla géant qui dominait la ville.

Lilit poussa un soupir exaspéré.

— Bien ! Puisque aucun de vous deux ne veut se donner la peine d'expliquer, c'est moi qui vais m'en charger.

Elle leva une main, et se mit à compter sur ses doigts.

— Primo, il est clair que le *Léviathan* doit revenir à Istanbul, sans quoi vous n'auriez rien à faire de ce canon Tesla. Secundo, sa venue doit bénéficier à la révolution, comme Alek vient de le dire. Et tertio, tout ceci est en rapport avec votre mission secrète. Vos hommes se sont fait capturer près des filets anti-krakens, n'est-ce pas ?

Alek ouvrit la bouche encore une fois pour l'interrompre avant qu'elle ne découvre la vérité. Mais Lilit le fit taire d'un geste de la main.

— Tout le monde pense que votre mission a échoué, mais on ignore que vous avez réussi à vous échapper… Votre plan prévoit de faire entrer un kraken dans le détroit ! s'exclama-t-elle, les yeux écarquillés.

Dylan, chagriné, ne put qu'approuver.

— Pas tout à fait un kraken, mais presque. Et c'était un plan remarquable ! Hélas, il tombe à l'eau maintenant. Il faut parler du canon à Malone, ou trouver un autre moyen de prévenir l'Amirauté.

— Pourquoi ? C'est parfait, au contraire, dit Lilit.

— Comment ça, parfait ? s'écria Dylan. Ce canon est un piège mortel et le *Léviathan* va foncer droit dessus.

C'est de mon aéronef que nous sommes en train de parler !

— Nous sommes aussi en train de parler de la libération de mon peuple, rétorqua Lilit d'une voix douce, les yeux rivés aux siens. Le comité s'occupera de ce problème, je vous le jure.

— Ma mission devait absolument rester secrète. Le plan ne tient plus, si je mets une bande d'anarchistes dans la confidence ! protesta Dylan.

— Dans ce cas nous ne préviendrons personne d'autre, proposa Lilit. Tout cela restera entre nous trois.

Alek fronça les sourcils.

— Ce n'est pas à nous trois que nous réussirons à détruire un canon Tesla.

— Non, en effet. Mais…

Lilit leva la main, et ferma les yeux un instant.

— Mon père envisage de mener lui-même l'assaut contre le *Goeben*, avec quatre mécanopodes. Mais si le *Léviathan* et son monstre marin peuvent s'occuper des cuirassés, nous pouvons consacrer ces mécanopodes à un autre usage. Donc, le soir de la révolution, nous expliquons tout à mon père, puis nous fonçons sur les falaises et nous démantelons ce maudit canon !

— Quelqu'un risque de vendre la mèche, objecta Dylan.

— Pas si nous faisons uniquement appel à des pilotes de confiance, suggéra Alek. Lilit, Zaven, Klopp et moi. Personne d'autre n'a besoin de savoir.

Lilit haussa les épaules.

— Après tout, personne d'autre ne s'est porté volontaire pour affronter le *Goeben*.

Dylan les dévisagea tour à tour, avec une lueur de terreur dans le regard.

— Mais si nous échouons ? murmura-t-il. Ils brûleront tous.

Lilit se pencha par-dessus la table et lui prit les mains.

— Nous n'échouerons pas, lui assura-t-elle. Notre révolution dépend de votre aéronef.

Dylan contempla ses mains, puis se tourna vers Alek avec une expression d'impuissance.

— C'est la seule manière de l'emporter, dit simplement Alek. Et la seule manière de mener votre mission à bien. C'est bien pour cela que vos hommes se sont sacrifiés, non ?

— Oh, vous étiez obligé de dire ça ? fit Dylan en dégageant ses mains de celles de Lilit. D'accord, c'est bon. Mais vos anarchistes ont intérêt à réussir leur coup !

— Comptez sur nous, dit Lilit avec un sourire radieux. C'est la deuxième fois que vous sauvez la révolution !

Dylan leva les yeux au ciel.

— Pas la peine de m'envoyer des fleurs, ma belle.

Alek sourit, amusé. Ils formaient vraiment un joli couple.

TRENTE-SEPT

Deryn écarta les bras en croix, et attendit.

— R...

Elle inclina le bras gauche à quarante-cinq degrés.

— S...

Elle laissa retomber le bras droit, en pointant vers le bas le tournevis qu'elle tenait.

— G ! s'exclama Bovril, avant de grignoter une autre fraise.

Il jeta la tige par-dessus le balcon et passa la tête entre les barreaux pour la regarder tomber.

— Vous avez vu ça ? s'écria Deryn. Il a appris l'alphabet de A à Z !

Lilit et Alek fixèrent la créature, puis Deryn.

— C'est vous qui le lui avez appris ? demanda Lilit.

— Non ! Je répétais mes signaux. J'ai dû prononcer les lettres à voix haute, j'imagine, et au bout d'une ou deux fois... La bestiole a pris le coup, aussi rapide qu'un gabier !

— Est-ce la raison pour laquelle vous tenez à l'emmener ce soir ? s'enquit Alek. Au cas où nous aurions besoin d'envoyer des signaux de sémaphore ?

Deryn leva les yeux au ciel.

— Non, gros malin. C'est parce qu'il est...

Elle hésita, butant sur la manière de formuler la suite. Le loris avait le don de remarquer des détails intéressants, comme l'avait dit le Dr Barlow. Et la mission de ce soir serait la plus importante à laquelle Deryn avait jamais pris part. Elle tenait à la présence de la bestiole.

— Perspicace, dit la créature.

— C'est ça ! s'écria Deryn. Parce qu'il est bougrement perspicace.

Deux semaines plus tôt, Zaven avait mis sa culture à contribution et expliquait à Deryn la spécificité du loris. Il apparaissait que « perspicace » signifiait la même chose que « rusé » ou même « clairvoyant ». Et bien que cela paraisse un peu curieux chez une bestiole, ce qualificatif lui allait à merveille.

Alek soupira, avant de se tourner vers l'appartement familial dont le lit-tortue de Nene émergeait lentement, couvert de cartes qui frémissaient dans la brise. La vieille dame appela Lilit et Alek.

En s'éloignant, Alek lança :

— D'accord, Dylan. Mais j'aurai un mécanopode à piloter. Alors, c'est vous qui vous en occuperez.

— Avec plaisir, fit Deryn d'une voix douce en chatouillant l'animal sous le menton.

Le fait de veiller sur la bestiole l'avait aidée à ne pas devenir folle au milieu des clankers et de leurs machines sans âme, dans la puanteur des gaz d'échappement et de la graisse de moteur. La magnificence d'Istanbul lui demeurait étrangère, avec ses langues trop nombreuses pour les apprendre en une vie, et encore moins en un mois. Deryn passait ses journées à imprimer des pamphlets dont elle ne comprenait pas un mot, sans savoir ce que signifiaient les prières qu'elle entendait résonner au-dessus des toits. Les motifs géométriques des tapis et des plafonds à mosaïques de Zaven lui donnaient le tournis, et même la nourriture succulente se révélait, à l'image de la capitale, trop riche pour elle.

Mais tout cela n'était rien comparé au fait de côtoyer Alek, tout en continuant à se cacher de lui. Il avait partagé son dernier secret avec elle, et Deryn réalisait à présent qu'elle aurait pu se confier à lui cette nuit-là, dans cette chambre d'hôtel obscure, sans personne à proximité pour les entendre.

Mais chaque fois qu'elle y pensait, Deryn se représentait l'expression d'horreur qui s'étalerait sur son visage. Non pas parce qu'elle était une fille en habits d'homme, ou qu'elle lui mentait depuis si longtemps. Alek oublierait bien vite toutes ces bêtises, elle en était convaincue. Comme elle était convaincue qu'il ne tarderait pas à tomber amoureux d'elle.

Hélas, tout le problème était là car il y avait bien une chose qui ne changerait jamais : Deryn était une roturière. Elle avait mille fois moins de prétentions à la noblesse que la mère d'Alek, qui était tout de même née comtesse, ou même que Lilit, une anarchiste qui maîtrisait six langues et savait toujours quel couteau employer. Deryn Sharp était aussi commune que la poussière du chemin, et la seule raison pour laquelle cela n'avait aucune importance aux yeux de Son Altesse Sérénissime, Aleksandar de Hohenberg, c'était qu'il la prenait pour un garçon.

À l'instant où elle pourrait devenir davantage qu'un

ami, tout changerait, et il prendrait ses jambes à son cou.

Le pape ne rédigeait pas de lettres pour anoblir les orphelines d'aérostiers, les filles travesties ou les darwinistes impénitents. C'était une certitude absolue. Deryn regarda Alek s'agenouiller près du lit de Nene comme un petit-fils dévoué, tandis que tous les trois passaient une dernière fois en revue les détails de l'assaut. Alek et elle avaient tous les deux participé à l'élaboration du plan d'attaque ; ils ne seraient jamais plus proches que cela.

— A, B, C… ? demanda Bovril, et Deryn hocha la tête.

Elle pria pour avoir l'occasion de se servir de son entraînement aux signaux. Si tout se déroulait bien ce soir, l'équipage du *Léviathan* scruterait la carcasse du canon Tesla une fois qu'il aurait été détruit. Ce serait peut-être sa seule et unique chance de lui faire savoir qu'elle était encore en vie.

Peut-être même pourrait-elle rentrer chez elle, et oublier enfin son satané prince.

◉   ◉   ◉

Le portail extérieur de la cour s'ouvrit lentement, sur un ciel clair et sans lune.

— Heureusement qu'il ne pleut pas ce soir, dit Alek en vérifiant ses cadrans.

— Comme vous dites, répondit Deryn.

La pluie aurait changé leurs bombes à épice, les seules armes du comité, en bouillie inoffensive. C'était l'inconvénient dans une bataille, leur répétait souvent M. Rigby, le moindre grain de sable dans l'engrenage et tout votre plan se retrouvait par terre.

« Comme dans la vie en général », songea-t-elle.

La cour s'emplit du grondement des moteurs. Şah-meran, pilotée par Zaven, leva une main géante et fit signe aux autres mécanopodes de la suivre à travers le portail.

Lilit lui emboîta le pas, à bord d'un Minotaure. L'homme à tête de taureau se pencha pour faire passer ses cornes, mains écartées pour garder l'équilibre. Ses bombes à épice s'entrechoquèrent dans le magasin que maître Klopp avait fixé à son avant-bras.

Alek posa les pieds sur les pédales du djinn. Klopp avait insisté pour lui faire piloter une machine arabe cette nuit ; leur canon à vapeur faisait de ces mécano-podes les mieux armés du comité. Derrière le djinn, Klopp et Bauer suivaient à bord d'un golem de fer.

— Accroche-toi, Bovril ! dit Deryn.

La bestiole grimpa sur son épaule. Ses griffes s'enfon-çaient comme des aiguilles à travers sa veste de pilote.

Alek joua des pieds, et la machine fit un grand pas en avant.

Deryn se cramponna aux bras de son siège, nerveuse, comme toujours à bord de l'une de ces machines. Au moins le djinn se trouvait encore en mode « parade », le sommet de la tête découvert, de sorte qu'elle pouvait voir les étoiles et respirer l'air frais.

— Tournez à gauche ici, dit-elle.

Pour garder leur mission aussi secrète que possible, aucun des quatre mécanopodes n'emportait de copilote. Deryn faisait donc office de navigatrice pour Alek, et le moment venu, elle l'aiderait à affiner la précision de ses lancers. Elle n'avait jamais servi une pièce d'artillerie auparavant, mais les relevés d'altitude l'avaient rendue habile à estimer les distances – tant qu'elle se rappelait de parler en mètres et non en yards.

Deryn consulta sa carte. On y avait reporté quatre routes différentes jusqu'au canon Tesla, avec celle d'Alek tracée en rouge. Comme les quatre mécanopodes devaient sortir avant le déclenchement de la grande offensive, ils ne pouvaient pas se permettre d'éveiller les soupçons en se déplaçant en groupe. Toute la difficulté consisterait à parvenir à leur destination tous au même moment.

On voyait également sur la carte les positions des quarante et quelques mécanopodes acquis au comité, prêt à passer à l'action une heure plus tard. Deryn craignit qu'il y ait des traîtres parmi leurs équipages, disposés à vendre le plan du comité au sultan contre une jolie récompense en or.

Au moins était-elle certaine que personne ne savait rien de cet assaut contre le canon Tesla. Zaven lui-même n'en avait entendu parler que dans l'après-midi. Il avait d'abord fulminé, vexé qu'on ne lui ait rien dit, jusqu'à ce qu'il réalise qu'il n'aurait pas besoin d'affronter les canons du *Goeben*.

À moins que l'Amirauté n'ait modifié la date d'arrivée du béhémoth, naturellement.

— Avez-vous seulement pensé au nombre de choses susceptibles de mal tourner ? demanda Deryn. Comme dans le poème de Robert Burns, vous savez : « Les plans les mieux conçus des souris et des hommes souvent ne se réalisent pas. »

— Peuh ! fit Bovril, avec la voix de Zaven.

LE DJINN AVANCE D'UN PAS LOURD DANS LES RUES.

— Ah ! Vous voyez ? dit Alek. Votre ami perspicace est confiant, lui.

Deryn se tourna vers la bestiole.

— Espérons qu'il a raison.

◉ ◉ ◉

Ils traversèrent à vive allure les rues désertes d'Istanbul. Les mécanopodes du comité s'entraînaient depuis un mois à patrouiller de nuit, sous prétexte de décourager les voleurs, si bien que personne n'accorda la moindre attention au djinn.

Les bâtiments commencèrent à s'espacer dans les faubourgs de la ville, et bientôt, le djinn se retrouva sur un chemin de terre poussiéreux. La voie était à peine assez large pour lui, et la jupe de son canon à vapeur brisait les branches des arbres de chaque côté. Devant une auberge aux fenêtres éteintes à un carrefour, Deryn repéra quelques visages curieux collés au carreau. Tôt ou tard, quelqu'un allait finir par se demander ce qu'un mécanopode des ghettos d'Istanbul venait faire en rase campagne.

Mais ils se trouvaient trop près de leur objectif pour se préoccuper de ça. Le terrain s'éleva et devint plus rocailleux à mesure qu'ils s'approchaient des falaises. La ville apparut dans le hublot arrière du mécanopode, avec ses lumières qui scintillaient dans cette nuit sans lune.

Une centaine de mâts et de cheminées se dressaient au-dessus des eaux noires, et Deryn se demanda encore une fois ce qui se passerait si le *Léviathan* était abattu. Le béhémoth se contenterait-il de fuir, ou bien s'abattrait-il, fou furieux, sur cette flottille de bateaux désarmés ?

Elle secoua la tête. Ils n'avaient pas le droit d'échouer cette nuit.

◉   ◉   ◉

Ils ne se trouvaient plus qu'à quelques miles du canon Tesla quand le faisceau d'un projecteur troua la nuit.

Deryn plissa les paupières – elle crut distinguer un éclair d'acier, ainsi qu'une trompe et une queue.

L'un des éléphants de guerre du sultan leur barrait la route.

— Distance ? s'enquit calmement Alek.

— Mille yards. C'est-à-dire, environ neuf cents mètres.

Alek hocha la tête, et actionna un levier. Une bombe roula au creux de la main du djinn. Deryn flaira des relents d'épice qui la firent éternuer. Même enveloppées d'une grosse toile cirée, ces bombes dégageaient à chaque manipulation une poussière qui brûlait les yeux.

— Redescendez le toit, s'il vous plaît, dit Alek.

— À vos ordres, mon prince.

Deryn se mit à tourner la manivelle, et le front du djinn vint lentement occulter les étoiles.

Alek poussa les moteurs, pour envoyer plus de puissance dans les chaudières à vapeur. Le bras droit de la machine se redressa lentement.

Quelqu'un à bord de l'éléphant de guerre leur cria quelque chose dans un mégaphone. Deryn ne comprit pas un mot, mais la voix paraissait plus étonnée que furieuse. À la connaissance des Ottomans, le djinn n'était pas armé.

— Ils se demandent juste ce que nous venons faire ici, bougonna Deryn. Pas de quoi devenir nerveux.

— Nerveux, répéta la bestiole.

Alek rit.

— Perspicace ou non, la créature vous connaît bien.

Deryn jeta un regard noir au loris. Bien sûr qu'elle avait les nerfs en pelote. Qui ne les aurait pas eus, en marche vers la bataille ? Surtout à bord d'un engin clanker aussi capricieux.

— Bras armé et paré à tirer, annonça Alek.

— Attendez.

Deryn consulta la jauge de distance installée par Klopp, dont l'aiguille montait lentement à mesure que la pression s'accumulait dans l'articulation d'épaule du djinn.

Malheureusement, Klopp n'avait pas pu tester tous les bras de l'armée du comité, et il avait étalonné les jauges en se fiant à ses calculs et à une simple estimation. Avant leur premier jet, ils n'avaient aucun moyen de savoir quelle distance exacte pouvaient parcourir leurs bombes.

L'aiguille atteignit enfin la barre des neuf cents mètres...

— Feu ! cria Deryn.

Alek pressa la détente, et la main géante du djinn pivota au-dessus de leurs têtes. Des bouffées de vapeur s'échappèrent de l'épaule du mécanopode, et l'habitacle devint une étuve.

La bombe à épice s'écrasa à cinquante yards de

l'éléphant, dans un nuage de poussière rouge sang qui tournoyait dans la lumière du projecteur.

— Maître Klopp ne s'est pas trompé dans ses additions, commenta Deryn avec un sourire. Au prochain coup, nous les aurons !

— Plus de vapeur ! réclama Alek. Je réarme.

Deryn poussa la puissance, et les moteurs rugirent sous eux, mais l'aiguille de distance fut longue à remonter. Le djinn avait épuisé presque toutes ses réserves de pression dans l'épaule avec son premier jet.

— Allez ! l'encouragea Deryn. Ils vont nous tirer dessus d'une seconde à l'autre.

— Si nous avions un mécanopode digne de ce nom, je pourrais tenter une manœuvre d'évitement, grommela Alek. Je donnerais n'importe quoi pour un viseur.

— Ou même un canon !

— Ces bombes à épice étaient votre idée, me semble-t...

La tourelle dorsale de l'éléphant cracha un jet de flammes, et un obus fila juste au-dessus d'eux. Quelques secondes plus tard, l'explosion faisait trembler le djinn sur ses pieds.

— Trop haut ! s'écria Alek. Mais ils connaissent la portée maintenant. Je peux tirer ?

— Attendez !

Deryn regarda monter l'aiguille. Le loris lui planta ses griffes dans l'épaule, en imitant le sifflement puis l'explosion d'un obus.

L'aiguille passa les neuf cents mètres, mais il lui en fallait cinquante de plus au moins...

— Feu ! cria-t-elle enfin.

Le grand bras bascula de nouveau, et la cabine pencha

vers l'avant. À l'instant où il eut lâché sa bombe, Alek écrasa les commandes pour lancer le mécanopode au pas de charge.

À travers le hublot, Deryn vit l'éléphant de guerre disparaître dans un nuage de poussière rouge.

— Dans le mille ! s'écria-t-elle.

Mais l'équipage du mécanopode réussit malgré tout à tirer – le canon de tourelle tonna de nouveau, brassant le nuage qui enveloppait l'éléphant. L'obus siffla à leurs oreilles une fois de plus.

L'explosion fit vaciller le djinn – l'obus avait explosé pile à l'endroit qu'ils venaient de quitter, calcula Deryn. Alek se débattit avec les commandes pour redresser le mécanopode qui titubait.

La mitrailleuse de la trompe de l'éléphant ouvrit le feu, soulevant de petits geysers de poussière devant eux sur le chemin. Puis une grêle de balles s'abattit contre la carlingue, avec un bruit de pistons.

— Il nous faut une couverture de vapeur ! cria Alek.

— Impossible !

Deryn avait l'œil rivé à la jauge de pression, parfaitement immobile. Les moteurs étaient trop occupés à faire avancer le mécanopode pour recharger ses chaudières.

Mais la tourelle dorsale de l'éléphant ne tirait plus. Seules ses jambes avant continuaient à faire le geste d'avancer, comme les pattes d'un chien en train de gratter le sol. Le faisceau du projecteur oscillait au hasard à travers le ciel.

— Ils en ont pris plein le nez ! s'écria Deryn.

Même à plusieurs centaines de yards, l'épice commençait à lui piquer les yeux. Elle saisit les lunettes de protection accrochées à son cou et les enfila.

— Plein le nez ! répéta Bovril, en gloussant, avant d'éternuer.

Alek inclina les commandes, et le djinn écarta les mains pour reprendre l'équilibre. Mais il continua à charger.

— Je vais les renverser. Préparez-vous au choc.

Deryn s'assura que sa ceinture était bouclée.

— Accroche-toi, mon mignon ! cria-t-elle à la bestiole.

L'éléphant tournait en rond à présent, sur trois jambes ; mais sa tourelle demeurait inerte. La bombe à épice l'aurait-elle touchée de plein fouet ?

Puis Deryn remarqua les courants d'air matérialisés par la poussière rouge, et réalisa ce qui avait dû se passer – le recul du canon avait directement aspiré l'épice dans la tourelle. L'équipage de l'éléphant s'était neutralisé tout seul avec son propre tir.

— Ils doivent être en train de suffoquer !

— Ça ne durera pas, prévint Alek. Attention !

L'éléphant de guerre avait tourné et s'était pris dans une palissade de barbelés juste derrière lui. Alors que le djinn s'enfonçait dans le nuage d'épice, la gorge de Deryn se mit à la brûler et elle se félicita d'avoir mis les lunettes. Mais Alek ne flancha pas – il abaissa l'épaule gauche du djinn…

Un fracas de métal tordu et froissé retentit autour d'eux, tandis qu'une onde de choc secouait la charpente gigantesque du djinn. Le monde se mit à tournoyer devant le hublot, où s'inscrivirent tour à tour le ciel, le sol et les ténèbres. Alek lâcha un juron alors qu'il se battait avec les commandes tandis que Deryn, qui avait avalé une bouffée d'épice, se mettait à tousser.

Le djinn finit par arrêter sa course folle ; il penchait sérieusement d'un côté. Deryn relâcha un bref jet de vapeur pour purifier l'air de la cabine, déboucla sa ceinture et se pencha par le hublot.

Les volutes de vapeur qui les entouraient se dissipèrent, dévoilant l'éléphant couché sur le flanc, immobile.

— On les a eus !

— Plein le nez ! cria Bovril.

— Mais pourquoi penchons-nous comme ça ? s'écria Alek. Et qu'est-ce qui nous retient ?

Deryn tendit le cou au-dehors, et vit du métal scintillant partout. Le djinn s'était emmêlé dans les barbelés, dont il traînait un quart de mile derrière lui.

— Nous sommes emberlificotés dans ces fichus bar-belés !

Alek agit sur ses pédales, et plusieurs fils claquèrent et griffèrent la carlingue.

— Il y en a d'autres devant. Nous avons besoin d'une couverture de vapeur – tout de suite.

Deryn fit monter les chaudières en pression, puis regarda de nouveau par le hublot avant. À deux miles de distance, le canon Tesla se dressait au sommet des falaises, à moitié aussi haut que la tour Eiffel.

À ses pieds se tenaient trois autres éléphants de guerre, dont les conduits se mirent à cracher de la fumée.

TRENTE-HUIT

— Voyez-vous les autres ? voulut savoir Alek.

Deryn sortit la tête par le hublot et regarda derrière eux. On ne distinguait presque rien à l'horizon, sinon une ligne de petits arbres rabougris par le sel au sommet de la falaise. Puis elle les repéra – trois colonnes de fumée sous le ciel étoilé, à moins de deux miles.

— Oui, tous les trois ! À trois kilomètres environ.

Elle vérifia la jauge de pression, qui commençait tout juste à remonter.

— Ce n'est pas plus mal. Nous allons devoir attendre quelques minutes avant de pouvoir lancer d'autres bombes.

— Nous n'avons pas tout ce temps. Cachez-nous donc pendant que je démêle ces fils.

À l'instant où Deryn se penchait sur le levier du canon à vapeur, l'un des éléphants de guerre tira. L'obus retomba trop court, mais tout près, et Deryn fut soufflée en arrière. De la terre et du gravier s'engouffrèrent par le hublot, en lui éraflant les lunettes.

— S'il vous plaît, monsieur Sharp ! insista Alek.

— *Monsieur* Sharp, répéta Bovril d'un cri strident.

413

Deryn se releva d'un bond pour actionner le levier, et un sifflement retentit. La cabine de pilotage fut soudain aussi chaude et humide qu'une serre.

Au-delà du hublot, le monde extérieur disparut derrière un voile de blancheur.

Alek joua des pédales et des manettes pour dégager le mécanopode empêtré dans les barbelés. Plusieurs coups de canon résonnèrent, mais les explosions correspondantes paraissaient lointaines.

— Ils tirent sur les autres, dit Deryn.

— C'est le moment d'attaquer ! Envoyez-moi un peu de pression dans le bras droit.

— Je voudrais bien, Votre Altesse, dit Deryn, en train de pousser les moteurs. Mais nous venons de vider les chaudières pour cet écran de vapeur, et vous nous agitez dans tous les sens comme une marionnette, ce qui mobilise encore plus de puissance !

— Très bien, dit Alek.

Il stoppa le mécanopode en position accroupie. Moteurs au ralenti, la jauge de distance se remit à grimper.

Le crépitement d'une fusillade leur parvint à travers la vapeur – les Ottomans tiraient à l'aveuglette dans le nuage, à l'affût d'un tintement de balles sur le métal.

— Ils ne tarderont pas à nous trouver, murmura Alek.

Il actionna le mécanisme du magasin, et Deryn entendit une troisième bombe à épice se mettre en place.

Elle essuya les gouttelettes de condensation sur le cadran de la jauge de distance.

— Trois cents mètres, et ça continue de monter.

— C'est suffisant – à condition de leur foncer dessus !

— Vous êtes fou ? Ils sont trois là-bas, contre un !

— Oui, mais nous n'avons plus beaucoup de temps. Écoutez votre animal.

Deryn se tourna vers le loris. Il avait les yeux clos, comme s'il avait décidé de faire une petite sieste. Mais un son léger s'échappait de ses lèvres – semblable au grésillement électrique dans l'émetteur-récepteur sans fil de Klopp. Elle avait déjà entendu ce bruit...

— Nom d'une pipe en bois ! souffla-t-elle.

— Comme vous dites.

Alek enfonça les pédales. Alors que le djinn s'élançait en avant, le nuage brûlant se déchira devant eux.

Le canon Tesla se dressait sur la falaise, en scintillant dans le ciel nocturne. Des étincelles dansaient le long de ses poutrelles inférieures, pareilles aux lucioles fabriquées que l'on relâchait pour la nuit de Guy Fawkes, jetant une lueur vacillante sur le champ de bataille.

Deryn se pencha en avant pour scruter le ciel. Elle ne vit aucune silhouette noire se découper sur les étoiles, mais si les Ottomans chargeaient leur canon, ils avaient sans doute repéré le *Léviathan*.

Les éléphants de guerre continuaient à tirer sur les autres mécanopodes, leurs canons braqués bien haut. Mais quand ils virent le djinn se ruer sur eux, l'un d'eux entreprit de braquer sa tourelle dans leur direction...

Un instant plus tard, son canon vomissait un flot de flammes et de fumée. L'obus explosa suffisamment près pour faire trébucher le djinn. L'aiguille de la jauge de distance frémit, puis descendit – il y avait une fuite de pression quelque part.

— Nous sommes touchés ! cria Deryn.

— Je vous confie le tir, monsieur Sharp, fit Alek d'une voix calme, les mains crispées sur les commandes.

Le djinn boitait à présent, et la cabine de pilotage roulait de part et d'autre.

Deryn relâcha le mécanisme d'armement, sans cesser de surveiller la jauge de distance et les trois éléphants d'acier qui les attendaient. L'aiguille s'était arrêtée sur quatre cents mètres, en oscillant, et la distance jusqu'à l'ennemi se réduisait à chaque foulée.

L'éléphant le plus proche braqua sa trompe vers le djinn pour le prendre sous le feu de sa mitrailleuse. Les balles se mirent à tinter contre le blindage avec un bruit de petite monnaie secouée dans une timbale. L'une d'elles s'infiltra par le hublot, ricocha dans la cabine et fit jaillir des étincelles tout autour d'eux.

— Vous êtes touché ? s'inquiéta Alek.

— Moi ? Non ! répondit Deryn.

— Moi ? Non ! répéta Bovril, avec un rire hystérique qui remplit la cabine.

Un autre éléphant faisait pivoter son canon vers eux…

L'aiguille de pression tremblota, se remit à monter, et ils parvinrent enfin à portée. Deryn écrasa la détente ; le bras du mécanopode se balança sèchement au-dessus de leur tête, avec le geste d'un lanceur de cricket.

La bombe à épice vola jusqu'à l'éléphant le plus proche, contre lequel elle explosa dans un tourbillon rouge. La machine trébucha, mais le nuage se dispersa rapidement, avant de s'éparpiller entre les poutrelles inférieures du canon Tesla.

— Bon sang de bois ! cria Deryn. Le vent est violent ici !

UN CHOC TITANESQUE.

Évidemment, le vent soufflait plus fort au sommet de la falaise. Quelle *dummkopf* elle était de ne pas y avoir pensé !

Mais Alek continua sans hésitation, droit sur l'éléphant. La bombe l'avait tout de même affecté, et la machine ottomane titubait sur ses jambes comme un agneau nouveau-né.

Juste avant la collision, l'éléphant releva la tête, redressant ses deux défenses barbelées…

Alek écrasa les commandes, mais le mécanopode allait trop vite pour éviter l'obstacle. Le djinn vint s'empaler sur une défense dans un effroyable crissement métallique. Un flot de vapeur blanche jaillit de ses chaudières.

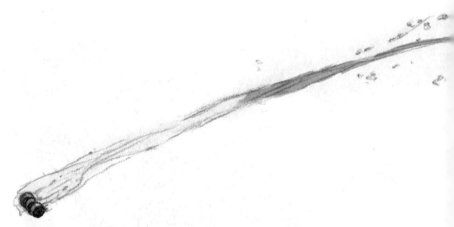

À l'intérieur de la cabine de pilotage, l'air devint aussitôt humide, suffocant, tandis que toutes les soupapes se mettaient à siffler comme des bouilloires. L'éléphant secoua la tête en agitant le djinn en tous sens. Jetée à bas de son siège, Deryn roula sur le plancher métallique où elle se brûla les paumes. Elle poussa un cri de douleur. Les griffes de la bestiole s'enfoncèrent dans son épaule.

— Son compte est bon ! cria-t-elle. Filons d'ici !

— Pas encore.

Alek tira une manette d'une main, actionna de l'autre le mécanisme de libération des bombes, et mit à profit les dernières forces du djinn pour lui faire descendre son bras.

À travers ses lunettes embuées, Deryn regarda les dernières bombes à épice – presque une douzaine en tout – dégringoler du magasin pour exploser sur le dos de l'éléphant.

— Nom d'une pipe en bois ! commenta le loris perspicace.

— Hissez le toit, hurla Deryn de nouveau debout. Ou bientôt, nous ne pourrons même plus respirer !

Pendant qu'Alek tournait la manivelle avec ardeur, elle ouvrit d'un coup de pied le placard de la cabine et en sortit un rouleau de corde.

— Une chance que nous nous soyons entraînés à descendre en rappel, hein ? cria-t-elle par-dessus les sifflements de vapeur et les échos de la fusillade.

— Je préfère ne pas savoir la suite, dit Alek.

— Foutaises ! Vous verrez, ce n'est rien par rapport à une descente en glissade depuis un Huxley. Je vous raconterai à l'occasion.

Alors qu'Alek achevait d'ouvrir la tête du djinn, Deryn attacha une extrémité de la corde et lança le reste dans le dos du mécanopode. Puis elle enjamba le rebord de la cabine et se pencha sur le nuage blanc qui bouillonnait au-dessous d'elle. Les dernières bouffées de vapeur du djinn continuaient de s'échapper autour de la défense qui lui traversait le dos.

— Je vais passer en premier, dit-elle. Comme ça, si vous descendez trop vite, je pourrai amortir votre chute.

— Ça ne risque pas de vous faire mal ?

— Si. Alors ne vous laissez pas tomber !

Deryn fit passer la corde sous sa jambe et par-dessus son épaule et jeta un dernier regard au champ de bataille. Un autre éléphant avait été atteint – il titubait, son blindage rutilant barbouillé de poussière rouge. Le Minotaure de Lilit lui fonçait dessus pendant que le golem de fer restait en retrait, à bombarder le dernier éléphant. Même avec la brise de mer dans le dos, l'odeur de l'épice et de la poudre était suffocante.

Puis elle l'aperçut – Şahmeran, couchée sur le ventre à un demi-mile de la tour, enveloppée de fumée noire et d'huile enflammée.

— Zaven est touché ! cria-t-elle.

— Et ce n'est pas tout.

Alek indiqua une nouvelle colonne de fumée qui s'élevait à distance, dans la direction de la ville.

— Bon sang de bois ! Des renforts ennemis !

— Ne vous inquiétez pas. Ce mécanopode se trouve à dix bons kilomètres, et les Ottomans ne possèdent rien de rapide.

— Rapide, dit Bovril.

Deryn lui jeta un regard noir.

— Qu'est-ce que tu racontes, mon mignon ?

— Rapide, répéta la créature.

Un fracas de tonnerre retentit à travers le champ de bataille – le Minotaure de Lilit venait de se jeter sur le dernier éléphant intact. Les deux machines s'écroulèrent et roulèrent ensemble comme deux chats qui luttent. Un immense nuage d'épice s'éleva au-dessus de la mêlée, poussé par la vapeur des chaudières éventrées des deux machines, qui donna aux étoiles une couleur rouge sang.

Les deux mécanopodes finirent par s'arrêter au milieu d'un tourbillon de poussière et de fumée, et ne bougèrent plus.

— Lilit…, fit Deryn d'une voix étranglée.

Le Minotaure semblait fichu, mais sa tête était épargnée. La jeune femme était peut-être indemne à l'intérieur.

— Regardez, dit Alek. Elle a ouvert la voie à Klopp !

Seul un éléphant restait encore debout, couvert de poudre rouge, et il ne remuait plus beaucoup. Le golem de fer s'avança d'un pas lourd. Il n'y avait plus aucun obstacle entre lui et le canon Tesla.

Mais Klopp n'obliqua ni vers l'éléphant, ni vers le canon – il se dirigea droit sur eux.

— Que fait-il ? demanda Deryn. Pourquoi vient-il par ici ?

Alek jura.

— Klopp et Bauer ne font qu'obéir aux ordres de Volger. Ils viennent me sauver !

— Bon sang de bois, voilà ce qui arrive quand on a le malheur d'être un satané prince !

— En fait, je suis archiduc.

— Qui que vous soyez, il faut lui montrer que vous êtes sain et sauf. Venez !

Deryn empoigna la corde, et sentit Bovril resserrer sa prise sur son épaule.

— Filons d'ici, dit la créature.

Elle sauta, et descendit comme une flèche au milieu des volutes de vapeur.

TRENTE-NEUF

Avant de suivre Dylan, Alek baissa les yeux vers l'éléphant de guerre qui avait empalé le djinn.

Les membres d'équipage abandonnaient le mécano-pode par la trappe ventrale ; ils toussaient et titubaient à l'aveuglette. Ils ne représentaient pas une menace pour le moment.

Mais voir le sol si loin en bas lui fit resserrer encore ses gants de pilote. S'entraîner avec Dylan à descendre en rappel lui avait enseigné une sainte horreur des brûlures par frottement. Il avala sa salive, chargée d'arômes de paprika et de poivre de Cayenne, puis bondit à son tour...

La corde siffla autour de lui, rageuse, comme une salve d'eau bouillante. Il freinait sa chute tous les deux ou trois mètres, en faisant sonner ses bottes contre le métal brûlant de la carlingue du djinn. Des bouffées de vapeur tournoyaient autour de lui, tandis que les moteurs du mécanopode cognaient et sifflaient en refroidissant.

Quand il eut enfin touché le sol, Alek arracha ses gants pour contempler ses paumes à vif.

— Vous avez mis le temps, se plaignit Dylan, face au golem de fer. Venez ! Ce canon Tesla m'a l'air prêt à tirer. Il faut montrer à Klopp que tout va bien !

Alek se dégagea de la corde et suivit le garçon, qui s'éloignait au pas de course. Le golem de fer continuait vers eux d'un pas lourd, à travers le champ de bataille.

De toute évidence, Klopp n'avait pas remarqué les renforts ottomans en route.

Tout en courant, Alek plissa les yeux pour mieux distinguer le panache de fumée dans le lointain. Il paraissait déjà plus proche, et le garçon vit que la fumée s'inclinait en arrière contre le ciel étoilé.

« Rapide », avait dit la créature. Mais quel mécanopode pouvait être aussi rapide ?

Devant lui, Dylan poussa un petit cri de surprise. Il avait trébuché avant de s'étaler dans la poussière la tête la première. Alors qu'il se relevait à toute vitesse, Alek ralentit. Il fixa l'obstacle qui avait fait tomber son compagnon : une voie ferrée.

— Oh, non !

— Quoi ? demanda Dylan, les yeux baissés vers les rails. Ah, c'est sans doute là que l'Orient-Express...

— *Express*, souffla le loris perspicace.

Ils pivotèrent tous les deux vers la colonne de fumée à l'approche. Elle se trouvait beaucoup plus près maintenant, car elle avançait, le long de la falaise, dix fois plus vite que n'importe quel mécanopode.

Et elle fonçait tout droit sur le golem de fer.

— Il ne peut pas le voir ! s'écria Alek. Il lui tourne le dos.

— Klopp ! cria Dylan, qui se mit à courir et à gesticuler. Éloignez-vous de la voie !

Alek l'imita pendant quelques foulées, le cœur battant. Mais crier ne leur servirait à rien. Il fouilla dans ses poches à la recherche d'un moyen d'envoyer un signal – une fusée, un pistolet.

La célèbre locomotive à tête de dragon se profilait maintenant à l'horizon, avec son œil unique chauffé à blanc et ses cheminées qui vomissaient de la fumée. Dylan continuait à courir vers Klopp en lui montrant le train.

Le golem de fer s'immobilisa lourdement et baissa la tête pour mieux distinguer le minuscule jeune homme devant lui.

Alek vit deux bras gigantesques se déployer de part et d'autre de la locomotive. Longs d'une douzaine de mètres, ils se tendirent à droite et à gauche, pareils à une paire de sabres brandis par un cavalier au galop.

Klopp devait avoir entendu les cris de Dylan, ou le grondement du train dans son dos, car le mécanopode pivota lentement sur lui-même...

Mais à cet instant précis, l'Express arriva à toute allure, et le faucha au niveau des jambes avec son bras de charge. Le métal crissa et se tordit, pendant qu'un jet de vapeur fusait des genoux.

Le mécanopode bascula en arrière, et agita ses bras démesurés avant de s'écraser sur l'Express. Deux wagons de marchandises se couchèrent sous son poids, et les voitures suivantes vinrent s'encastrer dedans, en projetant des bouts de verre et des morceaux de métal partout.

L'onde de choc remonta le train jusqu'à la locomotive, qui sortit des rails en creusant un long sillon dans le sol. Mais les conducteurs s'y étaient préparés – les bras de

FAUCHÉ PAR-DERRIÈRE.

l'Express s'étendirent comme des ailes pour aider à le maintenir d'aplomb. Un immense nuage de poussière monta de la poignée de wagons qu'il traînait encore derrière lui.

Alek vit Dylan revenir dans sa direction au pas de course. Bovril se cramponnait à son épaule, et tous deux semblaient sur le point de se faire avaler par la poussière.

— Courez ! criait-il, en lui indiquant la voie ferrée.

La partie avant du train, qui conservait une certaine vitesse malgré le déraillement, fonçait en plein sur Alek.

Il tourna les talons et s'élança dans la direction opposée, le plus loin possible des rails. Quelques secondes plus tard le nuage de poussière l'atteignait à son tour, et il se retrouva aveuglé, à tousser tant et plus.

Une masse indistincte jaillit de nulle part et le renversa, tandis que des mains vigoureuses le plaquaient au sol.

Une ombre immense passa juste au-dessus de sa tête – le bras de charge de l'Express, comprit Alek. Une cascade de terre et de gravier lui retomba dessus et la locomotive le dépassa au milieu d'un fracas épouvantable de métal tordu, de chocs et d'explosions.

À mesure que le bruit s'estompait, la poussière s'éclaircit et Alek releva la tête.

— Eh bien, il s'en est fallu de peu ! s'écria-t-il.

À moins de cinq mètres de sa tête, la pince de saisie du bras de charge avait tracé dans le sol un sillon aussi large qu'un chemin.

— Pas de quoi, monsieur l'archiduc.

— Merci, Dylan.

Alek se remit debout, épousseta ses vêtements et jeta un regard hébété autour de lui.

427

La partie avant de l'Orient-Express avait fini par interrompre sa course folle à quelques pas du canon Tesla. Les voitures de queue s'empilaient sur la carcasse fumante du golem de fer. Alek fit un pas vers le mécanopode. Klopp et Bauer étaient-ils toujours en vie ?

Mais Bovril grondait, comme pour faire écho à une rumeur sourde qui planait sur le champ de bataille ; une sorte de crépitement, de plus en plus fort.

Dylan indiqua le ciel au sud, où une longue silhouette apparaissait enfin – le *Léviathan*, immense et noir sur fond d'étoiles.

Alek se retourna vers le canon Tesla. Il vit les premiers scintillements remonter vers la pointe.

— Il faut arrêter ça, dit Dylan. Il ne reste plus que nous.

Alek hocha machinalement la tête. Klopp et Bauer, Lilit, Zaven – tous avaient besoin de son aide. Mais le canon Tesla était sur le point de tirer, et il y avait plus d'une centaine d'hommes à bord du *Léviathan*.

La frustration lui fit serrer les poings. Si seulement il se trouvait à bord d'un mécanopode en cet instant, avec des bras énormes pour démanteler la tour…

— Express, souffla Bovril.

— Le train, murmura Alek. Si nous parvenons à nous emparer de la locomotive, nous pourrons nous servir de ses bras de charge !

Dylan lui jeta un bref regard, puis approuva de la tête. Ils s'élancèrent ensemble, trébuchant sur le sol jonché de débris et zigzaguèrent entre les piles de marchandises qui s'étaient répandues hors du train.

La partie avant de l'Orient-Express s'était immobilisée à quinze mètres seulement du canon Tesla. Les bras de charge ne bougeaient plus, mais les cheminées fumaient toujours. Quelques soldats émergèrent d'un pas mal assuré. Ils portaient des uniformes allemands et un fusil sur l'épaule.

Alek retint Dylan dans l'ombre.

— Ils sont armés. Pas nous.

— Je sais. Suivez-moi.

Le jeune homme piqua un sprint jusqu'à la dernière voiture, un wagon de marchandises à moitié couché sur le flanc dans le sillon tracé par le train. Il se hissa sur le toit puis entreprit de remonter le train vers la locomotive. Alek l'imita, plié en deux pour rester hors de vue.

Les soldats ne semblaient guère alertes. Ils marchaient au hasard avec une expression hagarde, à contempler la scène de désolation qui les entourait, en toussant et en recrachant de l'épice. Quelques-uns avaient les yeux levés vers le *Léviathan*.

Alek perçut un bruit familier : le grondement des moteurs de l'aéronef. Il leva la tête et vit que le *Léviathan* avait entamé un grand virage. L'équipage avait certainement repéré le canon Tesla et tentait de se mettre hors d'atteinte.

Mais il était trop tard. Il leur faudrait de longues minutes pour s'éloigner, alors que le canon bourdonnait comme une ruche, prêt à tirer.

Dylan avait escaladé le tender, derrière la locomotive. Alek sauta derrière lui, mais dérapa et se retrouva à quatre pattes dans le charbon.

Dylan lui tendit la main et l'aida à se relever.

— Vite, maintenant, murmura le jeune homme.

Alek se hissa entre les deux bras de charge gigantesques. Il y avait de l'électricité dans l'air ; les étincelles de la tour géante faisaient vaciller les ombres. Mais la cabine du conducteur se trouvait juste devant.

— Il n'y a qu'un seul homme à l'intérieur, souffla Dylan, avant de remettre Bovril à Alek et de sortir son couteau. Je m'en occupe.

Sans attendre, il bondit et se coula par la fenêtre. Le temps qu'Alek atteigne la porte, Dylan tenait le conducteur en respect dans un coin.

Alek pénétra dans la cabine pour examiner les commandes – une foule de cadrans, de jauges, de leviers et de poussoirs qu'il ne reconnut pas. Les commandes des bras, en revanche, se présentaient comme deux gantelets de métal au bout d'un manche, comme celles des bras de Şahmeran.

Il déposa Bovril sur le plancher, glissa les mains dans les gantelets et forma un poing.

Une douzaine de mètres à sa droite, l'énorme pince répondit en se fermant. Quelques soldats allemands dressèrent la tête, intrigués, mais la plupart restaient fascinés par le canon Tesla et l'aéronef au-dessus de leurs têtes.

— Pas le temps de finasser ! siffla Dylan. Défoncez tout !

Alek étendit le bras en direction de la tour. Mais la grande pince claqua à quelques mètres de la poutrelle scintillante la plus proche.

— Trop court ! Il faut avancer plus près, suggéra Dylan.

Alek contempla les commandes du moteur, puis réalisa que hors des rails, le train ne pourrait plus rouler. Il se souvint cependant d'un mendiant unijambiste, dans

430

la ville de Lienz, qu'il avait vu se propulser dans une caisse à roulettes à la force des bras.

Il planta les deux pinces dans le sol, une de chaque côté, et tira vers lui. La locomotive se souleva légèrement et s'avança d'un mètre environ, avant de retomber dans la poussière.

— Plus près, commenta Bovril d'un ton approbateur.

— Sauf que nous avons attiré l'attention des Allemands, maintenant, marmonna Dylan posté près de la fenêtre.

— Je vous laisse vous en charger, dit Alek, en plantant ses deux pinces un peu plus loin.

La locomotive glissa de nouveau, avec un grincement épouvantable de métal contre la roche.

Des cris leur parvenaient par la fenêtre, et un soldat grimpa tambouriner à la porte. Dylan mit le conducteur hors de combat, d'un grand coup de poing dans le ventre qui l'envoya rouler sur le plancher, puis se tourna face à la porte avec son couteau.

Alek étendit de nouveau les bras de charge.

Cette fois-ci, l'une des pinces toucha la poutrelle la plus basse du canon. Alors qu'Alek la refermait d'un coup sec, un crépitement parcourut la cabine. Les gants de métal grésillèrent autour des doigts d'Alek, cependant qu'une force invisible lui enserrait la poitrine. La fourrure de Bovril était toute hérissée.

— Nom d'une pipe en bois ! cria Dylan. La foudre va nous retomber dessus !

Des étincelles jaillissaient des commandes et des parois de la cabine, et de l'autre côté de la porte, le soldat poussa un cri de douleur avant de redescendre d'un bond.

Les dents serrées, Alek tira plus fort sur le levier. La locomotive se souleva encore tandis que la poutrelle se tordait lentement vers eux avec un grincement. Au pied de la tour, un tourbillon de feu blanc se matérialisa.

— Il va tirer ! cria Dylan.

Alek s'arc-bouta sur le levier, et un violent tremblement secoua la locomotive. Les commandes cessèrent de répondre ; les étincelles sur les parois de la cabine moururent une à une.

— Vous l'avez cassée, et on dirait que le canon... Il s'écroule. Cette machine du diable est en train de s'écrouler ! s'exclama Dylan.

— À cause d'une seule poutrelle ?

Alek s'avança à la fenêtre pour regarder en l'air.

La tour s'inclinait peu à peu ; la foudre qui descendait des poutrelles supérieures se rassemblait en une boule blanche incandescente du côté opposé. Une immense silhouette serpentine s'y accrochait à l'édifice, à mi-hauteur, enveloppée dans un cocon d'électricité.

— On dirait... ?

— Oui, souffla Dylan. C'est Şahmeran.

Zaven avait réussi Dieu sait comment à traîner son mécanopode endommagé jusqu'à la tour. Et à présent il faisait office de conducteur, en attirant sur lui toute la puissance de l'arme.

Des éclairs crépitaient autour du mécanopode, de plus en plus aveuglants, au point d'obliger Alek à fermer les yeux.

— Il est fichu, dit Dylan.

Alek hocha la tête. Quelques secondes plus tard, le canon Tesla s'écroulait.

UNE DÉESSE ET UN MARTYR DÉTRUISENT LA TOUR.

QUARANTE

La tour se fracassa autour de Şahmeran dans un maelström de feu blanc.

Des éclairs de foudre fusaient dans tous les sens, vers le djinn et l'éléphant pétrifiés, vers les autres mécanopodes écroulés, et jusque sur la carcasse de l'Orient-Express. Les parois métalliques de la cabine du conducteur se couvrirent d'étincelles et de flammèches.

Quand la foudre s'apaisa, l'effondrement remplit l'air de son fracas. Une poutrelle s'abattit sur la locomotive, le plafond s'enfonça d'un coup et toutes les vitres volèrent en éclats. La cabine se remplit de poussière et de fumée, dans un effroyable grincement de métal tordu.

Au bout d'un long moment, un silence s'abattit enfin sur le champ de bataille.

— Vous n'avez rien, Dylan ? s'inquiéta Alek.

Sa propre voix lui paraissait assourdie.

— Non. Et toi, la bestiole ?

— Zaven, répondit Bovril d'une petite voix.

Dylan prit la créature dans ses bras.

— Écoutez. Le *Léviathan* vole toujours.

C'était vrai – on entendait le vrombissement de l'aéro-nef. Au moins, toute cette folie n'avait pas été vaine.

— *Léviathan*, répéta Bovril en faisant rouler le mot sur sa langue.

Alek marcha jusqu'à la fenêtre. Le canon Tesla gisait un peu plus loin, brisé, en pièces, telle la colonne ver-tébrale de quelque gigantesque créature disparue depuis longtemps. Le djinn était couché auprès de l'éléphant de guerre ; les deux mécanopodes avaient encore été endommagés par la cascade de débris.

Un frisson glacé parcourut Alek – la plupart des soldats allemands avaient disparu sous les décombres de la tour.

— Allons voir comment se porte Lilit, dit-il. Ainsi que Klopp et Bauer.

— D'accord, murmura Dylan, Bovril sur l'épaule. Par qui commence-t-on ?

Alek hésita. Il comprit que ses hommes étaient peut-être morts, comme Zaven, d'ailleurs.

— D'abord Lilit. Son père…

— Bien sûr.

Ils ouvrirent la porte et sortirent au milieu d'une scène infernale. Les odeurs de fumée, d'épice et d'huile de moteur prenaient à la gorge, mais la puanteur des chairs et des cheveux brûlés était pire encore. Alek détourna les yeux pour ne pas voir ce que la dernière décharge d'électricité du canon avait infligé aux hommes autour de la locomotive.

— Venez, fit Dylan d'une voix rauque, en le tirant par le bras.

Ils contournaient les débris quand Bovril dressa la tête et dit tout à coup.

— Lilit.

Alek suivit le regard de la créature, les yeux plissés dans l'obscurité. Et là, au bord de la falaise, il aperçut une silhouette solitaire face à la mer.

— Lilit ! l'appela Dylan.

La silhouette se retourna vers eux.

Ils coururent la rejoindre, là où la brise de mer dispersait les relents de carnage et de destruction. La tenue de Lilit était déchirée, et la jeune femme était très pâle. Un long sac en toile de jute gisait à ses pieds.

Quand ils s'approchèrent, elle tomba dans les bras de Dylan.

— Votre père, dit le jeune homme. Je suis désolé.

Lilit se détacha de lui.

— J'ai vu ce qu'il avait l'intention de faire, alors je lui ai ouvert le passage. Je l'ai aidé…

Elle secoua la tête. Les larmes traçaient des sillons sur ses joues crasseuses. Elle se tourna vers la tour effondrée.

— Sommes-nous tous devenus fous, pour avoir envie de ça ?

— Il a sauvé le *Léviathan*, lui rappela Alek.

Lilit le dévisagea sans rien dire, hébétée, comme si elle venait d'oublier toutes les langues qu'elle maîtrisait, si bien qu'il se sentit stupide d'avoir dit cela.

— Tous devenus fous, éructa Bovril.

Lilit, le regard vitreux, tendit la main pour caresser la créature.

— Vous vous sentez bien ? s'inquiéta Dylan.

— Seulement confuse… et stupéfaite. Regardez donc !

Elle pointa du doigt la ville d'Istanbul de l'autre côté

de l'eau. Des coups de feu flamboyaient à travers ses rues obscures, et une demi-douzaine de gyroplanes tournoyaient au-dessus du palais. Alek vit un trait de feu s'élever en silence dans le ciel, avant de disparaître parmi les vieux bâtiments.

— Vous voyez ? C'est en train de se produire, dit Lilit. Tout se déroule selon le plan.

— Oui, c'est peut-être ce qu'il y a de plus étrange dans les batailles – elles sont bien réelles, reconnut Dylan. Le béhémoth ne devrait plus tarder, déclara-t-il, le regard tourné vers la mer.

Alek s'avança au bord de la falaise et regarda en bas. Le *Goeben* appareillait à toute vapeur, ses bras antikrakens déployés comme des pinces de crabe. Des étincelles éclairaient son pont arrière.

— L'autre canon Tesla, murmura Lilit. Je l'avais oublié.

— Ne vous inquiétez pas, lui dit Alek. Il est beaucoup moins gros, et n'a pas la même portée. La savante a tout minuté.

À l'instant où il disait cela, un projecteur s'alluma sous la nacelle de l'aéronef, si puissant que sa lumière s'enfonçait profondément dans l'eau. Elle glissa vers le *Goeben*, en fendant la nuit comme une lame.

Les gyroplanes au-dessus du palais se portèrent à la rencontre de l'aéronef, et d'autres projecteurs plus petits s'allumèrent sous le *Léviathan*, piégeant chaque appareil dans un faisceau lumineux. Ils se trouvaient trop loin pour qu'Alek puisse distinguer les faucons ou les chauves-souris, mais un à un, les gyroplanes s'écrasèrent dans la mer.

— Ils ont eu un mois entier pour réparer et se réap-provisionner, fit Dylan. Et refaire d'autres bestioles.

Alek hocha la tête : il avait toujours connu le *Léviathan* endommagé et affaibli. Cette nuit, ce n'était plus du tout le même aéronef.

— Bestioles, répéta Bovril, les yeux brillants comme ceux d'un chat.

Le faisceau du projecteur principal atteignit le *Goeben*, et, pendant un moment, les canons et la coque en acier du bâtiment de guerre se parèrent de reflets aveuglants. Puis le projecteur changea plusieurs fois de couleur : violet puis vert, et enfin rouge sang.

Deux tentacules jaillirent de l'eau et firent pleuvoir des paquets de mer sur le pont du *Goeben*.

C'était le béhémoth.

Les bras anti-krakens du cuirassé pivotèrent, et leurs pinces taillèrent dans la chair du monstre marin. Mais les tentacules, apparemment insensibles à la douleur, s'enroulèrent comme des pythons autour du vaisseau de guerre. Une tête immense émergea des eaux, avec deux yeux qui scintillaient dans la lumière rouge du projecteur…

Alek recula d'un pas. Contrairement à ceux d'un kraken, les tentacules du béhémoth ne représentaient qu'une petite partie de la créature. Son corps allongé était tout en os et en plaques articulées, surmonté d'une crête osseuse sur son dos. Alek éprouva un frisson de dégoût, comme s'il avait devant lui un monstre préhistorique qu'on aurait arraché aux abysses.

Un grincement sinistre courut au-dessus des vagues – le bruit de la coque du cuirassé qui se tordait sous la pression du béhémoth. Ses petits canons faisaient feu sans relâche, et ses bras anti-krakens se débattaient contre les tentacules. Hommes et douilles roulaient sur le pont tandis que le bateau tanguait avec fureur.

— Nom d'une pipe en bois ! jura Dylan à voix basse. Le Dr Barlow nous avait prévenus que la bestiole était gigantesque, mais je n'aurais jamais cru que...

Un incendie se déclara à bord du *Goeben*, dont l'une des chaudières venait de se fendre ; des nuages de vapeur jaillirent en sifflant de plusieurs fentes dans le blindage de la coque.

Le canon Tesla essaya de tirer, mais il n'était pas assez chargé et sa foudre retomba sur les tentacules du béhémoth avant de se disperser sur le pont. Des explosions se succédèrent sur toute la longueur du navire à mesure que le feu blanc gagnait les réservoirs de carburant et les magasins de munitions.

Le projecteur vira au bleu clair, et d'un élan prodigieux le béhémoth se hissa tant bien que mal sur les superstructures, et fit s'enfoncer le bâtiment dans l'eau. Le *Goeben* résista un moment mais son pont avant disparut sous les vagues. L'arrière se souleva, et le canon Tesla se découpa contre le ciel noir. Puis le navire se brisa et ses deux moitiés s'abîmèrent dans la mer.

L'un des bras anti-krakens réapparut quelques secondes au-dessus des vagues, s'agita dans le vide, puis disparut une fois pour toutes. Une grosse lumière rouge bouillonna sous la surface, projetant des colonnes de vapeur dans le ciel.

Les vagues s'apaisèrent enfin, et le calme revint.

— Les pauvres, murmura Dylan.

Alek ne dit rien. Au cours du dernier mois, il avait

oublié ce que la révolution signifierait pour l'équipage du *Goeben*.

— Je dois rejoindre mes camarades, dit Lilit, à genoux devant son sac en toile de jute.

Elle en sortit une masse de tubes métalliques et de soie ondulante, qu'elle entreprit d'assembler. L'appareil se déploya sous l'impulsion de ressorts internes ; en quelques instants il avait atteint une largeur de cinq mètres, avec des ailes diaphanes qui évoquaient celles d'un moustique.

— Au nom du ciel, qu'est-ce que c'est ? s'écria Dylan.

— Un cerf-volant autonome, répondit Alek. Mais vous n'arriverez jamais à rejoindre Istanbul avec cela.

— Pas besoin. Mon oncle m'attend au pied de la falaise dans son bateau de pêche.

Lilit se tourna vers Dylan.

— Je suis désolée, mais on peut se fier à lui. Et je devais mettre quelqu'un dans la confidence au cas où nous aurions eu besoin d'un autre moyen de retourner en ville.

— Maintenant ? protesta Dylan. Mais il faut d'abord nous occuper de Klopp et de Bauer !

— Bien sûr, faites-le ; ce sont vos amis. Mais la révolution a besoin de ses chefs ce soir. Et Nene aussi aura besoin de moi.

Le regard de Lilit s'égara de l'autre côté de l'eau, et sa voix se fêla.

À la voir ainsi debout devant lui, avec son visage crasseux strié de larmes, Alek repensa à la nuit où il avait appris la mort de ses parents. Curieusement, la seule chose dont il se rappelait à présent était d'avoir tout dit à Eddie Malone en échange de son silence. Comme si le fait de se raconter avait effacé ses souvenirs.

— Je suis navré pour votre père, dit-il, un peu maladroit.

Lilit lui adressa un regard intrigué.

— Si le sultan l'emporte cette nuit, tu n'auras qu'à prendre la fuite encore une fois, n'est-ce pas ?

Alek se renfrogna.

— Probablement.

— Bonne chance, dans ce cas. Ton or nous a été très utile.

— Il n'y a pas de quoi, si c'était une manière de me dire merci.

— C'en était une.

Elle s'adressa alors à Dylan.

— Peu importe comment tout ça se terminera, je n'oublierai jamais ce que vous avez fait pour nous. Je crois que vous êtes le garçon le plus formidable que j'aie jamais rencontré.

— Oui, eh bien, je n'ai fait que...

Lilit ne le laissa pas finir. Elle se pendit à son cou et l'embrassa à pleine bouche. Après un moment, elle se détacha de lui avec un sourire.

— Excusez-moi. Simple curiosité.

— Nom d'une pipe en bois ! s'écria Dylan, la main sur ses lèvres. Vous me connaissez à peine !

Lilit rit, et empoigna son cerf-volant. Alors que le vent frais venu de la mer gonflait ses ailes, la jeune fille s'avança au bord de la falaise, les mains sur la barre de guidage.

— Je vous connais mieux que vous ne le pensez, *monsieur* Sharp. Alek, Tu ne connais pas ta chance d'avoir un ami comme Dylan.

Sur ces mots, elle fit un pas dans le vide… et disparut.

Alek se précipita au bord de la falaise et regarda en bas avec horreur. Le cerf-volant autonome tournoya un moment, puis arrondit sa trajectoire et obliqua vers la mer. Le vent le fit remonter, presque à leur hauteur, et pendant un instant ils crurent entendre une dernière fois le rire de Lilit.

Puis le cerf-volant vira sur l'aile en direction des lumières de la ville. Et un instant plus tard, il s'était évanoui dans la nuit.

— *Monsieur* Sharp, dit Bovril, avant de glousser.

Alek secoua la tête. Lilit était une drôle de fille : son père était mort, sa ville en flammes – et la voilà qui volait dans les airs, en trouvant encore la force de rire.

— Elle est complètement folle.

— Oui. Mais elle embrasse bien, remarqua Dylan, la main sur les lèvres.

Alek lui jeta un regard en coin, puis secoua la tête.

— Venez. Allons voir ce qu'il en est de maître Klopp.

QUARANTE ET UN

Le golem de fer gisait au milieu d'un enchevêtrement de voitures et de caisses éparses, les jambes tordues et déchirées. Seule sa moitié supérieure demeurait intacte, avec sa tête gigantesque appuyée contre les carcasses de deux wagons de marchandises. On aurait dit un géant endormi sur un oreiller de métal.

Deryn et Alek s'approchèrent entre les composants électriques et les fragments de verre. Les rails, arrachés à la voie, se mêlaient aux autres débris comme des rubans d'acier tordus.

— Bon sang de bois ! fit Deryn devant une voiture-salon retournée, dont les rideaux de velours s'échappaient par les fenêtres. Heureusement qu'il n'y avait aucun passager à bord.

— Nous devrions pouvoir atteindre la tête du golem par là, dit Alek en indiquant la main colossale étalée dans la poussière.

Ils escaladèrent le bras du mécanopode, et virent bientôt deux silhouettes immobiles sanglées dans les sièges des pilotes.

APRÈS LA BATAILLE.

— Maître Klopp ! s'écria Alek. Hans !

L'un des hommes remua.

Deryn vit qu'il s'agissait de Bauer, les yeux vitreux, qui cherchait à tâtons la boucle de sa ceinture. Elle se pencha à l'intérieur pour aider Alek à le détacher.

— *Was uns getroffen ?* demanda Bauer.

— *Der Orient-Express*, expliqua Alek.

Bauer lui adressa d'abord un regard incrédule, puis découvrit la scène de carnage qui l'entourait ; et le doute s'effaça de son visage.

À eux trois, ils détachèrent Klopp et le hissèrent sur l'épaule du golem de fer. Le maître de mécanique n'avait toujours pas esquissé le moindre geste. Il avait le visage en sang, et, quand Deryn chercha son pouls au creux de son cou, elle le trouva très faible.

— Il faut le conduire à un médecin.

— Oui, mais comment ? rétorqua Alek.

Deryn balaya du regard le champ de bataille. Il ne restait plus un seul mécanopode debout. Dans le ciel par contre, la silhouette du *Léviathan* grossissait. Comme elle s'y attendait – à présent qu'il s'était débarrassé du *Goeben*, l'aéronef venait reconnaître de plus près les débris du canon Tesla.

Elle ouvrit la bouche pour répondre, quand la créature perchée sur son épaule se mit soudain à imiter un bruit de pas.

Alek l'avait entendu lui aussi.

— Des mécanopodes.

Deryn se retourna vers la ville. Une douzaine de panaches de fumée s'élevaient à l'horizon.

— Peut-être sont-ils du comité ?

Alek fit non de la tête.

— Ils ne savent même pas que nous sommes ici.

— Oui, en *principe*. Mais cette jeune anarchiste avait bien prévenu son oncle, non ?

Bauer se leva, les jambes flageolantes, une paire de jumelles à la main. L'une des lentilles étant cassée, il porta l'autre à son œil à la manière d'une longue-vue.

— *Elefanten*, annonça-t-il un instant plus tard.

Alek jura.

— Au moins, ils ne sont pas rapides.

— Mais nous ne pourrons jamais emporter Klopp, dit Deryn. Pas sans aide.

— Et où voulez-vous en trouver ?

Elle indiqua la forme sombre au-dessus des eaux, qui continuait son virage, en braquant cette fois ses projecteurs vers le sommet de la falaise.

— Le *Léviathan* se rapproche. Nous pourrions lui faire signe, et confier Klopp au médecin du bord.

— A, B, C..., chantonna Bovril.

— On nous ferait encore prisonniers ! protesta Alek.

— Oui, mais comment croyez-vous que les Ottomans vont vous traiter, après ça ? demanda Deryn, pointant du doigt le champ de bataille. Avec nous au moins, vous resterez en vie !

— *Ich kann mit Meister Klopp bleiben, mein Herr*, proposa Bauer.

Deryn plissa le nez. Après un mois passé à côtoyer les clankers, son allemand s'était beaucoup amélioré.

— Que veut-il dire par « rester avec Klopp » ?

Alek se tourna vers Deryn.

— Votre aéronef pourrait récupérer Bauer et Klopp, pendant que vous et moi nous éclipsons discrètement.

Deryn en resta bouche bée.

— Vous avez perdu la tête ?

— Les Ottomans ne nous repéreront jamais au milieu de cette pagaille, ajouta Alek, les poings serrés. Réfléchissez un peu, si le comité l'emporte cette nuit, les Allemands se feront jeter dehors. Et le comité nous doit une fière chandelle. Nous pourrions rester ici, au milieu d'alliés !

— Pas moi, mon prince ! J'ai bien l'intention de rentrer chez moi !

— Mais je ne pourrais jamais y arriver seul… pas sans vous. Je vous en prie, venez avec moi.

Deryn lui tourna le dos. Elle aurait tellement aimé qu'Alek lui fasse la même demande pas comme un *dummkopf* de prince qui s'attend à ce que tout le monde se plie à ses volontés, mais comme un homme.

Ce n'était pas sa faute, bien sûr. Elle n'avait jamais avoué à Alek pourquoi elle était revenue à Istanbul – non pas pour sa mission, mais pour lui. Elle s'était tue, et à présent il était trop tard pour parler. Ils avaient beau travailler, conspirer et combattre côte à côte depuis un mois, elle n'avait toujours pas réussi à se convaincre qu'il pourrait s'intéresser à une simple roturière.

Alors, à quoi bon rester ?

— Il y a encore beaucoup à faire ici, Dylan, dit Alek. Vous êtes le meilleur soldat de cette révolution.

— Peut-être, mais ma place est là-haut. Je ne pourrais jamais vivre avec… vos machines.

Alek écarta les mains.

— Peu importe. Votre équipage ne nous verra même pas.

— Il le faut !

Deryn promena son regard sur le champ de bataille, à la recherche d'un moyen d'adresser un signal. Mais

Alek avait raison ; quand bien même elle posséderait des fanions de sémaphore de dix pieds de haut, personne ne la remarquerait au milieu des débris.

Elle remarqua alors les deux bras écartés du golem : le droit tendu à l'horizontale, le gauche incliné sur le côté, formant presque le signe de la lettre S.

— Croyez-vous que cette machine puisse encore remuer ?

— Quoi, le mécanopode ?

— A, B, C, répéta Bovril.

— Oui. Difficile de rater un géant qui vous fait des signes.

— Les chaudières sont éteintes, dit Alek. Mais il reste peut-être un peu de pression dans le circuit pneumatique.

— Eh bien, vérifiez !

Alek grinça des dents, mais remonta jusqu'à la tête et se pencha sur les commandes. Il tapota deux des jauges, puis se retourna avec une expression dubitative.

— Alors ? lui cria Deryn. Dites-moi la vérité !

— Je ne vous mentirais jamais, Dylan. Il reste de quoi former une douzaine de lettres.

— Dans ce cas, allez-y ! Imitez-moi.

Deryn tendit le bras droit et inclina le gauche.

Alek n'esquissa pas un geste.

— Si je me rends à votre commandant, jamais il ne me laissera repartir.

— Si le *Léviathan* ne vient pas à notre secours, Klopp est un homme mort. Comme nous tous, quand les mécanopodes seront là !

Alek la fixa un moment, puis soupira et s'installa aux commandes, les mains sur les manettes. Un sifflement de pneumatiques emplit l'air, et les grands bras se déplacèrent lentement pour se rapprocher de la position de Deryn.

— S…, dit le loris perspicace.

Deryn ramena son bras gauche contre sa poitrine. Cette lettre fut difficile pour le golem de fer, à moitié couché comme il l'était, mais Alek réussit à lui faire plier le coude.

— H ! annonça Bovril, et il continua à mesure que Deryn changeait de position : A… R… P !

À la cinquième lettre, le gigantesque projecteur à kraken du *Léviathan* les avait trouvés, et ils purent répéter la séquence encore deux fois avant que les bras géants ne s'immobilisent dans un dernier soupir.

Alek lâcha les commandes.

— *Wie lange haben wir, Hans ?*

Bauer se protégea les yeux de la lumière du projecteur.

— *Zehn Minuten !*

— Nous avons encore le temps de nous enfuir, Dylan.

— Non, c'est trop court, et ça n'est pas nécessaire, dit Deryn, la main sur l'épaule d'Alek. Après ce que nous avons accompli ce soir, je n'aurai qu'à raconter au commandant que c'est vous qui m'avez présentée au comité. Et que si vous ne l'aviez pas fait, l'aéronef aurait été abattu !

Elle parla cela très vite, oubliant sans la moindre difficulté sa promesse silencieuse de l'abandonner derrière elle.

— Je suppose qu'on me donnera une médaille, maugréa Alek.

— Oh, c'est tout à fait possible !

Le projecteur se mit alors à envoyer des flashs longs et brefs. Deryn n'avait pas recouru au Morse depuis longtemps, mais devant les signaux lumineux, le code familier lui revint en mémoire.

— Message reçu, traduisit-elle. Et le commandant m'envoie ses salutations !

— Bien aimable de sa part.

Deryn continua à fixer la lumière clignotante.

— Ils se préparent à nous embarquer. Maître Klopp sera devant le médecin en un clin d'œil.

— Dans ce cas vous n'avez plus besoin de Hans ni de moi. Alors, je vais vous dire au revoir.

Alek lui tendit la main.

— Non, l'implora Deryn. Vous ne passerez jamais entre ces mécanopodes. Je ne laisserai pas le commandant vous mettre aux fers, je le jure. S'il le faut, je vous délivrerai moi-même !

Alek contempla sa main, puis ses yeux verts plongèrent dans ceux de Deryn. Ils se regardèrent tous les deux un long moment. Deryn sentait le bruit des moteurs de l'aéronef trembler contre sa peau.

— Venez avec moi, dit-elle, en lui prenant la main. Rappelez-vous ce que vous m'avez dit la nuit d'avant votre évasion, que tous les éléments du *Léviathan* s'imbriquaient les uns dans les autres. Votre place est là-haut.

Il leva la tête vers l'aéronef, les yeux humides. On voyait bien qu'il éprouvait toujours la même passion pour lui.

— Je ne devrais peut-être pas m'enfuir en abandonnant mes hommes, dit-il.

— *Mein Herr,* intervint Bauer, *Graf Volger befahl mir...*

— Volger ! cracha Alek. Sans ses cachotteries, nous serions restés tous ensemble depuis le début.

Deryn serra sa main plus fort.

— Tout ira bien. Je vous le promets.

Alors que l'aéronef se rapprochait, un froissement d'ailes se fit entendre au-dessus d'eux et des serres métalliques scintillèrent sous les projecteurs. Deryn lâcha la main d'Alek et inspira à pleins poumons l'odeur d'amandes amères de l'hydrogène – l'odeur dangereuse, délicieuse, d'une descente d'urgence. Des cordes dégringolèrent de la trappe de soute et, quelques secondes plus tard, des hommes se laissaient glisser jusqu'au sol.

— Allons, n'est-ce pas une vision magnifique ?

— Splendide, répondit Alek. Pour qui n'a pas les menottes aux poignets.

— Ne soyez pas ridicule, protesta Deryn en lui décochant un coup de poing dans l'épaule. Cette histoire de vous mettre aux fers, ce n'était qu'une façon de parler. Le comte Volger a simplement été bouclé dans sa cabine. C'est même moi qui lui apportais son petit déjeuner tous les jours !

— Délicate attention.

Elle sourit, même si repenser à Volger la rendait quelque peu nerveuse – l'homme connaissait son secret. Il pouvait encore la trahir auprès de ses officiers, ou d'Alek, dès que l'envie lui en prendrait.

Mais elle ne pourrait pas éternellement se cacher du comte. Ce serait indigne d'un soldat. Et puis, elle n'aurait qu'à le faire passer par-dessus bord si la situation dégénérait.

Alors que l'aéronef s'immobilisait en vrombissant, Bovril se cramponna à son épaule.

— Petit déjeuner tous les jours ? demanda-t-il.

— Oui, mon mignon, répondit Deryn en le caressant. On rentre à la maison.

QUARANTE-DEUX

— S-H-A-R-P ! s'écria Newkirk depuis la trappe de soute. Bon sang, Dylan, c'est vraiment vous ?

— Qui vouliez-vous que ce soit ? rétorqua Deryn avec un grand sourire.

Elle attrapa la main qu'il lui tendait et se hissa à bord d'une seule traction.

— Et vous avez même retrouvé la bestiole disparue ?

— Eh oui, répondit Deryn en indiquant le champ de bataille jonché d'épaves. L'un de mes nombreux exploits.

Newkirk jeta un coup d'œil en bas.

— On dirait que vous avez été très occupé, monsieur Sharp. Mais gardez vos fanfaronnades pour plus tard. Il y a des mécanopodes allemands qui arrivent, et le bosco dit qu'on vous réclame en salle de navigation.

— Maintenant ?

Deryn observa le déroulement de l'opération de sauvetage. Klopp était en train de s'élever dans les airs, sanglé sur un brancard, tandis qu'Alek et Bauer attendaient leur tour sur l'épaule du golem de fer.

— Le bosco a dit « tout de suite ».

— D'accord, monsieur Newkirk. Mais assurez-vous qu'on n'oublie pas ces clankers en bas, promis ?

— Oui, ne vous en faites pas. Ils ne nous échapperont pas une deuxième fois !

Deryn ne perdit pas son temps à discuter. Peu importait ce que pouvait croire Newkirk, tant que les officiers savaient qu'Alek revenait de son plein gré.

Clanker ou non, sa place était à bord.

◉   ◉   ◉

Deryn partit vers la salle de navigation, heureuse de sentir la vibration de l'aéronef sous ses semelles, et se glissa habilement parmi le flot d'hommes et de bestioles qui se croisaient dans les coursives. Bovril regardait partout avec des yeux ronds, muet de stupeur.

Lorsqu'elle vit la savante dans la salle de navigation, le regard fixé sur les lumières d'Istanbul, Deryn se renfrogna : elle croyait retrouver le commandant. Bien sûr, avec des mécanopodes ennemis en approche, tous les officiers devaient être sur la passerelle. Mais pourquoi lui avoir ordonné de se rendre là plutôt qu'à son poste de combat ?

Assis aux pieds du Dr Barlow, Tazza se leva d'un bond et courut renifler les bottes de Deryn. Celle-ci s'agenouilla pour lui prendre le museau au creux de la main.

— Tazza ! Je suis bien content de te revoir.

— Tazza, répéta Bovril, avant de se mettre à glousser.

— C'est un plaisir de vous compter à nouveau parmi nous, monsieur Sharp, dit la savante. Tout le monde se faisait un sang d'encre à votre sujet.

— Heureux d'être de retour, m'dame.

— Naturellement, j'étais certaine que vous reviendriez sain et sauf. Un garçon aussi débrouillard que vous !

La savante tambourina avec les doigts sur l'appui de la fenêtre.

— Même si je constate que vous n'avez pas pu vous empêcher d'interférer avec mes plans.

— Oui, m'dame. Ça n'a pas été une partie de plaisir, de renverser ce canon Tesla. Mais finalement j'ai eu raison de m'en mêler, non ?

— Bien sûr, bien sûr.

La savante balaya la question d'un revers de main, comme si elle voyait des canons à foudre se faire renverser tous les jours.

— Mais je pensais plutôt à cette créature sur votre épaule, pas à cette bataille sans intérêt.

— Oh, fit Deryn en se tournant vers Bovril. Ce qui veut dire que vous êtes contente de la récupérer, j'imagine ?

— Non, monsieur Sharp, ce n'est pas du tout ce que je veux dire, dit le Dr Barlow en poussant un soupir. Auriez-vous déjà oublié ? Je me suis donné beaucoup de mal pour que l'éclosion du loris ait lieu en présence d'Alek, et de lui seul. De manière que sa fixation soit entièrement dirigée sur lui.

— Oui, je me souviens. Comme les canetons qui s'attachent à la première personne qu'ils voient à la naissance.

— Exactement. Dans son cas, il s'agissait d'Alek. Alors pouvez-vous me dire ce que fait ce loris sur *votre* épaule, monsieur Sharp ?

Deryn fronça les sourcils. À quel moment précisément Bovril avait-il commencé à se percher sur son épaule aussi souvent que sur celle d'Alek ?

— Eh bien, je crois qu'il m'apprécie autant que lui. Et pourquoi pas ? Je veux dire, Alek est quand même un clanker, après tout.

Le Dr Barlow s'assit sur le bord de la table des cartes en secouant la tête.

— Il n'a pas été conçu pour se lier à deux personnes ! À moins qu'elles… (Elle plissa les yeux.) Je suppose qu'Alek et vous avez noué une amitié très forte, n'est-ce pas, monsieur Sharp ?

— *Monsieur* Sharp, répéta Bovril avec un petit rire.

Deryn jeta un regard noir au loris, puis écarta les mains.

— Honnêtement, je n'en sais rien, m'dame. C'est juste qu'Alek était occupé à piloter le mécanopode cette nuit, alors Bovril a préféré se percher sur moi, et je suppose que…

— Excusez-moi, l'interrompit le Dr Barlow. Vous venez de l'appeler Bovril ?

— Hum, oui. C'est comme ça qu'il s'appelle, maintenant.

La savante haussa les sourcils.

— Bovril, comme l'extrait de bœuf ?

— Ce n'est pas moi qui lui ai donné ce nom, se défendit Deryn. On nous a bien enseigné tout ça pendant nos classes, de ne pas nous attacher aux bestioles. Mais cette jeune anarchiste n'arrêtait pas de l'appeler Bovril, et… le nom lui est resté.

— Bovril, répéta la créature.

458

Le Dr Barlow s'approcha du loris pour mieux l'examiner.

— Je me demande si cet attachement excessif de sa part ne serait pas la faute de M. Newkirk. Il n'a jamais su garder les œufs à une température constante.

— Vous voulez dire que Bovril serait *défectueux* ?

— On ne peut jamais être sûr avec une nouvelle espèce. Vous dites que ce nom absurde lui viendrait d'une jeune anarchiste ?

Deryn voulut lui expliquer, mais ses jambes se dérobèrent sous elle et elle se laissa tomber sur une chaise. Ce n'était pas très poli, de s'asseoir en présence d'une dame, mais Deryn avait l'impression d'être rattrapée par tous les événements de la nuit – la bataille, la mort de Zaven, la fin atroce à laquelle le *Léviathan* avait échappé de justesse.

Avant toute chose, elle était soulagée d'être rentrée chez elle. De sentir le pont sous ses pieds, bien réel, solide, et non pas en train de brûler en plein ciel. Et de savoir Alek à bord également…

— Voyez-vous, m'dame, quand je l'ai retrouvé, Alek s'était lié avec ce Comité Union et Progrès qui ne parlait que de renverser le sultan. Je n'approuvais pas, bien sûr, mais ensuite nous avons découvert que les Allemands construisaient un canon Tesla. Sachant qu'il risquait d'abattre le *Léviathan*, il fallait que je m'assure de le détruire. Même si ça m'obligeait à m'engager auprès des anarchistes – ou des révolutionnaires, quel que soit le nom qu'on leur donne.

— Plein de ressources, comme toujours.

La savante s'assit en face d'elle de l'autre côté de la table, en se baissant pour gratter la tête de Tazza.

— Le comte Volger ne s'était pas trompé de beaucoup, n'est-ce pas ?

— Le comte Volger ?

Une pointe de panique traversa Deryn à la mention
de ce nom.

— Si je peux me permettre, m'dame, en quoi ne
s'est-il pas trompé ?

— Il a dit qu'Alek s'était lié à des personnages dou-
teux. Et aussi que vous réussiriez à retrouver notre
prince disparu.

Deryn hocha la tête. Volger était là, bien sûr, quand
elle avait entendu l'indice concernant l'hôtel d'Alek.

— C'est un malin, c'est sûr.

La savante se leva de sa chaise et regarda par la fenêtre.

— Comme vous dites. Même s'il se trompe à propos
du comité. Si douteuse que soit leur politique, ces gens
viennent de rendre un fier service à la Grande-Bretagne.

— Oui, m'dame. Ils nous ont aidés à sauver le *Léviathan* !

— Ils ont surtout renversé le sultan.

Deryn se leva péniblement pour rejoindre le Dr Barlow à la fenêtre. L'aéronef s'était remis en route et survolait les eaux à présent. Dans le lointain, les rues
d'Istanbul flamboyaient au rythme des coups de feu et
des explosions, et Deryn aperçut des tourbillons d'épice
dans le faisceau des projecteurs des éléphants de guerre.

— Je ne suis pas certain qu'il soit renversé, m'dame.
J'ai l'impression qu'ils se battent encore.

— Cette bataille est tout à fait inutile, je vous l'assure,
dit la savante. Quelques minutes après la destruction du

Goeben, nous avons vu le yacht impérial, le *Stamboul*, décoller du palais sous pavillon de trêve.

— De trêve ? Mais la bataille commence à peine. Pourquoi le sultan voudrait-il se rendre ?

— Il n'y tenait pas. À en croire les fanions de signalisation du *Stamboul*, c'était le kizlar agha qui assurait le commandement. Il emmenait le sultan en lieu sûr, loin de l'agitation d'Istanbul.

— Oh. Vous insinuez que... qu'il kidnappait son propre souverain ?

— Je vous l'avais dit, ce n'est pas le premier sultan à se faire renverser.

Deryn siffla doucement entre ses dents. Combien de temps encore cet affrontement absurde allait-il se poursuivre ? Derrière la fenêtre, les eaux noires de la baie continuaient à bouillonner à l'endroit où le *Goeben* avait disparu. Elle se demanda si le béhémoth se trouvait encore là-dessous, à prélever son dîner parmi l'acier tordu et les nappes d'huile.

Le projecteur se ralluma, et s'enfonça dans l'eau pour appeler le monstre. Le *Breslau* était le prochain au menu.

— Si le comité l'emporte, dit Deryn, il ne restera plus que l'Allemagne dans le camp des clankers !

— Mon cher enfant, vous ne comptez donc pas l'Autriche-Hongrie ?

Deryn s'éclaircit la gorge, en se maudissant intérieurement.

— Oh, c'est vrai. Je ne sais pas comment j'ai pu l'oublier.

Le Dr Barlow arrondit les sourcils.

— Vous oubliez le propre pays d'Alek ? Comme c'est curieux, monsieur Sharp.

— Monsieur Sharp, dit une voix venue du plafond.

Deryn leva la tête, et resta bouche bée.

Deux petits yeux lui retournèrent son regard stupéfait depuis le plafond. Ils appartenaient à un autre loris perspicace, dont les petites pattes s'accrochaient à un tube de lézard messager. Il ressemblait beaucoup à Bovril, à l'exception des petites taches sur les hanches.

— D'où sort-il, celui-là ?

Puis la mémoire lui revint – il y avait eu trois œufs. Celui de Bovril, celui que l'automate du sultan avait écrasé, et un troisième qu'elle avait complètement oublié. Il avait dû éclore dernièrement.

Le Dr Barlow lui tendit la main. La bestiole se laissa pendre par une patte, comme un singe, puis se laissa tomber. Elle se raccrocha au bras de la savante et descendit sur son épaule.

— Monsieur Sharp, répéta la deuxième bestiole.

— *Monsieur* Sharp, rectifia Bovril.

Puis les loris se mirent à glousser en chœur.

— Qu'y a-t-il de si drôle ? demanda la savante.

— Aucune idée, répondit Deryn. J'ai parfois l'impression qu'il a une araignée au plafond.

— Révolution, annonça Bovril.

Deryn le fixa, étonnée. C'était la première fois qu'elle entendait la créature dire autre chose que ce qu'elle venait d'entendre.

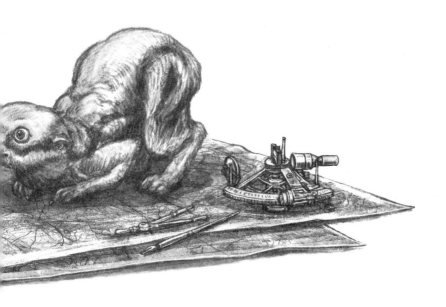

Le deuxième loris répéta le mot, en le faisant rouler joyeusement sur sa langue, puis déclara :

— Équilibre des forces.

Bovril ricana, puis répéta la phrase avec application.

Sous le regard ébahi de Deryn, les deux créatures commencèrent à bavarder, chacune répétant les paroles de l'autre. Les mots devinrent des torrents de phrases en anglais, en clanker, en arménien, en turc et dans une demi-douzaine d'autres langues.

Bientôt Bovril se mit à réciter des conversations entières que Deryn avait eues avec Alek, Lilit ou Zaven, pendant que le deuxième loris faisait de grandes déclarations tout à fait dans le style du Dr Barlow, et même quelques réflexions qui ne pouvaient être que du comte Volger !

— Je vous demande pardon, m'dame, murmura Deryn, mais que font-ils exactement ?

La savante sourit.

— Mon enfant, ils font ce qui leur vient le plus naturellement du monde.

— Mais ils sont fabriqués ! Qu'est-ce qui peut être naturel pour eux ?

— Voyons, devenir plus perspicaces, évidemment !

QUARANTE-TROIS

Le lendemain matin, Alek fut autorisé à rendre visite à Volger.

Quand l'homme de garde le laissa entrer dans la cabine du comte, Alek remarqua que la porte n'était pas verrouillée. On avait traité Alek avec politesse la nuit dernière, moins en prisonnier qu'en invité. La tension entre ses hommes et leurs geôliers darwinistes s'était peut-être atténuée un peu au cours des dernières semaines.

Le comte Volger semblait confortablement installé. Il se trouvait à son bureau, en train d'avaler un petit déjeuner d'œufs à la coque et de pain grillé, et ne se donna pas la peine de se lever à l'arrivée d'Alek. Il se contenta de hocher la tête en disant :

— Prince Aleksandar.

Alek s'inclina.

— Comte.

Volger entreprit de se beurrer une tranche de pain grillé.

À rester ainsi debout devant lui, Alek se sentait comme un écolier qui attend sa réprimande. Il n'avait jamais connu l'école, bien sûr, mais les adultes – qu'il s'agisse de ses précepteurs, de ses parents ou des grands-mères de la révolution telles que Nene – affichaient tous leur désapprobation de la même façon. Les maîtres d'école ne devaient pas être si différents.

N'y tenant plus, Alek soupira et dit :

— Cela pourrait nous faire gagner du temps si c'était moi qui commençais.

— Je vous en prie.

— Vous trouvez que je me suis comporté comme un idiot en me laissant capturer une deuxième fois. Que je n'aurais jamais dû me mêler des affaires politiques ottomanes. Qu'à l'heure qu'il est, je pourrais être caché en sécurité au fin fond de la campagne.

Le comte Volger hocha la tête.

— Oui, c'est assez bien résumé.

Il se remit à l'ouvrage sur sa tartine, décidé à étaler du beurre sur chaque millimètre carré de pain.

— Je ne vous ai pas écouté et j'ai risqué ma vie et celle des mes hommes, continua Alek. D'après le Dr Busk, Klopp va se rétablir, mais je les ai tout de même conduits à la bataille, Bauer et lui. Les choses auraient pu mal tourner.

— Beaucoup plus mal, approuva Volger, avant de se taire à nouveau.

— Voyons… Ah, j'ai également jeté par les fenêtres presque tout ce que mon père m'avait légué. Son château, ses plans, et enfin son or.

Alek plongea la main dans sa veste de pilote et palpa une masse dure cousue à l'intérieur de la doublure. Il déchira le tissu, sortit ce qui lui restait d'or et le lança sur la table.

Après un mois passé à le rogner pour se procurer des épices et des pièces détachées, le lingot s'était singulièrement réduit. Il n'en subsistait plus que le sceau des Habsbourg, qui formait désormais une sorte de pièce grossière.

Volger cligna des yeux. Alek s'autorisa un mince sourire. Au moins, il avait enfin réussi à provoquer une réaction.

— Ne me dites pas que vous avez financé cette révolution entièrement de votre poche ?

— Seulement la touche finale – j'ai pimenté la sauce, disons. Les révolutions coûtent une fortune, semble-t-il.

— Je ne sais pas. J'ai pour principe de les fuir comme la peste.

— Mais bien sûr ! s'exclama Alek. Voilà ce qui vous met en colère, n'est-ce pas ? Que je me sois opposé à l'ordre naturel des choses en aidant à renverser un souverain. En oubliant que les révolutionnaires souhaitent déposer tous les aristocrates, y compris vous et moi.

Volger prit une bouchée de pain grillé, la mastiqua longuement, puis se resservit du café.

— Il y a également cet aspect-là, je suppose. Mais vous oubliez une chose.

Alek se demanda ce que pouvait être son ultime échec, puis renonça. Il prit une tasse sur l'appui de la fenêtre, se servit un café et s'assit sur le coin du bureau.

— Je vous écoute.

— Vous m'avez sauvé la vie.

Alek fronça les sourcils.

— Comment cela ?

— Si vous aviez disparu dans la nature comme vous étiez censé le faire, ce canon Tesla nous aurait précipités dans la mer, Hoffman et moi, comme l'ensemble de l'équipage de cet aéronef.

Le comte contempla le fond de sa tasse.

— Je vous dois la vie. C'est une sensation assez déplaisante.

Alek dissimula sa surprise en prenant une gorgée de café. C'était vrai – le comte Volger avait été sauvé avec le *Léviathan*. Mais son maître d'armes était-il en train de le *remercier* d'avoir pris part à la révolution du comité ?

— Vous n'en restez pas moins un parfait idiot, naturellement, ajouta le comte.

— Naturellement, répéta Alek, quelque peu soulagé.

— Il y a aussi la question de votre célébrité naissante.

Volger ouvrit un tiroir, en sortit un journal et le lança sur le bureau.

Alek le ramassa. Il était en anglais – le *New York World*, proclamait le bandeau. Et là, en première page, figurait une photo d'Alek au-dessus d'un long article signé de « notre envoyé spécial à Istanbul » Eddie Malone.

Alek laissa retomber le journal sur le bureau. C'était la première fois qu'il se voyait en photo, et cela ne lui plaisait pas du tout. Il avait l'impression de contempler un reflet figé.

— Ai-je vraiment des oreilles aussi grandes ?

— Presque. Qu'est-ce qui vous a pris, au nom du ciel ?

Alek reprit sa tasse et fixa son reflet dans le café. Il s'était préparé aux reproches de Volger, mais pas à cela. Comme le proclamait le gros titre de la une, le monde entier connaissait désormais son visage. Il avait étalé les secrets de sa famille aux yeux de tous.

— Ce journaliste, Malone, en savait beaucoup trop sur les projets du comité. Cette interview était la seule manière de détourner son attention.

Alek jeta un nouveau coup d'œil sur la photo, et remarqua le sous-titre – L'HÉRITIER DISPARU.

— Voilà donc pourquoi les hommes d'équipage se montrent si polis envers moi. Ils savent qui je suis, maintenant.

— Pas uniquement eux, Alek. La Grande-Bretagne possède un consulat à New York, bien sûr. Même ses bons à rien de diplomates n'ont pas pu rater cela. C'est lord Churchill en personne qui a envoyé ce journal au commandant Hobbes, en le lui faisant porter par je ne sais quel rapace fabriqué.

— Et comment diable l'avez-vous obtenu ?

— Le Dr Barlow et moi échangeons des informations depuis quelque temps maintenant. C'est une femme tout à fait fascinante, ajouta le comte en se renfonçant dans sa chaise.

Alek le dévisagea, saisi d'un frisson.

— Ne vous inquiétez pas, Alek. Je ne lui ai pas dévoilé tous mes secrets. Comment va votre ami Dylan, au fait ?

Alek soupira.

— Dylan ? Il… est parfois déconcertant. En un sens, c'est à cause de lui si je me suis livré.

La tasse de Volger s'immobilisa à mi-chemin de ses lèvres.

— Qu'entendez-vous par là ?

— Il m'a persuadé qu'il serait plus avantageux pour

moi de me constituer prisonnier que de m'enfuir. Il faut dire qu'une douzaine de mécanopodes ottomans étaient en train de converger sur nous. Mais ce n'était pas son seul argument. Il semble convaincu que ma place se trouve à bord de cet aéronef. Peu importe maintenant. Une fois de retour en Grande-Bretagne, on m'enfermera probablement dans une cage.

— Je ne m'en inquiéterais pas trop pour l'instant, si j'étais vous.

Le comte jeta un coup d'œil au hublot.

— Vous ne remarquez rien ?

Alek regarda au-dehors. La nuit dernière, alors qu'il se sentait trop fatigué pour rester éveillé, l'aéronef était reparti dans le détroit pour guider le béhémoth jusqu'en Méditerranée. Mais à présent, ils survolaient des montagnes teintées d'orange par le soleil levant. Leur ombre immense s'étalait sur sa gauche à travers la brume.

— Nous faisons route vers l'est ?

Volger fit claquer sa langue.

— Vous avez mis le temps. Je suis sûr que votre ami Dylan aurait remarqué cela tout de suite.

— Sans aucun doute. Mais pourquoi nous rendre en Asie ? La guerre se déroule en Europe.

— Au début de cette guerre, la marine allemande avait des navires dans tous les océans. Le *Goeben* et le *Breslau* ne sont pas les seuls que recherchent les Britanniques.

— Savez-vous dans quelle région d'Asie nous allons ?

— Hélas, le Dr Barlow s'est montrée plutôt évasive à ce sujet. Je soupçonne malgré tout que nous rallierons Tokyo tôt ou tard. Le Japon a déclaré la guerre à l'Allemagne le mois dernier.

— Bien sûr.

Alek contempla les montagnes. Les Japonais étaient darwinistes depuis la signature d'un pacte de coopération avec les Britanniques en 1902. Mais il était stupéfiant de constater que la guerre déclenchée par l'assassinat de ses parents avait déjà dépassé les frontières de l'Europe, pour s'étendre désormais au monde entier.

— Ce détour n'arrange pas nos affaires mais vous évite au moins les désagréments d'une cage, dit Volger. L'Autriche-Hongrie souffre face à la Russie. L'heure de vous dévoiler viendra peut-être plus tôt que vous ne le pensez.

Il repoussa le journal du bout des doigts, dégoûté.

— C'est-à-dire, de dévoiler le peu de choses que vous avez réussi à garder pour vous.

Alek sortit de sa poche l'étui à parchemin.

— Vous faites allusion à ceci ?

— Je craignais que vous ne l'ayez plus.

— Comme si j'aurais pu la perdre ! s'indigna Alek, avant de réaliser qu'en fait, il avait bel et bien failli ne jamais récupérer sa lettre.

Mais depuis l'incident du taxi, il l'avait conservée sur lui en permanence. La nuit précédente, l'aviateur qui l'avait fouillé dans la soute avait ouvert l'étui et parcouru la missive. Mais le texte en latin n'avait eu aucune signification pour lui, et il la lui avait poliment restituée.

— Je ne suis pas complètement stupide, Volger. En fait, c'est à cause de cette lettre que j'ai choisi d'ignorer votre avis et de rester à Istanbul.

— Que voulez-vous dire, Votre Altesse ?

— Cette guerre a éclaté à cause d'une querelle absurde au sein de ma famille. C'est donc à moi de l'arrêter.

Il brandit l'étui.

— Ceci, c'est la volonté du ciel qui m'indique ce que je dois faire. Non pas me cacher dans l'ombre, mais revendiquer mon rang légitime et mettre un terme au conflit !

Volger le dévisagea longuement, puis joignit ses deux mains, les doigts en éventail.

— Cette lettre ne garantit en rien que vous monterez sur le trône.

— Je sais. Mais la parole du pape doit tout de même avoir un certain poids.

— Ah, j'avais oublié, dit le comte en se détournant, vous étiez parmi les païens et les hérétiques. Vous n'êtes pas au courant de la nouvelle du Vatican.

— Quelle nouvelle ?

— Le Saint Père est mort.

Alek le fixa intensément.

— La guerre lui pesait trop, dit-on, continua le comte. Il était tellement attaché à la paix. Mais bien entendu, ce qu'il pouvait penser n'a plus d'importance à présent.

— Mais… cette lettre représente la volonté du ciel. Le Vatican confirmera sa validité, n'est-ce pas ?

— En principe. Naturellement, quelqu'un là-bas a prévenu les Allemands de la visite de votre père. Espérons que cette personne n'a pas l'oreille du nouveau pape.

Alek se tourna vers la fenêtre, tâchant d'assimiler ce que Volger venait de lui apprendre.

Suite à la mort de ses parents, le monde entier avait sombré dans la folie, comme si son propre drame familial avait brisé le cours de l'histoire. Mais à Istanbul les choses avaient peu à peu commencé à se remettre en place. La révolution du comité, l'arrivée de Dylan avec le béhémoth dans son sillage, tout cela démontrait que c'était le rôle d'Alek de mettre fin à la guerre, de rétablir l'équilibre. Pour la première fois de sa vie, il était sûr de lui, comme si la providence même guidait ses pas.

Et voilà que tout menaçait de basculer de nouveau. Le destin le poussait, non pas au centre de la guerre, mais loin de chez lui et de son peuple, loin de tout ce pour quoi il s'était préparé. Et la lettre qu'il tenait à la main, la seule chose qu'il avait gardée de son père, pourrait bien se révéler sans valeur.

De quelle providence insensée était-il le jouet ?

Postface

Béhémoth est un roman d'histoire alternative, si bien que la plupart des personnages, créatures et mécaniques sont de ma propre invention. Toutefois, les lieux et événements historiques sont calqués dans une large mesure sur les réalités de la Première Guerre mondiale. Voici donc un rapide survol de ce qui est vrai et de ce qui ne l'est pas dans cette histoire.

Le *Sultan Osman I* est un authentique bâtiment de guerre, commandé par l'Empire ottoman et sur le point d'être achevé dans un chantier naval britannique à la fin de 1914. Quand la guerre éclata, cependant, le Premier lord de l'Amirauté, Winston Churchill, décida de le réquisitionner de crainte que les Ottomans ne décident de s'allier aux Allemands et de s'en servir contre la Grande-Bretagne. Les Ottomans finirent effectivement par entrer dans le conflit, mais en partie à cause de cette provocation ; la question de savoir s'ils seraient restés neutres sans cela fait encore débat.

Comme dans *Béhémoth*, l'Empire ottoman était instable en 1914. Dans le monde réel, néanmoins, le sultan et son grand vizir n'étaient plus à la tête du pays. La révolution de 1908 les avait renversés, et le Comité Union et Progrès tenait déjà les rênes du pouvoir.

Dans le monde de *Béhémoth*, au contraire, la révolution de 1908 a échoué, laissant le sultan au pouvoir et le comité divisé en multiples factions. J'ai imaginé une deuxième rébellion en 1914 parce que je voulais impliquer mes personnages dans une révolution réussie, susceptible d'infléchir le cours de l'histoire vers une issue plus positive.

L'influence des Allemands à Istanbul était bien réelle ; ils y possédaient un journal très populaire, alors que l'ambassade britannique ne comptait pas un seul membre de son personnel capable de lire le turc (difficile à croire, mais parfaitement authentique).

Comme dans ce livre, les cuirassés allemands *Goeben* et *Breslau* se retrouvèrent piégés en Méditerranée au début de la guerre. Ils se réfugièrent à Istanbul où ils devinrent partie intégrante de la marine ottomane, avec leurs équipages complets. En contrepartie des deux navires, les Ottomans placèrent l'amiral Wilhelm Souchon, commandant du *Goeben*, à la tête de leur flotte. Le 29 octobre 1914, celui-ci attaqua la marine russe sans en avoir reçu l'autorisation formelle, avec pour conséquence de précipiter les Ottomans dans le conflit.

Dans le monde réel, la guerre qui éclata dans plusieurs pays, dont la Turquie, la Syrie et le Liban, sonna le glas de l'Empire ottoman. J'ai voulu garder intact cet empire dans mon histoire pour conserver à Istanbul sa nature cosmopolite, comme un exemple pour le reste du monde.

Et, oui, le vrai nom de la capitale est Istanbul et non Constantinople. Même si l'aristocratie ottomane a employé le nom *Konstantiniyye* pendant des siècles, et que de nombreux Occidentaux s'y accrochent encore dans les récits et les chansons, ses habitants l'appellent Istanbul depuis très longtemps (en réalité, la plupart d'entre eux l'appellent simplement « la Ville »). Quoi qu'il en soit, la poste turque a cessé en 1923 de distribuer le courrier adressé à « Constantinople ».

L'Orient-Express a réellement existé, bien sûr. Il desservait plusieurs lignes entre Paris et Istanbul depuis 1883. À la Belle Époque, il incarnait toute l'élégance et l'aventure des grands voyages. Le 14 décembre 2009, quelques semaines après que j'achève ce livre, il bouclait son dernier trajet.

On ne connaît aucun « canon Tesla », mais Nikola Tesla est un authentique inventeur, resté célèbre pour avoir découvert les principes de base de la radio, du radar et du courant alternatif. Il passa plusieurs décennies à travailler sur un rayon de la mort, dont il prétendit dans les années 1930 qu'il pourrait « abattre dix mille avions à une distance de 250 miles ». Il offrit son invention à plusieurs gouvernements, mais aucun ne s'y intéressa.

C'est peut-être d'ailleurs une bonne chose.

Découvrez la suite de la série

·LÉVIATHAN·

3. *Goliath*
(à paraître en septembre 2012)

Cet ouvrage a été composé par
PCA – 44400 REZÉ

Achevé d'imprimer en août 2011
N° d'impression: L 74669
Dépôt légal : septembre 2011
Imprimé en France

POCKET
jeunesse

12, avenue d'Italie
75627 PARIS Cedex 13